MEDUSA

MICHAEL DIBDIN

Medusa

Een Aurelio Zen-thriller

Vertaald door Huub Groenenberg

Uitgeverij Atlas – Amsterdam/Antwerpen

© 2003 Michael Dibdin
© 2003 Nederlandse vertaling: Huub Groenenberg
Oorspronkelijke titel: *Medusa*
Oorspronkelijke uitgave: Faber & Faber Ltd., Londen

Omslagontwerp: Wouter van der Struys
Omslagillustratie: © Corbis/Bettman
Foto auteur: Isolde Ohlbaum

ISBN 90 450 1179 4
D/2003/0108/617
NUR 331

www.boekenwereld.com

Pulchra es amica mea suavis et decora sicut Hierusalem
terribilis ut castrorum acies ordinata. Averte oculos tuos
a me quia ipsi me avolare fecerunt.

Schoon zijt gij, mijn liefste, lief'lijk als Jeruzalem,
geducht als krijgsscharen met banieren. Wend uw ogen
van mij af, want in verwarring brengen zij mij.

Hooglied 6:4

I

Een olieachtige mist had de straten raadselachtig gemaakt, de gevels aan beide kanten verhuld, bekende plekken tot vreemde gemaakt en de ramen bedekt met een baan vocht die dikker leek dan water. Gabriele probeerde weg te schuiven van de dikke vrouw op de stoel naast hem, die via haar telefoon een gruwelijk gedetailleerd verslag deed van de stoma van een bejaard familielid, maar haar massa bood hem nog steeds te weinig ruimte om zijn krant comfortabel te kunnen openslaan. Het enige dat hij goed kon lezen was de kop, die betrekking had op vijandelijkheden die plaatsvonden in een land ver weg, waar jonge mannen doodden en werden gedood. Buiten gromde en kefte het vastgelopen verkeer. De tram denderde over zijn vaste spoor door de in mist gehulde stad, telkens rinkelend met zijn bel om te waarschuwen voor zijn komst.

'God mag het weten!' zei de dikke vrouw. 'Eerst moet ik de auto ophalen bij Pia, aangenomen dat ze er nog is, wat ik me afvraag, en Joost mag weten hoe het daarna zal gaan met die verdomde mist.'

Gabriele drukte zich tegen het raam en sloeg de kraag van zijn groene loden jas op in een symbolische poging zich van de vrouw af te schermen. Hij hield van de mist, de wereld werd stil en omsloot je. Wat glansde werd mat, elke schrilheid verstomde, het wezen werd uitgeloogd uit de ruwe materie om je heen. Dingen werden ideeën, het drieste heden werd een vage herinnering.

Door een of ander parallel proces waarin hij weggleed, vloeiden zijn talloze jeugdherinneringen aan mistige dagen in andere herinneringen over. De mist van ziekte, echt of voorgewend, van koorts en griep en rillerigheid. 'Ik voel me niet lekker, mama.' Ze wilde hem altijd graag geloven en de wetenschap dat hij haar een plezier deed, verzachtte het lichte gevoel van schuld dat hij gehad zou kunnen hebben door zijn symptomen te veinzen of te overdrijven. Zijn moeder vond het fijn als hij ziek was. Het gaf haar het gevoel dat ze nodig was. Soms had hij zelfs vermoed dat ze wist dat hij simuleerde, maar hem vergaf of zelfs aanmoedigde.

Mist betekende voor Gabriele ook het veren dekbed dat zijn moeder opschudde en over hem heen vlijde terwijl de machteloze klok erop aandrong dat hij naar school moest, met zijn horde pestkoppen en lestaken. 'Mijn wolk' had hij het genoemd. Gewichtloos en warm, en opengeslagen zodra zijn moeder de kamer uit was, zodat hij naar de boekenkast kon rennen en een stel romans kon uitkiezen om mee te nemen naar bed, waar hij de wolk weer over zich heen drapeerde. Boeken waren een andere vorm van mist, die neerdaalde om de gezaghebbende, officiële versie te infiltreren en heimelijk te ondermijnen, te ontmaskeren als het bedrog dat het was. Hij wist dat alle verhalen verzonnen waren, dat de personages marionetten waren, dat de uitkomst vaststond, dus waarom leken ze dan zoveel echter dan de werkelijkheid? En waarom was niemand anders geschokt door dit vreugdevolle schandaal?

De tram kwam gierend tot stilstand en de dikke vrouw, die nog steeds in haar mobiel praatte, stond op, stapte de straat op en verdween onmiddellijk in het niets. De deuren sloten zich weer en de tram kwam schokkerig in beweging. Nu de stoel naast hem leeg was, sloeg Gabriele zijn krant open en bekeek vluchtig de actuele internationale en politieke kwesties. Zoals gewoonlijk deden ze hem denken aan zijn moeders wijsheid met betrekking tot kliekjes: 'Voeg er één nieuw ingrediënt aan toe en je kunt het telkens weer op tafel zetten.'

Hier in het oude centrum van de stad leek de mist nog dichter, veel echter dan de vluchtige suggesties van steen en glas die zich vormden en weer oplosten in het obscure zicht dat de mist af en toe bood. Gabriele sloeg de *Cronaca*-bladzijden open en las over een moord binnen een gezin in Genua, een drugsdode in Turijn, en de ontdekking van een lijk in een verlaten militaire tunnel hoog in de Dolomieten.

De tram minderde vaart voor zijn volgende halte, één halte voor de zijne. Gabriele sloeg de krant dicht en vouwde hem verticaal op zodat hij een strakke, korte knuppel vormde, duwde hem in zijn zak en stapte samen met zeven andere mensen uit. Hij wachtte bij de halte, een hoestbui voorwendend, tot ze zich in de mist hadden verspreid. De tram rolde weg met zijn lading licht en liet hem halfblind achter in het miasma.

Hij stak over naar het trottoir, wegspringend voor de lichten van een auto die veel dichterbij bleek dan hij had gedacht, en hobbelde toen voort in de richting waarin de tram was gereden, waarbij hij af en toe even bleef staan om te kijken en te luisteren en de drukkende lucht op te snuiven. Na een paar huizenblokken doemde er een café op, op het laatste moment in elkaar gezet met stukjes gloed en glans. Gabriele aarzelde even en duwde toen de deur open.

Hij was nooit eerder bij deze halte uit de tram gestapt en was nooit in dit café geweest, dus het was niet meer dan normaal dat hij een levendige belangstelling toonde voor elk detail van het interieur, het decor en vooral de gasten. Hij inspecteerde de andere bezoekers nauwkeurig en besteedde vooral veel aandacht aan degenen die na hem binnenkwamen. Toen zijn cappuccino en brioche werden neergezet, nam hij die mee naar het uiteinde van de marmeren bar, waar die een bocht naar de muur maakte. Daar kon hij de hele ruimte overzien, en de enige uitgang. De klanten leken precies het soort mensen te zijn dat je kon verwachten in dit soort café in dit deel van Milaan op dit moment van de ochtend: degelijk, professioneel, welgesteld en volledig in beslag genomen door hun eigen zaken. Ze waren allemaal met z'n tweeën of met grotere groepen en niemand besteedde ook maar enige aandacht aan hem.

Gabriele pakte de krant uit zijn zak, vouwde die heimelijk open en las het artikel opnieuw door. Daarna gooide hij de krant in de afvalbak en veegde zijn handen af met een papieren servet uit de metalen houder op de toonbank. Wie had dat gedacht? Na al die jaren.

Als de ansichtkaarten er niet waren geweest, zou hijzelf er inmiddels misschien wel in geslaagd zijn om het te vergeten. Afgezien van die keer dat een of andere communistische journalist hem vragen over Leonardo was komen stellen, terwijl hij zogenaamd een boek kwam kopen. Maar Gabriele had hem weer snel de deur uit gewerkt.

De reeks kaarten was gekomen in het jaar nadat Gabriele ontslag had genomen uit het leger. Sindsdien kwamen ze elk jaar, ongeacht waar hij op dat moment woonde, steeds verstuurd vanuit Rome en afgestempeld op dezelfde datum als waarop Leonardo zoveel jaren eerder was gestorven. Sinds 1993 waren ze bij de winkel bezorgd. Ze waren altijd hetzelfde: een goedkope toeristische kaart van de Loggia dei Lanzi in Florence met Cellini's bronzen beeld van Perseus die het afgehakte hoofd van Medusa in zijn handen houdt. Gabrieles naam en adres stonden links op de andere zijde in blokletters. De ruimte voor het bericht was leeg.

'We moesten maar eens gaan,' zei een van de mannen aan de bar. 'Ze wachten op ons.'

En ze zouden op hem wachten, dacht Gabriele. Was het niet vandaag, dan wel morgen. Op het werk of thuis. Wat het nog erger maakte was dat hij geen idee had wie 'zij' waren. Medusa was iets wat hij al lang geleden achter zich had gelaten. Hij had zelfs de tatoeage laten verwijderen, een chirurgische ingreep die hem veel geld en enig licht ongemak had gekost. Alles wat hij ooit over de organisatie had geweten, waren de drie andere namen in zijn cel, maar er moesten natuurlijk nog veel meer cellen zoals de hunne zijn geweest, en vooral een allesoverkoepelende commandostructuur, die ongetwijfeld tot heel hoog in de militaire en politieke hiërarchie reikte. Hij had een paar jaar eerder via een artikel in de pers vernomen dat Alberto – nu kolonel – Guerrazzi nu een heel hoge pief bij de geheime dienst was.

Die mensen hadden onvoorstelbaar veel macht. Als ze zich bedreigd voelden – wat ongetwijfeld zo was, door de mogelijke onthulling van de waarheid omtrent Leonardo's dood – dan volgde van hun kant waarschijnlijk een onmiddellijke, preventieve en volstrekt onvoorspelbare reactie.

Buiten was de mist nog altijd even hardnekkig. Gabriele dook het eerste portiek in dat hij tegenkwam en keek om. Er kwam niemand naar buiten uit het café dat hij net verlaten had. Hij liep langzaam door met zijn hoofd omlaag, ogenschijnlijk geconcentreerd op het vinden van zijn weg en het vermijden van obstakels. Een tjirpend geklingel kondigde de komst van een nieuwe tram aan. Deze kwam knarsend tot stilstand bij de halte waar hij normaal elke ochtend uitstapte. Hij wachtte tot de groep forenzen zich had verspreid en speurde toen nauwkeurig de straat af. De rij winkels op de begane grond van het grote achttiende-eeuwse palazzo ging net open. Het waren voornamelijk mode- en accessoirezaken, met daartussen een juwelier, een kapsalon en zijn eigen antiquariaat. Er waren heel weinig mensen en niemand die opzichtig stond rond te kijken, maar hij wist dat dat niets wilde zeggen. Hij bedacht dat hijzelf snel begon op te vallen, ging naar links en liep om het huizenblok heen.

Ik ben hier niet goed in, dacht hij. Nooit geweest, en hij zou het nooit worden ook. Hij had vreselijk zijn best gedaan, echt waar, maar wat hij ook deed, hij was nooit zo'n natuurtalent geweest als Alberto, Nestore en die arme Leonardo. 'Niet in de wieg gelegd voor officier.' Dat commentaar was hij nooit vergeten. Het had hem gestoken, ook al was officier het laatste dat hij had willen worden als hij eerlijk was. En het had niets uitgemaakt. Er werd aan touwtjes getrokken en op knoppen gedrukt en hij kreeg zijn aanstelling evengoed, dankzij de invloed van zijn vader, die natuurlijk had gezorgd dat hij dat nooit zou vergeten.

Maar die drilmeester op de militaire academie had gelijk gehad. Hij was niet in de wieg gelegd voor officier. Hij kon als een hond zo trouw bevelen opvolgen, maar hij kon ze niet zo geven dat het bij anderen dezelfde gedachteloze gehoorzaamheid opwekte. Of zelfs bij hemzelf.

Maar vooral ontbrak het hem aan het initiatief om goed te kunnen improviseren als het erop aankwam en er geen meerdere in de buurt was die hem zei wat hij moest doen. Zoals nu.

Wat moest hij doen? Waar moest hij heen gaan? Hij had zijn zuster maanden niet gesproken en daar zouden ze hem trouwens makkelijk kunnen vinden. Hetzelfde gold voor de paar goede vrienden die hij had, gesteld dat hij zich zonder nadere uitleg aan hen kon opdringen. Een reis naar het buitenland was aanlokkelijk, maar dat betekende creditcards en een pas en wat al niet meer, een papierspoor dat kon worden gevolgd. Wat hij echt moest doen was gewoon verdwijnen totdat de situatie was opgelost.

Hij stapte met gemaakte doelbewustheid voort door de kolkende stroom. Toen er een ander café opdoemde, ging hij er blind naar binnen en bestelde een whisky. Gabriele dronk zelden en nooit voor de lunch. Hij sloeg het gemeen smakende goedje als een medicijn achterover en staarde naar zijn beeld in de spiegel achter de bar, als altijd verbaasd over zijn robuuste, pezige lijf en vastbesloten blik. Hij zag zichzelf altijd als klein, onooglijk, breekbaar en altijd tekortschietend. De grap die het leven met hem had uitgehaald was dat zo'n persoonlijkheid in het lichaam van een weltergewicht bokser terecht was gekomen. Het had hem ervoor behoed dat hij in elkaar werd geslagen op school, en later op de academie, maar zelfs die overwinningen voelden onecht aan, behaald door bedrog. En de vrouwen in zijn leven hadden zich, anders dan de mannen, nooit laten misleiden. Integendeel, ze waren dol op hem geweest, degenen die langer dan een week of twee bleven, juist vanwege die zwakheid die ze zo haarscherp hadden aangevoeld. Een tijdje was het wel fijn geweest om weer zo te worden bemoederd, maar op den duur voelde het aan als de zoveelste nederlaag.

Bovendien hadden ze allemaal een echte moeder willen

worden en hij was niet van plan om mee te werken aan een herhaling van die dieptreurige farce. Hippolyte Taine, wiens verzameld werk Gabriele momenteel aan het lezen was, had het zoals gewoonlijk pijnlijk accuraat geformuleerd: 'Drie weken flirten, drie maanden liefde, drie jaar kibbelen, dertig jaar je erin schikken, en dan beginnen de kinderen weer.' Dat zou hem niet gebeuren. Bovendien zou het een jongen kunnen worden. Met de vader-zoonkwesties die hij had meegemaakt, kon hij meerdere levens vooruit. De vrouwen hadden dat aangevoeld en waren weer vertrokken, en inmiddels was Gabriele alle belangstelling voor het hele gebeuren kwijtgeraakt. Als je geen kinderen wilde, wat had het dan voor zin? Op zijn leeftijd leek seks tamelijk weerzinwekkend en dom, en de huidige culturele obsessie daarvoor deprimerend en ziekelijk. Afgaande op diverse commentaren die zijn moeder zich af en toe had laten ontglippen, was dat in elk geval één ding dat hij met zijn vader gemeen had.

Het café begon nu vol te lopen. Het was klein en vrij morsig voor deze omgeving, en de gasten waren van een heel ander slag dan in de vorige gelegenheid: ambachtslieden, straatvegers, besteldienstchauffeurs, straatagenten, gepensioneerden, conciërges...

Het duurde even voordat het muntje viel, en toen dat gebeurde was Gabriele alert genoeg om niet met zijn mobiel te bellen. De munttelefoon van het café bevond zich achter in de zaak, in een overloopgebied waar de tafels en stoelen geleidelijk verdwenen en plaats maakten voor stapels kratten met mineraalwater, kartonnen dozen met chips, ongebruikt reclamemateriaal en een kapotte vrieskist voor ijsjes waarvan de klep omhoogstond. Aan de dichtstbijzijnde muur hing een ingelijste zwart-witte luchtfoto van een stadje ergens in de alluviale vlakte in het zuiden, Crema of Lodi misschien. De foto moest kort na de oorlog zijn genomen, want er was nog maar weinig grootschalige bouw buiten de muren, alleen een paar landelijke villa's en het spoorstation. Daar voorbij strekten de grote vlaktes zich uit, vaag doorsneden door zandwegen, met hier en daar de stip-jes van geïsoleerde *cascine*, de rechthoekige complexen van groepjes boerengebouwen die kenmerkend zijn voor de Po-vlakte.

Hij stond daar, met de telefoon in zijn hand, te kijken naar de foto boven hem. Uiteindelijk veranderde de kiestoon in een nijdige fluittoon. Gabriele hing op, deed er een muntje in en draaide een nummer. Hij wist nu wat hem te doen stond, en dat kon ook gedaan worden.

'*Pronto.*'

'Fulvio, met Gabriele Passarini.'

'*Salve, dottore.*'

'Hoor eens, weet je nog die keer, jaren geleden, toen ik de sleutel vergeten was en de winkel niet meer in kon?'

Een kort lachje.

'Is dat weer gebeurd?'

'Het is weer gebeurd. En ik wil dat je hetzelfde doet als de vorige keer. Begrijp je?'

'U bedoelt naar beneden gaan om...'

'Ja, ja! Precies wat je de vorige keer hebt gedaan. Ik wacht op je.'

Het was even stil. Toen Fulvio eindelijk sprak, klonk hij geagiteerd, misschien door de nadruk waarmee Gabriele ge-sproken had.

'In orde, dottore. Ik zit tot over m'n oren in het werk van-ochtend, maar...'

'Het levert je wel wat op.'

Hij hing op, veegde zijn handen aan zijn jas af en liep te-rug naar de bar, waar hij een koffie bestelde en opdronk, en vervolgens de rekening betaalde voordat hij het café verliet.

Fulvio stond net binnen de deuropening op hem te wach-ten. De conciërge was een magere, gebogen man, wiens uit-drukking van voortdurende verbazing, door het verlies van zijn wenkbrauwen bij een bedrijfsongeval, hem een wat on-nozel voorkomen gaf. Fulvio was de bemiddelaar, zo niet de aanstichter, bij alles wat zich in het gebouw afspeelde. Ga-briele had dat al snel in de gaten gehad en had altijd zijn best gedaan om ervoor te zorgen dat Fulvio zich ervan bewust was dat hij de situatie begreep en de waarde ervan inzag: elke kerst een *panettone* van een van de beste banketbakkers uit de stad, bonbons voor zijn vrouw op haar verjaardag, en een enkele maar aangenaam ruime fooi als het zo uitkwam.

De conciërge wenkte Gabriele naar binnen, trok de roestige ijzeren deur daarna dicht en deed die weer op slot. Een zwakke gloeilamp verlichtte de steile trap naar de kelderruimte.

'Nog iets gebeurd?' vroeg Gabriele terloops, met de vaste zinsnede die ze voor deze conversatie hadden ontwikkeld.

Fulvio zuchtte diep. Na de overduidelijke en sterke emotie in Gabrieles stem aan de telefoon leek hij opgelucht dat hij kon terugkeren naar dit vertrouwde onderwerp.

'Ja, wat zal ik zeggen? Signora Nicolai had afgelopen week weer een lichte hartaanval, maar ze is weer hersteld en overleeft ons waarschijnlijk allemaal. Tussen Pasquino en Indovina is het het bekende verhaal en de familie Gambetta maakt nog steeds ruzie over wie wat krijgt van de erfenis van hun oom. Maar ik beloof u, dottore, vroeg of laat komt er hier een woning vrij.'

'Maar waarschijnlijk maak ik dat niet meer mee.'

'Heh, heh, heh!'

Ze gingen de trap af en een smalle gang door, die leidde naar een spelonkachtige ruimte gevuld met duistere gevaartes die slechts vaag te zien waren in het dunne straaltje licht dat binnenviel door de open getraliede ramen op trottoirhoogte boven hen. Fulvio koos een andere sleutel uit de bos die hij bij zich had en opende een deur in de muur aan het einde. Hij knipte een zwakke lamp aan en ze liepen door een ander onderaards gewelf, ongeveer van dezelfde vorm en grootte als het vorige, maar hier rook het sterk naar steenkool. De vloer onder hen kraakte terwijl ze erdoorheen liepen naar een trap in de hoek, die weer naar het gebouw erboven leidde.

Ze waren ongeveer halverwege toen het licht uitging. De

ondraaglijke herinnering aan de kreten, smeekbeden en vloeken welfden op in Gabrieles brein. Jij zou ook zo schreeuwen als dit jou overkwam, had hij destijds gedacht. Dat was het ergste ervan geweest: de manier waarop ze Leonardo – 'de jonge priester' had Nestore hem schertsend genoemd, vanwege zijn kennelijke gebrek aan belangstelling voor vrouwen – hadden gereduceerd tot de kleinste gemene deler van het dier dat mens heet. Mensen konden zelfs worden vernietigd voordat ze werden gedood, en hij was medeplichtig geweest aan zo'n vernietiging, en aan het doden zelf. Je kon je nooit verbergen voor die gruwel, alleen door te vergeten. Maar vergeten was niet meer mogelijk, want de andere betrokkenen zouden het niet vergeten.

'Dottore?'

De echo's gaven Fulvio's stem een ongewoon gezag, maar het enige antwoord was een gierende ademhaling die de conciërge deed denken aan de blaasbalg waarmee ze het vuur in de oven aanwakkerden, lang geleden toen hij als leerling in de metaalgieterij was begonnen. Hij tastte in zijn zak, vond zijn aansteker en klikte een vlammetje aan.

'Dottore?'

Met moeite kreeg Gabriele de aanval onder controle. De kreten verstomden, de gruwelijke details verdwenen, de naakte rotswand werd weer afgewerkte steen.

'Alles in orde,' zei hij.

'Hier is de trap al. Volg me maar.'

'Ze klommen de trap op en liepen een korte gang door. Na wat gefrummel met zijn aansteker en sleutels aan het einde daarvan maakte Fulvio een volgende deur open en viel prompt voorover.

'*Porca Madonna!*'

De aansteker ging uit en het interieur achter de deur was donker, maar Gabriele liep zelfverzekerd door en pakte zijn sleutels. Hij wist nu waar hij was. Hij stapte over de liggende conciërge en de zwabber en dweil waarover die gevallen was, draaide de binnendeur van het slot en maakte die open. Het stalen rasterwerk dat de winkelruiten beschermde bood net genoeg licht om bij te kunnen zien. Achter hem was Fulvio weer opgekrabbeld en hij tastte naar de lichtschakelaar binnen de deur. Gabrieles hand pakte zijn arm vast.

'Nee!'

De conciërge keek hem aan met een verbijsterde blik die niets te maken had met zijn ontbrekende wenkbrauwen.

'Geen licht?' hijgde hij.

Gabriele schudde zijn hoofd.

'Maar waarom? Wat heeft dit eigenlijk allemaal te betekenen?'

Gekneusd en vernederd als hij was door zijn val, klonk Fulvio nu kwaad.

'U had uw sleutels wel bij u! Dus waar was dit geknoei voor nodig? Wat is er aan de hand?'

Gabriele was doorgelopen naar het midden van de ruimte en stond rond te kijken naar de opeengepakte boekruggen. Hun discrete maar luxueuze tinten leken de lucht te vullen als zachte orgelmuziek.

Vingers trokken aan zijn mouw.

'Ik eis een verklaring, dottore!'

Gabriele legde een wijsvinger op zijn gesloten lippen.

'Alles op zijn tijd, Fulvio.'

Hij voelde zich nu kalm, sterk en veilig. Hij kende elk boekwerk uit zijn hoofd, kon vanaf waar hij stond elke titel, auteur, uitgave, datum en uitgever noemen. Als hij toch eens hier zou kunnen blijven, met een mooi appartement erboven zodat hij af en toe kon slapen, douchen en zich verschonen, maar toch naar beneden kon gaan en van gedachten wisselen met zijn boeken, op elk moment van de dag of nacht!

Hij liep naar de kluis die zich bevond achter het bureau waar hij normaal gesproken de ceremonies van de winkel leidde. De conciërge schuifelde ongemakkelijk rond terwijl hij iets onverstaanbaars mompelde. Gabriele draaide het wiel het vereiste aantal keren rond en trok de zware deur open. Met zijn rug naar Fulvio gekeerd stak hij snel een bundeltje bankbiljetten in zijn zak.

'Dit is hoogst ongewoon,' herhaalde de conciërge op beledigde toon. 'Met alle respect, dottore, maar u bent me een verklaring schuldig.'

Gabriele sloot de kluis weer af, boog zich toen over zijn bureau en schreef snel iets op een kaartje. Na een laatste keer te hebben rondgekeken stond hij op en liep terug naar Fulvio. Hij pakte twee van de biljetten uit zijn zak en hield die op.

'Dit is je verklaring,' zei hij. 'Ik ga een tijdje weg. Als ik terugkom, betaal ik je hetzelfde voor elke week die ik weg ben geweest. In ruil daarvoor wil ik dat je de winkel goed in de gaten houdt, en vooral iedereen die hier naar me komt vragen. Noteer de data, hoe ze eruitzien en hun namen, als ze die geven, en vooral wat ze zeggen. Tot slot wil ik je vragen dit voor het raam aan de voorkant van de winkel te hangen zodra ik weg ben.'

Hij overhandigde de conciërge het kaartje dat hij had geschreven. Onder de naam en het logo van de boekhandel stond in blokletters: CHIUSO PER LUTTO. Fulvio keek naar hem met hernieuwd begrip, sympathie en respect.

'Bent u in de rouw, dottore? Een sterfgeval in de familie?'

Gabriele glimlachte flauwtjes.

'Ja,' zei hij. 'Ja, ik denk dat het daar wel op neerkomt.'

II

'Ik neem aan dat je dat vreselijke nieuws al hebt gehoord?'

Riccardo stond net binnen de keuken, de stapel borden in zijn hand, en keek zoals altijd schaapachtig uit zijn ogen.

'Wat voor nieuws?' vroeg Claudia, terwijl ze hem van zijn last ontdeed.

Hij antwoordde niet meteen. In plaats daarvan draaide hij zich om en deed de deur naar de huiskamer dicht. Dit was iets wat hij nog nooit had gedaan. Eén moment vroeg ze zich af...

Maar dat was dwaasheid. Het was Ricco maar, en bovendien was die tijd wel voorbij. Ze zette de borden op de plank en keek hem min of meer streng aan. Die gezellige middagjes met de Zucotti's hadden een vast, geruststellend ritme dat nooit ergens door werd verstoord. Het vallen van de kaarten was de enige toegestane constante, en zelfs daarmee wonnen zij en Danilo praktisch altijd.

'Waar heb je het over?'

De vraag leek de arme Riccardo nog meer in verwarring te brengen. En toen het antwoord kwam, gebeurde dat met een onsamenhangend gestotter, als een doodsbenauwde liefdesverklaring.

'Dat lichaam. Lijk, bedoel ik. In de bergen... Wat een verschrikkelijke toestand.'

Hij wreef hulpeloos in zijn handen.

'Het had daar dertig jaar gelegen, zeiden ze.'

Claudia trok haar neus vol weerzin op.

'Daar hadden ze het over op het nieuws. Ja natuurlijk, verschrikkelijk. Maar waarom begin je erover?'

Riccardo keek naar de grond, naar het aanrecht en toen

door het raam naar de daken van Verona, overal behalve naar haar. Het leek bijna of hij ging huilen, en het antwoord op haar harteloze vraag was opeens duidelijk. Hij moest het slachtoffer natuurlijk gekend hebben, of in elk geval de familie. Met een licht gevoel van wroeging liep ze naar hem toe, pakte zijn hand en begon er zachtjes over te wrijven.

'Het spijt me vreselijk,' zei ze.

Net op dat moment ging de deur open en kwam Raffaela binnen.

'O!'

Ze zette de koffiepot neer die ze bij wijze van voorwendsel had meegenomen. Dit was ook nieuw. Als ze bij de Zucotti's thuis waren, bediende Raffaela en hielp Danilo haar met opruimen. Hier bij Claudia deden zij en Riccardo het werk. Net als bij het kaarten wisselden ze nooit van partner.

'Ik hoop dat ik niet stoor,' vervolgde Raffaela guitig.

'Natuurlijk niet!' snauwde haar man, wiens aanval van nerveuze aarzeling helemaal over was. 'Ik was alleen...'

Hij viel stil.

'Ricco vertelde me net over die verschrikkelijke zaak van die klimmer die ze dood hebben gevonden in een grot bij Cortina. Ik wist niet dat jullie tweeën er persoonlijk bij betrokken waren. Het spijt me vreselijk.'

Raffaela zond haar een blik toe die duidelijk bedoeld was om kenbaar te maken dat als zij, Claudia, ook maar één moment dacht dat zij, Raffaela, zo'n overduidelijk doorzichtige smoes zou geloven, dat ze dan nog maar eens goed na moest denken. Ze wendde zich tot haar man en zei op een heel nadrukkelijke manier niets.

'Ik dacht dat het iemand was die Claudia misschien gekend had,' zei Riccardo zwakjes.

'Een dode klimmer?' vroeg zijn vrouw bijtend.

'Niemand weet wie het was. Hij was gevonden door een stel Oostenrijkse klimmers. Nou, het waren eigenlijk grotonderzoekers.'

Na dertig jaar lesgeven op een *liceo classico* was Raffaela goed voorbereid op een dergelijke badinage.

'Of hun onderzoekingen nu betrekking hadden op berg-toppen of op grotten,' zei ze met een veelbetekende blik op Claudia's omvangrijke figuur, 'ik begrijp niet waarom dit een van jullie persoonlijk aangaat.'

Claudia lachte ongedwongen.

'In 's hemelsnaam, Raffaela! Het was allemaal gewoon een misverstand. Ricco begon over het nieuwsbericht en ik dacht om de een of andere reden dat hij de arme man ken-de. Ik toonde gewoon mijn medeleven, dat is alles.'

Ze liet hen abrupt in de steek en ging terug naar de huis-kamer, waar Danilo bij de salontafel doelloos het pak kaar-ten zat te schudden. Claudia zeeg naast hem neer op de bank en begon een indringende monoloog over het schandaal van dat moment rond een beroemdheid. De woorden werden uitgesproken op een bijna onverstaanbare, gedempte toon, en ze besteedde geen enkele aandacht aan het echtpaar Zu-cotti toen zij weer uit de keuken te voorschijn kwamen.

'Heel erg bedankt, *cara*!' riep Raffaela, die zoals altijd de touwtjes in handen nam. 'Alles was zoals altijd perfect. We hebben ons kostelijk geamuseerd, maar we moeten nu echt gaan. Er zit regen in de lucht, hè? Kom, Ricco.'

Haar echtgenoot zorgde voor een wonderlijke vertoning door Danilo met een zwijgende vastberadenheid aan te sta-ren, die voor Claudia volkomen onverklaarbaar was.

'Riccardo!' zei zijn vrouw vermanend.

'Certo, sì. Arrivo. Anzi, andiamo. Cioè...'

Claudia zwaaide vaag en glimlachte.

Toen de voordeur eindelijk achter haar gasten dichtviel, stond ze op van de bank.

'Ik ga even iets gemakkelijkers aantrekken,' zei ze, waar-na ze haar rug naar Danilo toe draaide zonder weg te lopen.

Danilo stond gehoorzaam op en ritste haar jurk los. Clau-dia liep de gang in die naar haar slaapkamer leidde, waarbij het kledingstuk al van haar schouders afzakte tot haar mid-del. Ze liet de deur open, maakte haar beha los en slaakte een kleine zucht terwijl die op de vloer viel. Ze schopte haar schoenen uit en wurmde zich uit de jurk; vervolgens stroopte ze haar kousen af en haakte het gehate korset los. Ze wipte met een sprongetje over de ruïnes en liet de zijde als een jongere huid over zich heen glijden.

'Wat had dat nou allemaal te betekenen?' merkte ze op terwijl ze naar de huiskamer terugkeerde.

Danilo stond nu bij het dressoir, dat vol stond met foto's van Claudia's zoon Naldo op elke leeftijd van zijn geboorte tot twintig jaar. Hij was nog steeds nerveus de kaarten aan het schudden.

'Raffaela lijkt het erg moeilijk te hebben met haar leven, *poverina*. Ouder worden is voor niemand makkelijk, maar stel dat je een vast regime van veertig jaar met die vreselijke Riccardo hebt gehad en dan beseft dat je tijd voorbij is. Dat moet net zoiets zijn als dat je aan bed gekluisterd bent met iets terminaals onder de leden terwijl je nog nooit iets hebt gedaan of gereisd hebt.'

'Terwijl jij van bed naar bed bent gereisd, alles hebt gedaan en nooit ergens aan gekluisterd bent geweest.'

Claudia wond de tot haar enkels reikende robe losjes om zich heen en liet een bestudeerd lachje horen.

'Wat zeg je daar voor vreselijks! Ik heb me altijd keurig gedragen toen Gaetano nog leefde.'

Danilo trok ironisch een wenkbrauw op.

'Ik bedoel dat ik nooit met iemand uit onze eigen sociale kring heb geneukt,' antwoordde Claudia. 'Wat wil je nog meer?'

Danilo leek niet geneigd om nog iets te vragen of te zeggen. Maar hij vertrok ook niet. Alweer een kleine onregelmatigheid. Daar kwam vanmiddag geen einde aan.

'Wil je nog een pasteitje?' vroeg Claudia hem nadrukkelijk. 'Of nog koffie?'

Danilo legde de kaarten neer en draaide zich naar haar toe. Hij leek iets te gaan zeggen en stiet toen een luide, jongensachtige lach uit waar hij patent op had en die Claudia altijd charmant vond, ook al wist ze dat hij hem op commando kon produceren als dat hem zo uitkwam.

'Waarom lach je?' vroeg ze.

'O, ik bedacht net wat Gaetano altijd zei over kaarten. Weet je dat ons spel anders is dan wat ze in elk ander land gebruiken? Niet alleen de kleuren met zwaarden en bokalen, maar het feit dat er maar veertig kaarten zijn omdat de tien, negen en acht ontbreken. Gaetano stelde dat dit symbolisch was voor alles wat er mis was met het Italiaanse leger. Bijna eenderde van de Italiaanse strijdmacht bestond uit hoge officieren, terwijl de rest kanonnenvoer was. De eersten waren niet altijd dom en de laatsten waren vaak dapper, maar wat ontbrak was een degelijk, betrouwbaar korps van *sottufficiale* om de hele boel bij elkaar te houden en iets voor elkaar te krijgen op de grond. Daardoor hielden de Duitsers het vol in de oorlog, zelfs na Stalingrad en Normandië. Hun onderofficieren waren de beste ter wereld.'

'Ja, Gaetano kon flink zeuren over militaire zaken,' antwoordde Claudia lusteloos. 'Maar van hem moest ik dat maar dulden. Hij was mijn man. Ik hoef het van jou niet te dulden.'

Danilo's blik leek haar voor iets te behoeden. Er viel een ongemakkelijke stilte.

'Nou, ik denk dat ik maar eens in bad ga,' kondigde Claudia kordaat aan, en ze zette koers naar de binnenste gang van het appartement. 'Schroom niet om jezelf uit te laten als je zover bent.'

Danilo snelde op haar af, greep haar bij de pols en trok haar terug de kamer in. Verbijsterd, bijna opgewonden, liet Claudia zich voorttrekken. Danilo was haar ongeregelde metgezel en kaartpartner, een eindeloze bron van vulgaire roddels, een figuur met verschillende charmes en een onbestemd geslachtsleven. Maar zo fysiek was hij nog nooit geweest.

'Ik moet je iets vertellen,' zei hij. 'Ga zitten. Ik pak iets te drinken voor je.'

'Ik drink niet.'

'Dat doe je wel, cara. Ik kan het hiervandaan ruiken. Vermout, zou ik zeggen. Het zoete soort.'

Ze liet haar schouders zakken. Ze merkte dat haar robe

op een onbetamelijke wijze openhing en dat haar halve boezem zichtbaar was, maar dat was wel het laatste waar ze zich druk over maakte. Danilo was driftig bezig met het openen en sluiten van deurtjes van het dressoir.

'In de keuken,' zei ze tegen hem. 'Boven de gootsteen.'

Claudia opende een zilveren doosje dat uitsluitend een decoratieve functie leek te vervullen en pakte een van haar zeldzame sigaretten, terwijl Danilo terugkwam met een tumbler die bijna tot de rand toe gevuld was met Cinzano Rosso. Hij overhandigde haar die, en in een geslaagde poging om dit één vloeiende beweging te laten lijken bood hij haar daarna een vlam van zijn aansteker aan.

'Nou?' vroeg ze met nadrukkelijk sarcasme. Wat er ook aan de hand was, het had nu al veel te lang geduurd.

Er kwam geen antwoord. Danilo stond daar maar, starend in het niets. Claudia nam een flinke slok van het rode vocht, dat nog weeër smaakte dan anders. Maar Cinzano was een drankje dat bij een dame paste. Ze kon een paar vrouwen noemen die op gin en wodka waren overgestapt en nooit de weg terug hadden gevonden.

'Danilo, in de loop van de jaren heb je me aan het lachen gemaakt, je hebt me aan het huilen gemaakt en je hebt me boos gemaakt. Een enkele keer heb je me zelfs aan het denken gezet. Nu begin je me te vervelen. Ik had nooit gedacht dat je dat zou doen. Als je me iets te vertellen hebt, zeg het dan in 's hemelsnaam!'

Danilo glimlachte nerveus.

'Sorry, ik weet niet goed hoe ik moet beginnen. Riccardo zou dit eigenlijk doen, snap je. Hij heeft de tijd gehad om over de hele zaak na te denken en uit te puzzelen hoe je het op de beste manier kunt vertellen. Maar Raffaela kwam ertussen en sleepte hem mee naar huis, dus toen moest ik het overnemen. Maar goed, het gaat dus over dat lichaam dat ze vorige week in de bergen gevonden hebben.'

'Dat is me duidelijk. Wat is daar in 's hemelsnaam mee?'

Hij deed drie vergeefse pogingen om te beginnen en strekte toen smekend zijn handen uit.

'Hoeveel heeft Ricco je verteld?'

'Niets. Hij kwam net ter zake toen Raffaela binnen-stormde voor haar huwelijksbewakingspatrouille.'

Zichtbaar opgelucht greep Danilo de gelegenheid aan om te lachen.

'Ah, juist. Nou ja, het punt is dat het lichaam weliswaar nog niet officieel is geïdentificeerd, maar dat bronnen in Rome dicht bij het regiment diverse mensen hier informeel hebben ingelicht over bepaalde relevante feiten. Een paar van hen hebben toen Riccardo ingelicht, die het aan mij verteld heeft, en we waren het erover eens dat het beter zou zijn als je het eerst van ons zou horen.'

'Wat horen, in godsnaam?'

Danilo aarzelde weer even en stortte er zich toen op als een paard dat een hindernis neemt.

'Leonardo Ferrero.'

Claudia verroerde zich niet en zei niets; minstens een minuut lang reageerde ze helemaal niet. Een shock heeft zijn functie en uit zich op verschillende manieren. Toen ze Danilo die naam hoorde zeggen, was het alsof een poedel de geheime naam van God uitsprak.

Ze boog naar voren om de as van haar sigaret te tikken en stond toen langzaam op, waarbij ze om zich heen keek met de verbijsterde uitdrukking van iemand die in de bus van het werk naar huis in slaap is gevallen en wakker is geworden in een vreemd land.

Danilo kuchte.

'Je hebt hem gekend, geloof ik.'

Claudia glimlachte stralend, alsof ze eindelijk twee en twee bij elkaar had opgeteld.

'Luitenant Ferrero? Die hebben we zeker gekend. Hij was een van Gaetano's favorieten. Maar dat was allemaal heel lang geleden.'

Ze leek zich eindelijk bewust te worden van Danilo's zwijgen.

'Dus waarom begin je daar nu over?'

'Omdat op basis van de informatie die we hebben gekregen

– en ik moet benadrukken dat dit strikt vertrouwelijk is – de voorlopige identificatie van het lijk dat is gevonden in die tunnels in de bergen, lijkt uit te wijzen dat het zijn lijk is.'

Claudia liep naar het raam, dat uitzag op de binnenplaats van het gebouw. De vrouw aan de overkant had haar luiken geopend, iets wat ze alleen deed als ze later die avond een van haar vele jonge minnaars ontving. Later, net voor het cruciale moment, zou ze die weer treiterend sluiten. Ik ben tenminste nooit zo diep gezonken, dacht Claudia afwezig. Met je romantische veroveringen pronken was vulgair. Ze rookte haar sigaret op, opende het raam en gooide hem naar buiten.

'Dat is absurd,' zei ze terwijl ze zich weer naar Danilo omdraaide. 'Luitenant Ferrero is dertig jaar geleden bij een vliegtuigongeluk omgekomen. Een explosie in de brandstoftank. Gaetano en ik zijn op de begrafenis geweest.'

'Ik ook. En dat geloofden we toen natuurlijk allemaal. Maar het schijnt dat we het mis hadden.'

'Wat is dan wel gebeurd?'

Danilo maakte een weids gebaar met zijn open hand.

'Dat proberen de autoriteiten nu uit te zoeken. Het punt is dat ze vroeg of laat hier kunnen langskomen om jou te ondervragen. Je zou er daarom goed aan doen om je voor te bereiden.'

Claudia liep terug naar haar glas en dronk de helft daarvan in één grote teug op.

'Maar wat heeft dit nou met mij te maken?'

Danilo keek haar in de ogen op een manier zoals hij nog nooit eerder had gedaan.

'Ik denk niet dat je echt wilt dat ik op die vraag inga, Claudia. We weten allebei het antwoord, en het zou voor ons allebei pijnlijk zijn om daarop in te gaan. Op onze leeftijd wil je pijn zoveel mogelijk vermijden, vind je niet?'

De telefoon ging over, en voor één keer wilde ze maar al te graag opnemen. Het bleek Naldo te zijn, die aan de verplichting van zijn wekelijkse telefoontje voldeed.

'*Ciao*, Naldino! Hoe gaat het, lieveling? En hoe gaat het

met het restaurant? Echt? O hemel! Nou, ik weet zeker dat het beter zal gaan zodra het lente wordt.'

Ze ging minutenlang in deze geest door, waarbij ze haar moederlijke aandacht opzettelijk overdreef in de hoop dat Danilo de hint zou begrijpen en zou opstappen. Maar hij maakte geen aanstalten. Uiteindelijk raakte de gespreksstof op en Naldo begon zelfs al vrij verontrust te klinken, alsof hij vermoedde dat zijn moeder dronken was. En misschien was ze ook wel behoorlijk teut, want ze voelde een plotselinge aandrang om Naldo te vertellen dat het lichaam van zijn vader gevonden was. Alleen Danilo's aanwezigheid weerhield haar daarvan.

Het nadeel was dat toen ze ophing Danilo er nog steeds was. Claudia keek hem aan met de houding van iemand die net een vieze lucht in de kamer heeft opgemerkt en zich afvraagt waar die vandaan komt.

'Vergeef me mijn domheid,' zei ze, 'maar ik heb nog steeds geen flauw idee waar je het over hebt.'

Danilo liep op haar af en nam haar handen in de zijne. Nog meer lichamelijkheid. Zijn ogen vermijdend keek Claudia omlaag naar de witte, keurig gemanicuurde vingers die de hare vastpakten. Niet de handen van een militair, zou je zeggen, hoewel Danilo bijna veertig jaar had gediend. Hij had vuurwapens in zijn handen gehad, messen, granaten, bommen, en misschien ook wel een select aantal van de jonge rekruten die in de loop der jaren in de kazerne in Verona waren langsgetrokken, maar niets daarvan had een spoor nagelaten. Toen keek ze naar haar eigen handen en bedacht wat die hadden gedaan.

'Cara, de geruchten die de ronde deden ten tijde van Gaetano's dood kunnen je niet ontgaan zijn.'

Ze trok haar handen weg.

'Wat voor geruchten? Ik begrijp het niet. Ik weiger het te begrijpen!'

Danilo zuchtte diep.

'Je begrijpt het maar al te goed.'

Hij gebaarde naar het raam.

'Er daar zijn een hoop mensen die het ook begrijpen of denken dat ze het begrijpen. Je kent deze stad toch? Ze willen vast maar al te graag hun roddels kwijt aan een snuffelende agent. En dit gaat een onderzoek worden van de *Polizia di Stato*, niet van de *carabinieri*. Daarmee is alles geregeld, maar nu schijnt het ministerie van Binnenlandse Zaken zijn eigen onderzoek te beginnen. Een of andere politieke strijd die ik niet begrijp. Hoe dan ook, het gaat erom dat je erop voorbereid bent. Ga eens even goed nadenken over wat je ze wilt vertellen. Neem je papieren door om er heel zeker van te zijn dat er geen dingen tussen zitten waarvan je niet zou willen dat ze in handen van de rechterlijke macht zouden vallen. Want misschien hebben ze een huiszoekingsbevel, snap je?'

'Om dit huis te doorzoeken?'

'Om al je bezittingen te doorzoeken,' zei Danilo nadrukkelijk.

Claudia fronste haar wenkbrauwen.

'Maar waarom zouden ze dat in 's hemelsnaam willen?'

'Ja, dat hangt eigenlijk af van wat ze bij hun eerdere onderzoek zouden hebben kunnen ontdekken. Hoe het ook zij, Riccardo en ik zijn absoluut van mening dat het beter zou zijn om geen risico's te nemen. Zowel in je eigen belang als voor de eer van het regiment.'

Deze laatste woorden werden met een eigenaardige nadruk uitgesproken. Danilo knikte eenmaal krampachtig, draaide zich toen plotseling om en liep weg, waarbij hij de deur zo ongeveer achter zich dichtsloeg.

Claudia bleef wel een minuut staan nadat hij vertrokken was. Toen liep ze door naar de keuken en vulde haar glas bij uit de open fles Cinzano Rosso op het aanrecht. Danilo had nooit eerder op zo'n toon tegen haar gesproken, als een exercitiesergeant die een nieuwbakken rekruut uitfoetert. Wat was er in godsnaam aan de hand? Als het lichaam dat gevonden was inderdaad dat van Leonardo was, dan was zij degene die gek zou moeten worden. In plaats daarvan werden alle anderen het.

'Voor de eer van het regiment!' Ze had niet gedacht dat cliché na Gaetano's dood ooit nog te horen. Maar het leek erop dat de gelederen zich opnieuw sloten, en ditmaal tegen haar. Geen wonder dat Danilo gewild had dat zijn vriend de zaak bij haar ter sprake zou brengen. Riccardo was op en top een gentleman, uiterst fatsoenlijk, maar wel ongelooflijk saai, en als hij wat meer tijd had gehad, zou hij wel een manier hebben gevonden om haar duidelijk te maken wat er gebeurd was en wat er gedaan moest worden, onderwijl haar gevoelens en keuzevrijheid respecterend.

Ze had gedacht dat Danilo ongeveer net zo was, maar besefte nu hoezeer ze zich daarin had vergist. Hij was niet vriendelijk; hij was een sentimentele ziel, wat iets heel anders is. En net als alle sentimentele zielen kon hij binnen de kortste keren gemeen worden als hij gedwarsboomd werd. Maar hoe had ze hem gedwarsboomd? Wat wilde hij? Hoeveel wist hij? Hij had hier en daar wat toespelingen gemaakt, maar had hij dat uit kiesheid gedaan, zoals hij had beweerd, of gewoon uit onwetendheid? Hij had een of ander spel met haar gespeeld, daar was ze zeker van, maar ze kende de aard noch het doel ervan. In feite wist ze bijna helemaal niets van Danilo, besefte ze.

Aan de andere kant, dacht ze terwijl ze terugliep naar de huiskamer voor een nog nooit vertoonde tweede sigaret, wist hij ook niet heel veel van haar, en nog minder van wat er echt gebeurd was. Ja, er waren de nodige vuige roddels geweest ten tijde van Gaetano's dood, zoals Danilo niet had nagelaten te zeggen, maar de enige die zelfs maar begonnen was de zaak uit te zoeken was die opdringerige politie-inspecteur geweest, en die was effectief afgewimpeld dankzij haar contacten bij het provinciale bestuur en elders.

Dus er was echt niets om je zorgen over te maken, behalve natuurlijk voor degenen die zich druk maakten over 'de eer van het regiment'. Die moesten het in hun keurig gesteven onderbroek doen, dacht ze met een Oostenrijkse uitdrukking die haar tweetalige moeder soms gebruikt had. Als die onderzoeker van het ministerie van Binnenlandse

Zaken ook maar een fractie ontdekte van wat er al die jaren geleden echt was gebeurd, zou de eer van het regiment in de nabije toekomst veel op zo'n bevuilde onderbroek lijken. Het zou een schandaal worden dat zijn weerga niet kende.

Maar de heersende machten zouden natuurlijk stappen ondernemen om dit te voorkomen; vandaar de halfdreigende toon waarmee Danilo zijn laatste woorden had uitgesproken. Ze zou voorzichtig moeten zijn bij haar omgang met de politie, niet alleen vanwege haar eigen betrokkenheid bij de zaak, maar als ze iets verkeerds zou zeggen en daarmee een risico zou vormen voor degenen die nog meer te verliezen zouden hebben, dan zouden ze niet aarzelen haar op te offeren om zichzelf te redden. Ja, dat was de boodschap geweest: een bot dreigement verpakt in een dun laagje oppervlakkige bezorgdheid.

Ze werkte nog een slok Cinzano naar binnen, duizelend van dit plotselinge inzicht, maar verheugd en trots dat ze nog steeds scherp genoeg was om dit uit te knobbelen. Goed dan, de situatie was duidelijk. Nu moest ze beslissen wat ze moest doen, een veel lastiger probleem, en ze voelde zich zeker niet in staat om de zaak nu aan te pakken. Ze had wat tijd nodig om te verwerken wat er gebeurd was en om een actieplan uit te werken. Het beste dat ze kon doen was naar de tuin gaan en het Boek raadplegen. Dat zou haar helpen de zaken in perspectief te zien, zoals in het verleden zo vaak was gebeurd. En dan zou ze een van haar regelmatige tripjes naar Lugano kunnen maken en gewoon wachten tot de hele affaire was overgewaaid. Ze wist uit ervaring dat dat met die dingen uiteindelijk altijd gebeurde.

III

Na een perfect uitgevoerde afzet verscheen hij weer uit de diepte en zoog zich vol lucht, en daarna maalde hij verder, de golfjes doorklievend die hij met zijn vorige doorgang had opgeworpen. Drie, vier, vijf, zes... De krachtige armen beukten op het water dat van zijn behaarde schouders en rug af stroomde en eindigde in een dikke kronkel, als de staart van een kleine parasiet die een schuilplaats zocht in de bilspleet van de man.

Acht, negen tien... Toen de muur voor hem in zicht kwam, keerde hij en zette zich weer af, en suisde een goede twee meter als een torpedo door het water voordat hij weer bovenkwam. Achtenveertig banen nu al, en hij voelde zich goed. Hij voelde zich zelfs uitstekend. Zijn armen en benen waren nog steeds stabiel en deden hun werk met plezier, en zelfs de scherpe pijn van het zich ophopende melkzuur fungeerde als stimulans. Maar bovenal was zijn voglia terug, zijn wil om te winnen. Het idee was geweest om voor het eerst de vijftig banen te halen, om zijn verjaardag te vieren, en nu wist hij dat hij het kon.

Gezien vanaf de weg die over de helling naar boven liep, gesteld dat daar een toeschouwer had gestaan, leken het huis, het zwembad en de omringende terrassen op een blootgelegd mozaïekfragment van een antieke ingelegde vloer die ooit groter was geweest: een azuurblauwe rechthoek die contrasteerde met de roodbruine penseelstreek van de dakpannen, beide afgestemd op de rechthoeken en driehoeken okerkleurig wegdek en de omringende rij zilverkleurige olijfbomen. En wat betreft de schaduwen die werden geworpen door de struiken in bloempotten die waren opgesteld langs de oprit die naar het huis leidde: die hadden kunnen worden uitgelegd als oude vlekken – wijn misschien of bloed.

Acht, negen tien... Nog een perfecte draai en opnieuw caramboleerde hij vanuit de diepte omhoog en zette aan voor het laatste stuk. Op het moment dat hij omhoogkwam om te ademen na de eerste reeks slagen, hoorde hij het geluid voor het eerst. Aanvankelijk deed hij het af als een gehoorstoring, een oorsuizing die het gevolg was van een combinatie van water in de gehoorgangen en zijn buitengewone inspanningen. De tweede keer dat hij uitstootte wist hij dat het geluid echt was, maar pas na de derde keer drong het tot hem door wat het was. Nou, ze konden wel wachten, wie het ook waren.

Zijn vingers raakten de betegelde muur. Hij kwam triomfantelijk overeind en overzag het decor. Een grote, witte wolk schoof voor de trillende zon. Voor de veranda van het huis stond een zware plastic witte tafel met een gele parasol, met daarop een krant, een populair tijdschrift, een fles mineraalwater, een glas met een schijfje citroen erin en een mobiele telefoon.

Nestore bespeurde een kriebelend gevoel op zijn rechterarm en keek omlaag, waar hij een vlinder zag die de begroeiing van natte haartjes verkende net boven de kleine, zwarte tatoeage van een vrouwenhoofd. Zijn enorme vleugels vormden een wonderbaarlijk patroon van roestbruin oranje en kobaltblauwe stippen en strepen op een okerkleurige ondergrond, terwijl zijn kop versierd was met fijne voelsprieten als een radioantenne. Met een achteloze veeg van zijn hand drukte hij het dier dood, dat als slap, verkoold papier in het chloorwater van het zwembad viel.

Het geluid dat hem had gestoord ging onafgebroken door: een reeks hoge, zeurende piepjes. Hij waadde naar de zijkant van het zwembad, het water met zijn krachtige dijen opzij stuwend, plaatste zijn handen in de goot aan de rand, werkte zich met een sprong op de tegels en stapte energiek naar de telefoon om die op te nemen.

Hij had het toestel nog niet gepakt of het hield op met bellen. Hij wilde het klepje net weer dichtdoen toen hij zag dat het lampje van het tekstbericht knipperde. Dat moest Irene zijn geweest. Verdomme. Hij had haar niet één maar honderd keer gezegd dat ze hem nooit in het weekend moest bellen. Vermoedelijk was de verleiding om hem te bellen voor zijn verjaardag te groot geweest. 'We vieren mijn twintigste verjaardag maandag,' had hij bij hun afscheid gezegd. Ze had haar wenkbrauwen gefronst. 'Je twintigste?' '*Certo, amore.* Als ik bij jou ben voel ik me altijd dertig jaar jonger.' Wat waar was. Donker, klein en mager als ze was, leek Irene niet bepaald op een pin-up, maar ze had iets schunnigs en gedrevens dat hij bijzonder sexy vond. Evengoed zou dat hem er niet van weerhouden om het gebruikelijke aantal precoïtale klappen op de billen te verdubbelen, als straf voor haar indiscretie. *Gli ordini vanno rispettati.* Regels waren regels. Andreina's verbazingwekkende onvermogen om Italiaans te leren had hem al bij verschillende gelegenheden voor narigheid behoed, maar als ze dit bericht zou hebben gezien, zou het hem verdomd veel moeite hebben gekost zich hier onderuit te praten.

Maar het bericht was niet van Irene. Het water droop koud langs de rug van de man terwijl hij het las. *348 393 9028: MEDUSA.* Na het verwarmde zwembad was de lucht onmiskenbaar koel, zelfs hier in de beschutte terrassen boven het Lugano-meer. Hij toetste het nummer in en wendde zijn gezicht toen naar de heuvel achter de villa. Het land rees steil op, de contouren afgebakend door de slingerende lijn van de Via Totone en de bijbehorende huizen en tuinen. Er was niemand te zien.

De telefoon aan de andere kant werd opgenomen. Nestore herinnerde zich die kortaffe, bevelende klanken nog maar al te goed.

'We moeten praten. Rijd naar Capolago en neem het treintje over de Monte Generoso. Stap uit bij Bellavista. Zeg het tegen niemand. Kom onmiddellijk en alleen.'

Hij was plotseling woedend.

'Commandeer me niet zo, Alberto! Ik zit niet meer in het leger.'

'Dat zit je nog steeds als het hierom gaat. Dat zitten we allemaal, wij alle drie.'

'Waar heb je het in 's hemelsnaam over?'

'Ze hebben Leonardo gevonden.'

Het enige positieve aan de hele zaak was dat Andreina zoals te verwachten woedend was. 'Maar de lunch dan? Ik heb een tafel voor vijftien besteld bij Da Candida! Iedereen komt! Je kunt niet zomaar op het allerlaatste moment je plannen wijzigen!' Volgens de huishoudelijke theologie van zijn vrouw was het op het allerlaatste moment wijzigen van je plannen een doodzonde die van dezelfde orde was als verzuimen op te merken dat ze haar haar had gedaan, en als het vergeten van hun trouwdag. Nestore gebruikte zijn vaste formule voor het pareren van zulke uitbarstingen.

'Het gaat om zaken, cara.'

De niet al te subtiele implicatie was: waar denk je in 's hemelsnaam dat al het geld hiervoor vandaan komt?

Nadat hij zich had aangekleed, ging hij naar zijn werkkamer. Het was een opzichtig mannelijke kamer, waarvan de toon meteen gezet werd door de geur van leer en sigarenrook, de rozenhouten kast vol geweren en de twee geprepareerde steenbokkoppen aan de muur boven de haard. Hij haalde de linkerkop weg en tikte de code in op het toetsenblok van de metalen deur aan de binnenkant. Uit de nis daarachter pakte hij een Mauser-pistool, controleerde het zorgvuldig en stopte het toen in zijn jaszak.

'Ik hoef alleen maar naar Capolago,' zei hij tegen Andreina na een vluchtige kus op haar wang. 'Ik moet ruim op tijd weer terug zijn, maar als ik om wat voor reden dan ook te laat ben, ga dan maar alleen en dan zie ik jou en de anderen daar. Zeg tegen Bernard dat ik de *controfiletto di cervo* neem en laat hem de wijn uitzoeken.'

Hij klom in zijn nieuwe Mini Cooper S van BMW – 163 PK bij 6000 toeren, 0-100 km/u in 7,4 seconden, topsnelheid 220 km/u, lichtmetalen velgen met laagprofielbanden en de handgeschakelde Getrag-bak met zes versnellingen – en reed over de steile kronkelende straat naar beneden, langs het oude casino en het bouwterrein van het nieuwe, naar het oorspronkelijke dorpsplein aan de oever van het meer, uit de tijd dat dit nog een vissersdorp was. Een stel reusachtige vogels cirkelde rond op de thermiek hoog boven het spiegelende water van het meer. Nestore had ze vaak bestudeerd vanaf de patio van de villa, maar had ze nooit kunnen thuisbrengen. Het was overduidelijk een of andere roofvogelsoort, maar het leek wel of ze nooit op een prooi neerdoken.

Hij volgde de krappe bochten naar rechts bij de oude kerk en sloeg toen de straat in die de stad uit leidde naar de elegante, uit de fascistische tijd daterende boog van zwart-witte stenen die de grens van deze kleine Italiaanse enclave in Ticino aangaf – 'een klein Italiaans luchtbelletje gevangen in de dikke laag Zwitsers ijs', zoals Nestore het zich voorstelde.

Geen enkele vorm van formaliteiten aan de grens, natuurlijk. Je reed gewoon een onzichtbare lijn over en was dan, al even onzichtbaar, in Zwitserland. In politiek opzicht Italiaans, in financieel opzicht Zwitsers, maar in alle opzichten buitenlands, was Campione een nuttige anomalie die veel mondaine, gegoede buitenlandse burgers zoals hij zelf aantrok. Het voornaamste voordeel dat het te bieden had, zij het niet aan Italiaanse burgers, was het lage tarief van de inkomstenbelasting, dat men liet bepalen door de lokale autoriteiten, maar bijna even belangrijk voor Nestore was dat Lugano maar een korte autorit of overtocht met de veerboot verwijderd was van een onbewaakte grens. Dat maakte diverse dingen een stuk eenvoudiger, met name bankzaken.

Er waren vele uitstekende instellingen in Lugano, maar hij gaf de voorkeur aan de UBS, deels vanwege de discretie en professionaliteit van het personeel en deels omdat het *raccomandata* was door niemand minder dan Roberto Calvi, die voordat hij hangend aan een stuk touw onder Black

35

Friars Bridge in Londen was aangetroffen, via diezelfde bank zeven miljoen dollar smeergeld aan de socialistische partijleider Bettino Craxi had betaald. Nestore ging ervan uit dat als het goed genoeg geweest was voor wijlen dr. Calvi, het voor hem ook goed genoeg was.

Ondanks het internationale karakter, niet in de laatste plaats door het casino, waarvan de winst in alle gemeentelijke inkomsten voorzag, wat alle andere tarieven en belastingen overbodig maakte, was Campione geografisch gezien een doodlopende weg, bijna veertig kilometer verwijderd van het land waarvan het in naam deel uitmaakte. Dat bleek ook uit de enige uitweg: een smalle, onverbeterde landweg die liep tussen negentiende-eeuwse villa's in grote, ommuurde tuinen boven het meer, daarna onder de enorme baan van de *autostrada* naar de San Bernardino- en Gotthard-tunnel dook, en ten slotte het onbetekenende dorpje aan de kop van het meer binnendruppelde.

Hij liet zijn Mini Cooper – een persoonlijk speeltje dat Andreina niet waardeerde, maar Irene des te meer – achter op de parkeerplaats van de Zwitserse Federale Spoorwegen en ging geld in de machine bij de ingang stoppen. De Zwitsers vonden het dan wel best om de inwoners van Campione praktisch geen belasting op te leggen, maar o wee als je vergat om je parkeerkaartje te betalen.

Een gedrongen man met een spectaculair gebroken neus zat op een bank aan het eind van het station van de hoofdlijn. Een enorme kaak, te dicht op elkaar staande rattenogen, flaporen, gladgeschoren. Zwart pak, zonnebril met kleine, rechthoekige glazen. Geen Zwitser, dacht Nestore afwezig, terwijl hij terugliep om het kaartje op het dashboard van de Mini te leggen. Hij ging er prat op dat hij de nationaliteit van mensen in één oogopslag kon vaststellen, soms zelfs hun beroep.

Hij stak het in de weg verzonken smalspoor over naar de bar ertegenover, met zijn lindes, palmbomen en dwergdennen die je overal langs het meer ziet. Hier bekeek hij de dienstregeling van het bergtreintje en bestelde toen een grote cappuccino en een glas kirsch. Hij had wel een hartversterking nodig voor zijn afspraak met Alberto. Verbazingwekkend, dacht hij. Van alle domme dingen die hij had gedaan – en dat waren er heel wat – was dit wel het laatste waarvan hij had gedacht dat hij er nog eens door achtervolgd zou worden. De zeldzame keren dat hij er überhaupt nog aan dacht, had hij zich altijd voorgesteld dat die zaak net zo dood en begraven was als Leonardo zelf.

Maar goed, kennelijk was het lijk opgedoken. En wat nu? 'We moeten praten.' Dat betekende natuurlijk dat Alberto wilde praten. En waar zou het gesprek op neerkomen? Dat ze dit met z'n allen moesten oplossen, een ketting is zo sterk als zijn zwakste schakel, allen voor één en één voor allen – enzovoort, enzovoort. Dat zou zo'n beetje de strekking zijn, en het was allemaal zo helder als glas, maar het was weer net iets voor Alberto dat hij deze door de hemel gezonden gelegenheid aangreep om hem dodelijk te vervelen.

Om nog maar te zwijgen van die belachelijke geheime ontmoetingsplaats waar hij op aandrong! Alsof er nog iemand was die zich nog druk maakte om operatie Medusa. Die tijd was allang voorbij, veel langer dan de dertig jaar die op de kalender waren verstreken. De vernieuwende ideeën uit die periode waren nu gemeengoed en de diverse politieke doelen waren allemaal verdwenen. Met zijn eeuwige obsessie met complotten en tegencomplotten die hoorden bij zijn fanatieke halfbakken patriottisme, was Alberto waarschijnlijk de enige in het land die dit niet doorhad.

Een elektrische trein met twee blauw-oranje rijtuigen kwam tot stilstand op de weg aan de overkant, met daarvoor een kleine wagon die gevuld was met twee grote metalen afvalbakken en in plastic verpakte kratten mineraalwater die bestemd waren voor het hotel op de top van de berg. Nestore sloeg het restant van zijn kirsch naar binnen, stak de weg over en koos een plaats helemaal aan het einde van het achterste rijtuig. Hier kon hij iedereen in het oog houden die na hem instapte. Ze leken allemaal te behoren tot de verwachte groep toeristen en wandelaars. De lelijke

pugilist had zijn bank verlaten en pakte nu iets uit de koffer-
bak van een rode Fiat Panda op de parkeerplaats. Die had
een Italiaans nummerbord – heel ongebruikelijk hier. De
grote wijzer van de stationsklok klikte in een verticale stand
en de trein kwam schokkend in beweging.

Nestore leunde achterover in zijn stoel terwijl de trein over
het hoofdspoor ratelde, onder de betonnen berg van de autostrada door, zich vastgreep in het tandradspoor en zich om-
hooghees over de steile lage zijde van de berg door een dichte begroeiing van vlierbomen, daarna in een scherpe bocht
door een tunnel ging die bijna net zo smal was als de tunnel
waar ze Leonardo naartoe hadden gebracht, en uitkwam op
de oostelijke hellingen van de bergkam in een ravijn met een
dichte beukenbegroeiing. Er was hier geen struikgewas, alleen de hoge, erectiele bomen, waarvan de meeste hun dode
bladeren nog hadden, en de bruine mulch van de beuken-
nootdoppen. Het luchtremsysteem stootte het teveel aan
druk met luid gesis uit. De kleerkast bij het station zou een
vriendje of chauffeur van Alberto kunnen zijn geweest, dacht
Nestore vaag. Alberto zou wel een eerdere trein hebben genomen en met een latere trein teruggaan. Die rare kwast was
altijd verzot geweest op veiligheidsprocedures, of zeg maar
gerust geobsedeerd door samenzweringen en allerhande complotten.

Station Bellavista was een stukje dubbel spoor op een
vlakke open plek tussen de beuken, voordat het spoor aan
zijn laatste klim naar de top begon. Er waren een klein buffet
en een reserveringskantoortje, beide gesloten in deze tijd
van het jaar. Op een bordje boven de deur was te lezen dat
de hoogte 1223 meter was, terwijl op een ander bordje op
een paal vlakbij stond dat het twee uur lopen was naar Scu-
dellate en Maggio en tweeënhalf uur naar Castel San Pietro.
De lucht was merkbaar kouder en snijdender dan beneden
bij het meer.

Nestore wachtte bij het stationsgebouw, schijnbaar bij-
ziend turend naar de dienstregeling, totdat diverse monte-
re types in vrolijk gekleurde wandelkledij stuk voor stuk op

pad waren gegaan. Toen iedereen uit het zicht was verdwenen en de trein zijn weg had vervolgd, keek hij om zich heen. Er was niemand te zien en het enige geluid was het ruisen van de bries tussen de beuken, waarvan de meeste kaal waren op deze onbeschutte plek. Het grind tussen de spoorrails ging schuil onder een dikke laag brosse, omberkleurige bladeren.

Het begon ernaar uit te zien dat Alberto hem had laten zitten. En er zat niets anders op dan te wachten op de volgende trein naar Capolago. Een andere, heel akelige gedachte kwam bij hem op, namelijk dat Alberto's telefoontje een truc was geweest om hem van huis weg te lokken. De gorilla had bij het station gewacht om te controleren of hij inderdaad in de trein was gestapt, en zodra die was vertrokken, was hij naar Alberto in Campione gereden en hadden ze zich een toegang tot de villa verschaft. Misschien namen ze op dit moment wel al zijn papieren door en schreven ze alle geheimen van zijn zakelijke en financiële handeltjes op, met de bedoeling hem te chanteren. Andreina kon wel in gevaar zijn! Ja, dat had je gedroomd, dacht hij cynisch.

Toen hoorde hij een lage fluittoon. Hij draaide zich om en zag een gestalte die bij de boomrand aan de andere kant van het spoor stond. Na een korte aarzeling liep hij op hem af.

'Alberto,' zei hij neutraal toen hij dicht genoeg genaderd was.

De ander had hem nauwkeurig bekeken terwijl hij op hem af liep. Nu knikte hij één keer, als om de geslaagde identificatie te bevestigen.

'Nestore.'

Hij gebaarde naar het pad waaruit hij was opgedoken, een smal lint van kale aarde dat het bos in slingerde.

'Zullen we?'

Alberto leek maar weinig veranderd, ongeveer zoals een restje fondue verandert van een bubbelende saus in een compacte, grijze, gelatineachtige massa. Hij had wat minder haar en was wat zwaarder geworden, maar zowel zijn fysiek als zijn dwingende optreden was in wezen onveranderd.

'Je had het al gehoord, neem ik aan.'

'Gehoord?'

'Over Leonardo.'

'Nee, nog niet.'

Alberto zond hem een van zijn kenmerkende gecodeerde blikken toe, die ruwweg kon worden ontcijferd als: ik geloof je duidelijk niet, maar het is net zo duidelijk dat jij niet de bedoeling hebt of van me verwacht dat ik dat doe. Daarom is aan de eer voldaan en zijn we weer terug bij af, alleen één niveau verder.

'Ik maak me er niet meer druk over,' zei Nestore.

'Waarover?'

'Over het nieuws.'

Alberto lachte inschikkelijk.

'Nee, natuurlijk niet! Ik ook niet. Als die sukkels bij de media het te weten komen, is het geen nieuws. Maar ik dacht dat je misschien...'

Het kronkelende pad, dat lichtjes omhoogliep, was nu uitgekomen bij een uitzichtspunt met een bank van houten latten vanwaar je uitkeek over het meer. De knoestige wortels van de grote beuken hadden zich boven de grond gewerkt tussen plukjes met korstmos en gras begroeide rotsen. Alberto haalde een kleine verrekijker uit zijn zak en keek daardoor naar het eindstation van het spoor ver beneden hen. Nestore liet zich op de bank vallen.

'Dus je hebt ze niet?' merkte Alberto op terwijl hij de verrekijker weer in zijn zak stopte.

Nog zo'n onveranderd trekje: de draad van een schijnbaar afgedaan gespreksthema weer oppakken alsof het een van de tientallen schaakpartijen was die hij tegelijkertijd speelde, en allemaal even meesterlijk. Eén duizelend ogenblik voelde Nestore zich weer twintig, niet in de gewone schertsende zin waarin hij dat tegen zijn maîtresse had gezegd, maar met een soort doodsangst. We herinneren ons onze jeugd altijd verkeerd, dacht hij. Het is een feit dat die beangstigend en veeleisend was. Hij was blij met de leeftijd die hij nu had, met de verschillende voordeeltjes en gemakken die het ouder worden met zich meebracht. Hij was niet meer opgewassen tegen de jeugd, en was zeker niet bereid om zich door Alberto te laten ringeloren.

'Wat heb ik niet?' vroeg hij op een toon waaruit dat gevoel sprak.

'Interne kanalen. Contacten van vroeger misschien.'

'Wie dan wel?'

Alberto's nonchalante, bijna geïrriteerde schouderophalen was de eerste wanklank van hun ontmoeting.

'O, ik weet niet!'

Een hagedisje schoot over de rotsige richel tussen hen.

'Gabriele bijvoorbeeld.'

'Waarom zou ik?'

'Waarom zou je niet?'

'Passarini was een slappeling, ook toen al. Ik ga niet om met slappelingen.'

Alberto knikte, alsof hij een belangrijk en complex stuk informatie verwerkte.

'Dus je hebt geen contact meer met Gabriele.'

Nestore stond op.

'Ik heb met niemand uit die tijd nog contact, Alberto. En dat ik met jou praat, komt alleen omdat je me hiernaar toe hebt laten komen met een dringende oproep alsof het allemaal vreselijk belangrijk was, een zaak van leven en dood. Ik snap het niet. Okay, Leonardo's lichaam is gevonden. En wat dan nog?'

Alberto nam onmiddellijk een van de andere rollen aan die Nestore zo goed kende maar was vergeten; in dit geval die van de grote professor die een veelbelovende student tegemoet komt door zijn ijverig gestelde prozaïsche vraag op te vatten als een suggestievere, zinvollere vraag.

'Voordat de Viminale in actie kwam, zou ik het absoluut met je eens zijn geweest,' antwoordde hij langzaam knikkend. 'Het onderzoek was aanvankelijk in handen van onze "wetsbroeders", en de combinatie van hun eigen onkunde en de nodige effectieve dwaalsporen die waren uitgezet door mijn persoontje, beloofden de hele ongelukkige kwestie tot een snel en discreet einde te brengen.'

Zo moeten vrouwen zich voelen, dacht Nestore, als ze luisteren naar een eindeloos voortzeurende saaimans die indruk op hen wil maken. Alleen weten zij in elk geval wat hij wil. Maar wat wilde Alberto?

'Wat is het vandaag?'

Het deed hem goed om een korte vlaag van schrik en verwarring te zien voordat het antwoord kwam.

'Nou ja, zondag.'

'Correct. Maar het is ook mijn verjaardag, die ik vier door te gaan lunchen met mijn vrienden, die jou geen van allen kennen, net zomin als de Roemeense gastarbeider die de borden wast in het zeer exclusieve restaurant waar ik over minder dan een uur word verwacht. Ik ben niet meer Nestore Soldani. Ik heet Nestor Machado Solorzano en ik ben een Venezolaans staatsburger die een keurig leven leidt in een rustig en luxueus belastingparadijs in het zuiden van Zwitserland. Ik ben je dankbaar voor de hulp die je je in het verleden hebt geboden met die oliecontracten en wapendeals, maar je hebt toen je aandeel al gehad. Kort gezegd, Alberto, als je nu niet binnen dertig seconden kunt aantonen dat wat er al die jaren geleden gebeurd is nu nog van enig belang voor mij is, dan wil ik je met alle respect vragen om je Italiaanse intriges in je hol te steken en me met rust te laten.'

Hij had razernij en vuurwerk verwacht, maar tot zijn verbazing – en teleurstelling – schrompelde Alberto ineen.

'Natuurlijk, natuurlijk!' mompelde hij. 'Het spijt me. Laten we teruggaan naar het station. De trein komt zo en dan ben je nog ruim op tijd in Campione voor je lunch. Ik had geen idee dat je vandaag jarig was en bied mijn excuses aan dat ik je heb lastig gevallen. Alleen, ik moest het zeker weten, snap je?'

Toen er geen antwoord kwam, herhaalde hij de schijnbaar retorische vraag op een nog nadrukkelijker angstige toon.

'Snap je?'

Ik heb me helemaal in hem vergist, dacht Nestore. De ouwe reus is de kluts helemaal kwijt. Het is allemaal schijn, een hoop drukte en bluf, en de uitgezaaide paranoia van oude mensen.

'Wat moet ik snappen?' vroeg hij bruusk.

'Dat ik het zeker moest weten.'

'Wat weten?'

Alberto bleef even staan en pakte zijn metgezel bij de arm. Hij lachte kort als aankondiging op de grap die ging volgen.

'Dat ik "in de flanken gedekt was". Herinner je je die pedante Oddone nog met zijn college over Cannae? "Aemilius Paullus was zo onverstandig geweest zijn flankdekking te verwaarlozen." Waarop Andrea direct roept, "En zijn achterhoede stond ook wijd open." Ach ja, dat waren mooie tijden!'

Nestore keek nadrukkelijk op zijn horloge en Alberto haastte zich om hem weer voor te gaan op het pad.

'Hoe dan ook, dat is mijn positie op dit moment zo ongeveer, snap je?'

'"In de flanken gedekt." Bedoel je Gabriele en mij?'

Er kwam geen antwoord.

'Wat is er eigenlijk van Gabriele geworden?'

Niet dat het hem ook maar iets kon schelen. Dit was gewoon babbelen, een vraag om een gemeenschappelijk onderwerp te vinden waarmee ze vervelend stilzwijgen konden voorkomen.

'Hij heeft een boekwinkel in Milaan,' mompelde Alberto.

Nestore knikte.

'Dat lijkt me net iets voor hem.'

'Alleen lijkt het erop dat hij daar nu niet is. Ook niet in zijn huis. In feite lijkt hij verdwenen te zijn. Dat vind ik wel verontrustend. Weet je zeker dat je geen idee hebt waar hij zou kunnen uithangen?'

'We hebben al meer dan twintig jaar geen contact meer gehad.'

'Ah, juist. Nou ja, we zijn het aan het uitzoeken. We vinden hem vroeg of laat wel. Maar dat mag niet te lang gaan duren.'

'"We"?'

Alberto's voorkomen veranderde op een niet te beschrijven manier.

'Ik ben met inlichtingenwerk begonnen rond de tijd dat jij naar Zuid-Amerika vertrok.'

'De *servizi*?'

Alberto bevestigde dat feit met een zelfgenoegzame buiging.

'sismi, de *Servizio Informazioni e Sicurezza Militare*. Betere promotiemogelijkheden en daarbij nog de mogelijkheid om jou te assisteren bij je zakelijke ondernemingen, maar bovenal een echte kans om mijn land te dienen. Het valt niet te verwachten dat Italië in de nabije toekomst betrokken raakt bij een openlijke oorlog, maar aan de geheime oorlogen komt geen einde. Deze functie biedt me superieure uitdagingen en superieure middelen. Zo ben ik in staat geweest om actuele dossiers over jou en Gabriele bij te houden, voor het geval de noodzaak zich ooit zou aandienen.'

'De noodzaak waarvoor?'

'Om elkaar te ontmoeten en de situatie openhartig te bespreken. En vooral om ervoor te zorgen dat ons geheim onder ons blijft en niet een publiek schandaal wordt dat het vertrouwen van het publiek in onze strijdkrachten op rampzalige wijze zou aantasten en dat de verschrikkelijke littekens op ons politieke lichaam als gevolg van de gebeurtenissen in de jaren zeventig weer zou openrijten.'

Opgeblazen kwast, dacht Nestore.

'Nou, ik ben blij dat ik je heb kunnen geruststellen,' zei hij minzaam.

'Inderdaad. Nu moet ik Gabriele zien op te sporen en hetzelfde gesprek met hem hebben. Ik weet ook zeker dat de uitkomst bij hem hetzelfde zal zijn. Ik hoor de trein aankomen. Heel erg bedankt voor je medewerking, Nestore, en mijn nederige excuses voor de storing. Maar ik moest het zeker weten. Dat begrijp je toch wel, hè? Ik moest het zeker weten.'

Nestore haalde vermoeid zijn schouders op.

'Geen probleem, Alberto. Maar de volgende keer graag niet op mijn verjaardag, okay?'

Alberto keek hem aan met een blik die Nestore moeilijk kon doorgronden.

'Er komt geen volgende keer.'

Hij draaide zich om en liep weg, het omringende beukenbos in. Nestore begaf zich over het spoor naar het stationsgebouw.

Wat had dit nou allemaal te betekenen, afgezien van het feit dat het hem vijftig franc voor de trein en een rustige zondagochtend thuis had gekost? Al dat gedoe met de geheime dienst! Alberto moest gaga geworden zijn in zijn afgesloten wereld vol spoken, waar de enige mensen met wie je over je werk kon praten net zo gek waren als jij. En het enige dat hij had gewild was de verzekering dat Nestore niet zou kletsen over Leonardo's dood. Alsof hij dat zou doen! Ze hadden godsamme kunnen afspreken in een van de cafés op het dorpsplein in Campione. Het zou maar een fractie van de tijd hebben gekost en het resultaat zou precies hetzelfde zijn geweest.

De reis terug over de berghelling met een constante snelheid van veertien kilometer per uur leek een eeuwigheid te duren. Toen ze eindelijk arriveerden, stapte Nestore uit en keek het parkeerterrein rond. De Italiaanse auto was weg en de uitsmijter met de gebroken neus was nergens te bekennen. Waarschijnlijk een papkindje uit Como dat een dagje Zwitserland had gedaan om zich eens uit te leven.

Hij maakte de Mini Cooper open en stapte in. Het voelde op de een of andere manier benauwd aan. Hij ging met zijn hand onder de stoel, trok het hendeltje omhoog en schoof naar achteren. De stoel klikte vast in de ruimste stand. Nestore zuchtte en startte de motor. Hij had dat probleem altijd als Andreina een van hun auto's had gebruikt. Ze schoof de bestuurdersstoel naar voren zodat ze bij de pe-

45

dalen kon en vergat dan om die weer in de oorspronkelijke stand terug te zetten. Het was een van haar vele slordige trekjes die hij niet meer charmant vond. Maar Andreina reed nooit in de Mini – en trouwens, als de stoel was verschoven, dan had hij dat toch op de heenweg moeten merken? Hij haalde zijn schouders op en joeg de auto de stad uit en terug langs het meer, genietend van zijn superieure schakelwerk en vaste wegligging. Hij moest er binnenkort eens mee de bergen in gaan en hem goed afjakkeren.

De klokken van de Santa Maria del Ghirli sloegen net twaalf uur toen hij het Italiaanse grondgebied weer binnenreed. Perfect. Nog net tijd om naar huis te gaan, iets stijlvollers aan te trekken en dan op weg te gaan naar het restaurant. Hij bleef bij zijn keuze voor hertenvlees als hoofdgerecht, maar het voorgerecht? De ravioli met vlees en truffels waren onovertroffen in deze tijd van het jaar, maar dat gold eigenlijk voor alles op het menu. Hij kon Bernard misschien het best vragen een selectie aan voorgerechten te serveren zodat de mensen ze allemaal konden proberen. Hij hield stil voor het stalen hek van de villa, pakte de *telecomando* uit het handschoenenvakje en drukte op de groene knop bovenaan.

IV

De zaklamp fungeerde als *genius loci*, met een strikt beperkt bereik en domein, maar was binnen die grenzen almachtig, een myriade aan voorwerpen en vergezichten oproepend voordat die met een zwaai van zijn smalle straal weer in het verborgene werden teruggeworpen.

De wereld was van rots gemaakt en sloot altijd in, maar was langzamerhand ongeorganiseerder geworden. De grenzen waren ergens gebarsten, waardoor grote brokken en clusters hadden kunnen vallen of soms ook omhoogstuwen, wat hun bijna de doorgang versperde. Maar op het laatste moment vond de zaklamp steeds weer een weg. Dan verscheen er een scheur of opening en kropen of persten ze zich daar doorheen, bedacht op de gekartelde randen om hen heen, en flansten ze van de vluchtige blik die ze hier en daar konden werpen een indruk in elkaar van nog meer met brokstukken bezaaide rechthoekige tunnel.

'Nu moeten we voorzichtig zijn,' kondigde Anton aan in zijn dunne en precieze Italiaans. 'Dit is de mijningang.'

De straal van de plompe lamp sprong in het rond en kleurde hun denkbeeldige omgeving pijlsnel in als een manisch tekenfilmfragment, en toen verdween de lichtbron op onverklaarbare wijze. De duisternis voor hen, op maar een paar meter afstand, leek niet anders of intenser dan wat hen had omringd vanaf het moment dat ze de tunnels hadden betreden, maar de speelse lagere godheid van deze plek, voor wie dit te diep ging, kon er geen greep op krijgen.

'Rudi wilde naar beneden gaan om er rond te kijken, dus we bevestigden hier een acht millimeter zelfborende expansiebout als eerste aanhechtpunt.'

Hij richtte de lamp op de wand van de tunnel, en er kwam een glinsterende metalen ring te voorschijn.

'Toen bevestigden we een tweede op het natuurlijke hechtpunt op die kei daar.'

De lamp verlichtte kort de ruwe brok rots.

'We rekenden niet op veel mogelijkheden voor horizontaal werk toen we de expeditie planden,' ging de jonge Oostenrijker verder. 'Niettemin namen we zo'n vijftig meter nylon treklijn mee, een harnas en een minimum aan andere uitrusting, voor het geval dat. Wat we niet hadden was touwbescherming, omdat we dachten dat we als er eventuele afdalingen waren dan vrij zouden hangen, zonder wrijvingspunten. Maar zodra Rudi de rand over ging, zag hij een scherp uitsteeksel. Er was geen manier om zich ergens aan vast te sjorren, dus hij ging door. Het was veilig genoeg voor één keer afdalen en klimmen, maar meer dan dat zou riskant zijn geweest.'

Zijn stem dreunde rond in de krappe ruimte, die alleen een uitweg vond in de golf die zich voor hun voeten had geopend.

'Rudi daalde zo ver af als hij kon, tot hij de knoop bereikte die het eind van het touw aangeeft. En hij riep iets wat we niet konden verstaan, en wij riepen ook, weet u, omdat we opgewonden waren en we ons ook een beetje dom voelden omdat we verdwaald waren. Toen waren er een paar flitsen van de foto's die hij nam, en daarna klom hij langs het prusiktouw de mijn weer uit en we trokken hem over de rand en hij zei dat daar beneden een lijk lag.'

Anton maakte een gegeneerd gebaar. 'Die hebben we ook al gehad,' was het motto van hem en zijn vrienden bij de speleologenclub van de universiteit van Innsbruck. Dat betekende de Stellerweg en Kaninchenhöhle, natuurlijk, maar ook de Trave en de Piedra de San Martin, twee van de langste en diepste gangenstelsels in Noord-Spanje, en daarnaast nog diverse expedities naar Slovenië, Mexico, Noorwegen en zelfs Jamaica. En als je dan in een vrij weekend een netwerk van militaire tunnels uit de Eerste Wereldoorlog verkent en verdwaalt in een door mensenhanden gemaakte schacht in wat een deel van hun eigen land was geweest? De vernedering, de schande en... Nou ja, een zekere mate van angst was er ook bij te pas gekomen, ook al voordat ze het lijk hadden gevonden.

'Laat me eens kijken,' zei Zen.

'Goed, maar dan op uw handen en knieën, alstublieft. En daarna op uw buik als ik dat doe. U krijgt wel vuile kleren, maar het is volkomen droog hier en je kunt het er daarna zo afvegen. Maar we willen niet nog een ongeluk.'

Zen had de indruk dat er spookachtige aanhalingstekens rond het laatste woord zweefden, maar hij gaf geen commentaar. Ze bewogen zich beiden op de voorgeschreven manier voort totdat ze de rand van de afgrond bereikten. Anton leunde naar voren en scheen met zijn zaklamp omlaag, maar er was weinig te zien, afgezien van enkele suggesties van de enorme omvang van de diepte onder hen. Ergens heel ver beneden – Zen vond het onmogelijk om zelfs maar een ruwe schatting van de diepte te maken – was er vaag een woeste chaos van rotsen te zien.

'Is dit een natuurlijke formatie?' vroeg Zen.

'Nee, nee. De Dolomieten zijn gevormd uit het gesteente waarnaar ze vernoemd zijn. Het is een kristallijnen vorm van kalksteen en praktisch ongevoelig voor erosie, zelfs door zuurrijk water. Dus er is hier geen uitholling, maar verder naar het noorden, waar het kalksteen zachter is, is de situatie heel anders. Dit is door mensenhanden gemaakt. We zijn nu in een van de Oostenrijkse tunnels. De Italianen hebben in 1917 tegenmijnen aangelegd. Ruim dertigduizend kilo explosieven. Dit is het resultaat.'

Hij verplaatste de straal van de lamp dichter naar de rand.

'U kunt daar dat overhangende gedeelte zien, ongeveer twee meter naar beneden,' vervolgde Anton op zijn enigszins pedante toon. 'Dat heeft er natuurlijk voor gezorgd dat we het lijk hiervandaan niet konden zien. Maar toen Rudi het einde van het touw bereikte, deed hij zijn lamp aan zodat hij kon zien hoe ver het nog verder ging en waar hij zou neerkomen en...'

'En toen zag hij het lijk.'

'Ja. Natuurlijk wilden we snel de autoriteiten inlichten, maar we waren ook verdwaald in deze doolhof van tunnels, dus Rudi nam een paar foto's als bewijs en daarna gingen we terug, en dit keer tekenden we een beknopte kaart om de weg terug te kunnen vinden. Na twee uur en veel valse starts vonden we een andere uitgang, niet die waar we naar binnen waren gegaan. Daarvandaan belde ik de carabinieri met mijn mobiele telefoon en toen wachtten we een tijdje tot ze er waren. Een heel lange tijd zelfs.'

Hij kroop een meter of zo terug voordat hij opstond.

'Zo, ik geloof dat dit alles is wat ik u kan laten zien. Zullen we teruggaan?'

'Zullen we niet verdwalen?'

'Nee, ik ben toen teruggegaan met de politie en weet nu goed de weg.'

Terug in zijn element werd de zaklamp weer hun gids en verlosser; hij wees de bochten en spleten aan waar ze zich langs moesten werken, de laaghangende rotsklompen in de ruw uitgehouwen tunnel, de onderaardse barakken en voorraadkamers, en de diverse vertakkingen en lange, steile wenteltrappen die hen uiteindelijk weer terug naar buiten leidden, de koude bleke schemering in.

Ze kwamen boven bij een breed pad dat was aangelegd als aanleveringsroute naar de rotswand van een klif dat uitkeek over de bijna duizend meter lager gelegen vallei. Opgelucht verwijderde Zen de extra schedel van de helm die hij op aandringen van Anton had gedragen. Onder de grond had hij zijn gids moeten volgen, en het geluid van hun voeten op de gebroken rotsen en de constante noodzaak om op hun omgeving te letten, had stilte zowel noodzakelijk als gemakkelijk gemaakt. Nu ze naast elkaar konden lopen en het enige geluid het gegier van de grillige, stormachtige wind was, die ook nog vlagen natte sneeuw meevoerde, werd die stilte drukkend. Onzichtbaar achter de wolken was de zon al ondergegaan.

'Wordt de zaak behandeld als een ongeluk?' vroeg Anton ten slotte.

'Blijkbaar.'

'Wie was hij dan? Wat is er gebeurd? En wanneer?'

'Dat is nog onduidelijk.'

Ze liepen voort over de weg over de rots die werd gemarkeerd door de groeven die er bijna een eeuw geleden in gesneden waren door de metalen wielen van karren en affuiten.

'Vreemd,' merkte Anton op. 'Natuurlijk dachten wij dat eerst ook toen we het lijk vonden. Iemand die had geprobeerd te doen wat wij deden, maar dan met een slechte uitrusting en alleen. Maar er was geen spoor van een touw boven aan de mijn. En in de mijn ook niet, geloof ik. Zelfs als het was gerafeld en gebroken bij dat wrijvingspunt, moest het bovenste stuk nog steeds aan het aanhechtpunt vastzitten, en de rest zou bij het lijk moeten liggen. Tenzij hij een van die freestyle alpiene klimmers was en zonder hulpmiddelen probeerde af te dalen. Maar daar was hij niet op gekleed, en zelfs niet op lopen op zo'n hoogte, en al helemaal niet op het verkennen van die tunnels, die zoals u weet koud zijn. Als je naar de foto's kijkt, lijkt het erop dat hij niet eens schoenen of laarzen droeg.'

'Was hij op blote voeten?'

'Kennelijk, ja. Natuurlijk zijn mensen die alleen de bergen in gaan voor het avontuur altijd een beetje vreemd, maar zoiets heb ik nog nooit eerder gehoord. Bovendien, als hij van plan was om zoiets extreems te gaan doen, zou hij beslist een familielid of hoteleigenaar hebben verteld wat hij van plan was en hoe laat hij naar schatting terug zou zijn. Als er iemand vermist wordt, volgen er altijd een zoekactie en een onderzoek, in mijn land tenminste wel. Zelfs als ze hem niet vinden, bewaart de politie een open dossier voor het geval er een lichaam wordt gevonden. We vinden er af en toe een in de Alpen, vooral nu de gletsjers zich zo snel terugtrekken. Die lichamen zijn vaak aangetast door het ijs, maar zelfs dan worden ze bijna altijd geïdentificeerd, ook als ze daar vijftig jaar of langer hebben gelegen. In dit geval was het lichaam nog niet zo erg vergaan, vanwege de koude stabiele lucht in de tunnels. Je zou denken dat het niet zo moeilijk was om een naam bij deze persoon te vinden.'

'Dat zou je denken, hè?'

Op het punt waar het pad over de helling van het massief de oude militaire weg kruiste, gingen ze naar rechts en zigzaggend omlaag langs de weg die ze vier uur eerder hadden beklommen. Anton deed dat moeiteloos, terwijl Zen regelmatig stilhield om het uitzicht te bewonderen.

'U had het over foto's,' zei Zen terwijl ze hun weg zochten over het steile, met rotsen bezaaide pad.

'Ja, Rudi had een camera aan zijn riem en nam een paar foto's op die plek om te bewijzen dat we niets hadden aangeraakt en niets hadden verstoord. Op dat moment vergaten we die helemaal, maar het maakte niets uit. De agenten die na onze melding kwamen, waren er niet in geïnteresseerd. Ze schreven alleen onze namen en adressen en een korte verklaring op, en zeiden toen dat we konden gaan. En natuurlijk deden we dat maar al te graag, en we verkeerden misschien nog een beetje in een shock na wat er was gebeurd. Dus pas toen we terug waren in Innsbruck dacht Rudi weer aan de foto's.'

'Waar zijn ze nu?'

'Ik heb een stel bij me. Ik kan ze u geven als we weer in de *rifugio* zijn, als u dat wilt. Maar het zijn maar amateurfoto's, genomen in een situatie van stress en angst. De kwaliteit is niet al te best, en natuurlijk kunt u beschikken over de foto's die door de politie zijn genomen voordat het lijk werd weggehaald.'

'Ja, natuurlijk. Toch zou het interessant zijn om ze te zien, als u het niet erg vindt.'

'Geen probleem. Daarom heb ik ze ook meegenomen.'

Het pad werd smaller en slingerde zich over de helling van een rotswand, waarna een nog steilere afdaling volgde en zwijgen opnieuw een acceptabele optie werd.

Het was pikkedonker toen ze de kleine herberg bereikten

op de desolate, met rotsen bezaaide vlakte waar de weg de pas naar Cortina en de valleien in het oosten kruiste. Eenmaal voorbij het dubbele stel deuren was de rokerige mufheid aanvankelijk overweldigend na de ijskoude lucht buiten. Bruno zat aan een tafeltje in de verste hoek, nadrukkelijk het feit negerend dat hij nadrukkelijk werd genegeerd door alle anderen in de bar. Toen hij zijn meerdere zag, trok hij snel zijn uniform recht, zette zijn pet op en stond op, maar Zen gebaarde dat hij kon blijven zitten. De jonge agent knikte, ging weer zitten en pakte het puzzelboekje waarmee hij bezig was.

De bar zat tsjokvol met een groep Duitse motorrijders van beide seksen, allen gehuld in opzichtige leren pakken, en een plukje ouderen, zo op het oog de lokale bevolking, al was het een raadsel waar ze dan vandaan gekomen zouden moeten zijn. Zen ging Anton voor naar het restaurantgedeelte aan de zijkant van het gebouw. Daar waren dezelfde rood-wit geblokte gordijnen voor de piepkleine ramen, dezelfde glanzend gelakte houten stoelen en tafels, dezelfde zwakke verlichting uit ingewikkelde koperen armaturen met gematteerde glazen bollen, maar deze ruimte was onbezet en veel rustiger, afgezien van een gemompeld nieuwsbulletin op het onvermijdelijke televisietoestel dat op een kast achter in de kamer stond.

Een meisje van misschien vijftien jaar met een wezenloze blik kwam aangelopen, een notitieblok in haar hand. Na een korte discussie besloten ze tot een keuze aan kaas en *salumi*, een fles rode wijn en twee grote kommen soep. Uit pure gewoonte bestelde Zen eerst minestrone, tot Anton de praktische opmerking maakte dat die alleen de moeite van het eten waard was met verse groenten, een goede kwaliteit olijfolie en Parmezaanse kaas, en dat zou vermoedelijk allemaal niet beschikbaar zijn op zo'n afgelegen plek. In plaats daarvan kozen ze allebei voor linzensoep met stukjes gerookte bacon.

'Zo, ik hoop dat u het gevoel hebt dat uw bezoek de moeite waard is geweest,' zei Anton.

Het duurde even voordat tot Zen doordrong wat er zo eigenaardig was aan deze vraag. Anton had Duits gesproken tegen de serveerster, die in dezelfde taal had geantwoord. Alle andere aanwezigen in de kamer spraken ofwel Duits, ofwel, zoals de tv-verslaggever, Ladino, het archaïsche Latijnse dialect dat alleen in dit afgelegen berggebied nog gesproken werd.

'Zeker,' antwoordde hij. 'U ook, hoop ik.'

De Oostenrijker lachte.

'O, ja! Het is altijd een genoegen om hier te komen in onze voormalige transalpiene provincies. Alles is ook zo goedkoop. Maar dit is voor het eerst dat ik het bijkomende genoegen heb mogen smaken om dit te doen op kosten van de Italiaanse overheid.'

Toen hun eten werd gebracht, bleek dat Anton een geïnspireerde keuze had gemaakt. De linzen met bacon waren een dikke, olieachtige, tongstrelende verrukking, meer stoofschotel dan soep. Het koude vlees kenmerkte zich ook door een subtiel verschil met de variëteiten van het zuiden, en was donkerder en rokeriger van smaak en structuur. De wijn was afkomstig uit het Adige-dal, waar ze beiden die ochtend hun reis waren begonnen. Het was een heel jonge, lichte rode wijn met een zurige frambozensmaak met licht prikkelend koolzuur. Hij was uiterst verrukkelijk en combineerde perfect met het machtige, zware eten.

Toen ze klaar waren met eten, stak Anton een klein sigaartje op.

'En nu de foto's.'

Hij stond op en liep naar de trap die naar de slaapkamers leidde. Zens chauffeur verscheen aan de tafel.

'Als u zover bent, kunnen we vertrekken, *capo*.'

Zen ging over op het vertrouwde Italiaans alsof hij in een warm bad met lavendelgeur stapte. Hij dook zijn verfrommelde pakje Nazionali op en stak er een op.

'Rustig aan, Bruno. Ik ben nog niet helemaal klaar.'

'*Benissimo*. Alleen, het begint net te sneeuwen. We kunnen nog wel veilig naar beneden als we snel vertrekken, maar anders...'

Hij haalde veelzeggend zijn schouders op.

'Ik zal zo snel mogelijk opschieten,' zei Zen tegen hem.

'Ik ga de auto vast warmdraaien.'

Bruno liep terug naar zijn tafeltje toen Anton terugkwam, met een envelop die hij op de tafel tussen hen in legde. Hij bevatte vier kleurenfoto's, die Zen zonder iets te zeggen een voor een bekeek. Hij zou ook niet goed weten wat hij moest zeggen. De foto's leken op reproducties van moderne kunst, allemaal spikkels en vlagen, massa's en stukken zonder kleur en vorm waarvan de enige veronderstelde betekenis het kennelijke gebrek daaraan kon zijn.

'Rudi had niet veel tijd en zijn camera is niet zo goed,' verklaarde Anton door een wolk sigarenrook. Maar het is digitaal, dus ik heb er een diskette met de bestanden bij gedaan.'

'Bestanden?'

'Voor het geval u ze wilt enhancen. Ze zijn natuurlijk gecomprimeerd. U zult ze eerst moeten unzippen.'

Zen haalde een zwart plastic rechthoekje uit de envelop. Hij knikte begrijpend en zoog aan zijn sigaret. Alweer een onbekende taal. Comprimeren en unzippen kon hij min of meer begrijpen, maar wat voor magie kwam er kijken bij enhancen?

'Deze bijvoorbeeld,' ging de Oostenrijker verder, hij pakte een van de foto's en draaide die met de goede kant naar boven. Zen begreep opeens dat daarop de uitgestrekte resten van het lijk op de bodem van de schacht te zien waren. Het droeg alleen een shirt en een broek. Het gezicht was weggedraaid, maar de rechterarm lag gestrekt over de gekartelde rotsen. Anton wees op een soort vlek net boven de elleboog.

'Het zou van belang kunnen zijn om te weten wat dit precies is,' zei hij. 'Maar zulke details zijn natuurlijk al ontdekt bij de sectie.'

Klonk er iets van ironie door in zijn stem? Het was moeilijk te zeggen met die Oostenrijkers. Ze deden zich graag voor als niet al te snuggere, gemoedelijke, zelfvoldane boerenheikneuters, maar hun rijk had een aantal van de scherpzinnigste denkers en kunstenaars van Europa voortgebracht. Zen riep de serveerster en rekende af.

'Goed, bedankt voor uw medewerking, Herr Redel. Ik hoop dat u morgen een goede wandeling hebt.'

'Het zal wel langlaufen worden met dit weer. Maar ze verhuren hier goede langlaufspullen, dus ik zal me hoe dan ook wel vermaken.'

De twee mannen schudden elkaar de hand. Toen keek Zen zijn gast recht in de ogen.

'Wat denkt u dat er echt gebeurd is?'

Anton Redel was begrijpelijkerwijs in verwarring gebracht door deze vraag.

'Nu ja, ik ben natuurlijk geen politieman. Maar als dit ergens anders was gebeurd, zeg maar in de liftschacht van een verlaten pakhuis in de stad, dan zou ik waarschijnlijk vermoeden dat er anderen bij betrokken waren.'

'Anderen?'

'Een stel gangsters misschien. Iets met drugs of zo. Ze vermoorden de man en verbergen zijn lijk in de schacht. Of ze gooien hem gewoon naar beneden. Misschien wordt het lijk wel nooit gevonden. En ook als dat gebeurt, is het misschien al te laat om hem te identificeren.'

Hij gaf een charmante, diklippige Oostenrijkse glimlach ten beste.

'Maar natuurlijk is dat belachelijk! Er zijn hier in de bergen veel gevaren, maar criminele organisaties horen daar niet bij.'

Buiten de isolerende dubbele deuren was het nu serieus aan het sneeuwen, dikke schuimige vlokken die bedrieglijk weinig substantie leken te hebben als ze door het licht van de herberg zweefden, maar die al een laag van een paar centimeter op het voorterrein gevormd hadden. Bruno had de Alfa waar de politie mee reed vlak voor de ingang gezet. Zen ging op de achterbank zitten en ze reden weg.

Tot opluchting van Zen was Bruno niet een van die politiechauffeurs voor wie het doel van de oefening was om hun mannelijkheid te bevestigen. Zo ongeveer de eerste dertig minuten, toen de sneeuw nog heel dicht was en de weg verraderlijk, was hij bijna overdreven voorzichtig terwijl ze de vele haarspeldbochten en steile afdalingen maakten bij zeer slecht zicht. Daarna ging de sneeuw geleidelijk over in natte sneeuw en ten slotte in een modderige regen, veranderde het wegdek weer in een betrouwbare zwarte glans en konden ze meer snelheid maken.

Achterin rustte Zen uit, doezelig na zoveel ongebruikelijke lichaamsbeweging en frisse lucht, maar ook getergd door de vraag van Anton Redcl, die ongetwijfeld niet meer dan een beleefdheidsfrase was geweest. Hád hij het gevoel dat zijn bezoek de moeite waard was geweest? Een eerlijk antwoord daarop was 'nee', maar dit was in overeenstemming met elk ander aspect van deze zaak, die hem, zo vermoedde hij, in de allereerste plaats in de schoot was geworpen als zoethoudertje, om hem de illusie te geven zinvol bezig te zijn.

'Ik wil dat je hier eens naar kijkt,' had het afdelingshoofd gezegd toen hij Zen een stapel dossiers gaf aan het einde van de wekelijkse briefing op het hoofdkantoor van Binnenlandse Zaken op de Viminale-heuvel in Rome. 'Het zijn voornamelijk pure routinezaken, denk ik, maar als je ideeën of suggesties hebt, zou dat waardevol zijn.'

Zen had de dossiers in dezelfde stemming aangenomen en ze die avond meegenomen naar de woning in Lucca die hij deelde met Gemma, de nieuwe vrouw in zijn leven. Het waren er acht in totaal en dat aantal alleen al bevestigde Zens vermoedens dat het niet de bedoeling was om dit alles al te serieus te nemen. De meeste zaken leken inderdaad nogal routinematig. De uitzondering was het dossier dat hij had meegenomen naar de Alto Aldige.

Deze zaak was op zich al wat curieus vanwege zijn herkomst. In plaats van te zijn doorgestuurd naar het hoofdbureau van politie in Rome door een van de provinciale *questure* van het ministerie, was het 'via kanalen' verkregen van de carabinieri, die de zaak onder handen hadden. Toen Zen een paar telefoontjes pleegde om te informeren naar een aantal aspecten van het rapport, nam zijn belangstelling onmiddellijk toe. Hij had dit in het verleden vaak genoeg gedaan en was bekend met de standaardreactie: een mengeling van obscurantisme, met tegenzin gedane onthullingen en het gepikeerd doorschuiven van de indringer naar ondergeschikten, omdat de politieman die was gebeld wel dringender zaken aan zijn hoofd had. Dit was de standaardprocedure, en hij had die regelmatig zelf gebruikt als hij zich aan de andere kant van de lijn bevond.

Dit keer ging het echter heel anders. Zens telefoontje werd direct doorgeschakeld naar de verantwoordelijke officier, een zekere kolonel Miccoli, die een bijna gênante bereidheid aan de dag legde om zich bezig te houden met alle vragen die de gewaarde collega zou kunnen bedenken. Natuurlijk verspilde Zen zijn tijd niet! Volledige openheid en samenwerking tussen de twee politie-instanties was van wezenlijk belang voor een effectieve wetshandhaving in een moderne democratie. *'Mi casa es su casa,'* citeerde de kolonel, en hij voegde eraan toe dat hij in de jaren negentig enkele maanden had samengewerkt met de Spaanse antiterroristeneenheid in verband met een aantal Baskische verdachten die een paar jaar in Sardinië ondergedoken zouden hebben gezeten.

Hij wist enkele boeiende en amusante anekdotes te vertellen over die episode, maar had bijna geen nieuws over de zaak in verband waarmee Zen had gebeld. Alles verkeerde op dit moment in onzekerheid en het zou onverstandig zijn om voorbarige conclusies te trekken. Het lijk was uit het tunnelcomplex gehaald en per helikopter naar het centrale ziekenhuis in Bolzano gevlogen. Ja, er was sectie verricht, maar de resultaten waren niet overtuigend. Nee, het was tot nog toe niet mogelijk gebleken om het slachtoffer afdoende te identificeren. Een ongeluk leek de meest waarschijnlijke doodsoorzaak, maar een misdrijf werd nog niet volledig uitgesloten. Kortom, het was een kwestie van tijd en in het slechtste geval zou de affaire een van die kleine mysteries blijken te zijn die zich voordoen in een bergachtig gebied dat door zijn ruigheid en afgelegen ligging aantrekkingskracht uitoefende op – hoe zou hij dat zeggen? – beoefenaars van extreme sporten en allerlei soorten sensatiezoekers. Hij zou hem uiteraard van verdere informatie voorzien zodra die beschikbaar was. Hij vond het bijzonder plezierig dat hij de gelegenheid had gehad om de zaak te bespreken met dottore Zen. Geen sprake van; integendeel, het was hem een genoegen.

Zen was inmiddels wel gewend aan de wijdverbreide gevolgen van wat zijn vriend Giorgio De Angelis 'Italia Lite' noemde: de nieuwe cultuur van nietszeggende slogans, onoprechte glimlachjes en loze beloften die de werkelijke vijandige rauwheid van het openbare leven verhulden. Het verbaasde hem enigszins dat de verrotting een militaire organisatie als de carabinieri had aangetast, met zijn oude tradities en sterke esprit de corps, maar ook niet meer dan dat. Het ging hem ook helemaal niet aan. Hij had het dossier braaf 'bekeken' en weer teruggegeven. Niemand zou hem dankbaar zijn als hij zich nog verder inspande.

Niettemin bleef hij een knagend gevoel houden, gebaseerd op tientallen jaren ervaring met de manier waarop zulke kwesties werden behandeld, dat er iets niet helemaal klopte. Na een paar dagen werd dat sterk genoeg om hem zover te krijgen dat hij de questura in Bolzano belde en hun vroeg hem een kopie te sturen van het sectierapport van het ziekenhuis. Hun antwoord had zijn twijfels meer dan voldoende bevestigd. *Het officiële antwoord van de ziekenhuisautoriteiten is dat een dergelijk verzoek alleen in overweging kan worden genomen als het wordt ingediend via het ministerie van Defensie, dat is aangewezen als de overheidsinstantie die over de bevoegdheid voor deze zaak beschikt. Echter, volgens onze bronnen zijn het sectierapport en de foto's die gedurende het onderzoek zijn gemaakt, alsmede het lijk zelf en alle kleding en bijbehorende be-*

zittingen, niet meer in het bezit van het ziekenhuis, en is alles ingenomen door leden van de carabinieri op de och- tend van de 15e dezer.

Dat was het moment waarop Zen besloten had dat de zaak voor hem voldoende aanleiding bood om naar het noorden te reizen. Hoezeer hij ook gesteld was op Lucca, hij had er zin in om een paar dagen weg te gaan en keek vooral uit naar een ontmoeting met kolonel Miccoli, gezien het feit dat hun telefoongesprek had plaatsgevonden drie dagen na de ontwikkelingen die waren beschreven in de fax van de questura. Hij had daarom een eersteklascouchette gereser- veerd in de nachttrein die even voor middernacht Florence aandeed en zo'n vier uur later in Bolzano arriveerde.

Toen hij later die ochtend op het hoofdbureau van de cara- binieri arriveerde, had men hem gezegd dat kolonel Micco- li 'de stad uit' was. Niet alleen dat, maar zijn adjudant be- weerde dat hij nooit van Zen had gehoord en zelf niets wist van de zaak in kwestie.

Gelukkig had Zen voor een uitwijkmogelijkheid gezorgd. Een van de weinige substantiële feiten in het rapport van de carabinieri dat hij had gekregen betrof de drie jonge Oos- tenrijkers die het lijk hadden ontdekt. Hun namen, adres- sen en privételefoonnummers waren routinematig geno- teerd, en met een gevoel dat hij niets te verliezen had, had Zen het er maar op gewaagd en een van hen gebeld. Aan- vankelijk leek dit op niets uit te lopen vanwege taalproble- men, maar bij de derde poging kreeg Zen Anton Redel aan de lijn, die geboren en getogen was in de Alto Adige en vol- doende Italiaans sprak. Hij had er direct mee ingestemd om terug te gaan naar de plek waar de tragedie zich had afge- speeld en uit te leggen wat er was gebeurd, in ruil voor een redelijke vergoeding van de kosten voor de reis vanuit Inns- bruck, waar hij nu op de universiteit zat.

Een plukje lage gebouwtjes verscheen in de scherpe bocht in de weg voor hen, ogenschijnlijk neergekwakt tegen de steile berghelling. De meeste waren verlaten, maar in een enkel gebouwtje was licht te zien en in het centrum van het dorp was een café annex winkel met benzinepompen. Bruno sloeg af en parkeerde ervoor.

'Even een plaspauze, capo,' verklaarde hij.

De lucht in het café was net zo verstikkend, bedompt en warm als in de gelegenheid op de pas, maar toen het handjevol gasten Bruno's uniform zag, leek de temperatuur onmiddellijk een paar graden te dalen.

Zen liep naar de bar en vroeg om twee koffie en een glas van de interessant ogende likeur die in een literfles op de bar stond. Hij moest de bestelling een paar keer herhalen voordat de vrouw die bediende eindelijk knikte en zonder verder iets te zeggen wegschuifelde. Terwijl hij wachtte nam Zen vluchtig een verhaal door in een Duits tijdschrift dat op de bar lag, iets over een rijke Venezolaan die was omgekomen toen zijn auto ontplofte voor het hek van zijn villa in Campione d'Italia. Mooi zo, dacht hij. Hoe eerder deze doodlopende zaak die hij per abuis onder handen had gekregen uit het landelijke nieuws verdween, hoe beter.

Bruno verscheen weer, opzichtig zijn rits dichtmakend en de positie van wat zich daarachter bevond controlerend. Hun koffie en Zens likeur werden gebracht zonder dat er een woord werd gezegd. In feite had niemand in het café iets gezegd sinds ze waren binnengekomen.

'Stil hier, hè?' merkte Bruno op.

Zen stak een sigaret op, maar antwoordde niet.

'Zo op het oog wel,' ging de agent luid pratend verder, terwijl hij tegen de bar leunde en door de ruimte keek. 'Maar schijn bedriegt. In feite lijdt iedereen in het dorp aan een zeldzame en uiteindelijke dodelijke aandoening, waarvan de onverbiddelijke voortgang alleen kan worden vertraagd door het drinken van het bloed van levende mensen.'

Hij knikte plechtig.

'Dat is de prijs die je betaalt voor eeuwen van incest. Arme zielen. Er zijn er nu nog maar een paar van over, want af en toe, als het aanbod van langsreizende handelaars laag is, worden ze natuurlijk wanhopig en trekken ze onderling lootjes. Maar hun normale praktijk is om reizigers hier binnen te lokken met de belofte van een warme drank of benzine voor de auto. Dit armzalige gat was vroeger een mijnwerkersstadje en er is nog steeds een stelsel van schachten in de bergen. Daar gooien ze de omhulsels in en de auto's verkopen ze door aan de maffia. Af en toe verdwijnt er een toerist ergens op de weg naar Cortina. Niemand kan iets bewijzen.'

Hij wees naar de vloer.

'Dat is het valluik, precies waar u nu staat, dottore. U hebt geluk dat u niet alleen naar binnen bent gegaan. Voor u het wist zou u in de kelder liggen met een gebroken been en zouden deze wezens de trap af komen, giechelend en krijsend en elkaar verdringend in hun verlangen om een ader bloot te leggen zodat ze zich te goed kunnen doen.'

Bruno draaide zich rond en priemde met een vinger naar een van de andere drinkers, een man van geringe afmetingen.

'Hé jij, dwerg!' brulde hij. 'Hoeveel liters heb je in de loop der jaren achterovergeslagen? Het kostelijke rode stremsel als moedermelk naar binnen gezogen? En dat zwijn naast je, porrend met z'n snuit in de nog levende ingewanden in de hoop nog een laatste druppel van het kostelijke vocht te vinden dat nog ergens aan een darm kleeft?'

Zen legde geld op de toog, pakte Bruno bij de elleboog en leidde hem naar buiten. Het begon te sneeuwen, zelfs op deze lagere hoogte.

'Ben je helemaal gek geworden?' vroeg Zen de agent toen ze weer in de auto zaten. 'Je weet wat voor problemen we hebben in deze regio! Waar was jij nou mee bezig? Wil je hier een nieuwe terroristische beweging beginnen?'

'Het spijt me, capo. Ik liet me even gaan. Maar het maakt niet uit, ze spreken geen Italiaans.'

'Ze verstaan het wel.'

'Natuurlijk, maar dat zullen ze nooit toegeven. Dan zouden ze het spel bederven. Vandaar dat spelletje van me. Dat maakt ze razend.'

Zen slaakte een diepe zucht, stak een sigaret op en opende het raam op een kier. Plukjes sneeuw kwamen als vliegen neer op zijn gezicht.

'Waar kom je vandaan?' vroeg hij met zachte stem.

'Bologna. Ik verveelde me er toen ik opgroeide, maar ik zal blij zijn als ik weer terug mag. Het is alsof je gescheiden bent van je vrouw. En u, capo, als ik vragen mag?'

'Venetië.'

Ze reden een tijdje in stilte voort.

'Ik haat de bergen,' zei Bruno.

'Ik ook.'

'En ik haat de mensen die hier wonen. Niet omdat het buitenlanders zijn. Het is hun land, en wat mij betreft mogen ze het houden. Maar de slimme, ondernemende, intelligente mensen zijn al lang geleden weggegaan omdat ze de bergen ook haatten. Ik bedoel, wie wil er hier nou wonen? Dus het enige dat hier is achtergebleven is het uitschot. De dorpsgekken, mannen die hun vrouw en kinderen mishandelen, hersenloze mislukkelingen en mongolen in alle soorten en maten.'

Opnieuw een stilte.

'Hoelang moet je nog?' vroeg Zen.

'Drie maanden en dertien dagen.'

Zen knikte.

'Beroepsmatig gezien lijkt het mij raadzaam om in jouw geval een uitzondering te maken.'

Bruno keek naar hem in de binnenspiegel.

'Kunt u daarvoor zorgen?'

'Ik zal het proberen. Op voorwaarde dat je me gezond en wel terug in het dal brengt, en uiterlijk om negen uur.'

'U wilt naar het station, hè?'

'Nee, ik heb me bedacht. Zet me bij het ziekenhuis af. Ik neem daarvandaan wel een taxi.'

V

De nacht gleed voorbij het open raampje met een constante snelheid van honderdveertig kilometer per uur. Streepjes en vlekjes licht, sommige geïsoleerd, andere in slordige groepjes, kwamen op de stroming voorbij met een ogenschijnlijke snelheid die in verhouding stond tot de afstand vanaf de trein. Parallax, dacht Zen, hoewel zijn onmiddellijke geheugen gevuld was met tollende sterretjes, draad met een sissende laag vuurwerk die denkbeeldige cirkels en kransen van vast licht creëerde in de duisternis. Dat en vuurvliegjes. Wat was er toch met vuurvliegjes gebeurd?

Inmiddels waren ze al een heel eind in het dal, voorbij Rovereto. De sneeuw was eindelijk volledig verdwenen, op ongeveer hetzelfde punt als het dagelijkse gebruik van de Duitse taal, maar vroeg in de avond in Bolzano was meteen duidelijk geworden dat Bruno's waarschuwing dat ze op tijd uit de bergen moesten vertrekken niet alleen maar een voorwendsel was geweest om een lange dag te bekorten. Toen ze eindelijk de stad bereikten, na een bepaald angstig moment met als ingrediënten een ongecontroleerde schuiver en een tegemoetkomende vrachtwagen, lag er al een klein laagje op de straten, terwijl grote maar schijnbaar gewichtsloze vlokken in zo'n dichte massa vielen dat autorijden bijna net zo moeilijk werd als bij mist. Uiteindelijk had Bruno erop aangedrongen dat hij bij het ziekenhuis zou wachten terwijl Zen daar deed wat hij moest doen, en dat hij hem dan naar het station zou brengen, aangezien het onmogelijk zou zijn om een taxi te vinden en het te ver was om te lopen.

'Ik zal blij zijn als ik hier weg kan,' had hij er schijnbaar terloops aan toegevoegd. 'En u moet ook niet te lang meer blijven, dottore. Op de hoofdwegen gaan ze wel vegen, maar dat kost tijd en u mag uw trein naar het zuiden niet missen.'

'Wat is je achternaam, Bruno?' had Zen even terloops gevraagd.

'Nanni, capo.'

'Ik zal zien wat ik kan doen.'

Zoals het ging was hij in iets meer dan veertig minuten weer bij de auto en waren ze bijna een uur voor vertrek bij het station. De trein waarin Zen een couchette had gereserveerd, stond te wachten op een van de middelste perrons, maar de locomotief was nog niet aangekoppeld en alle rijtuigen waren donker en afgesloten. Hij ging naar de stationsrestauratie en at een tosti met ham en kaas met een uitstekend glas bier, gevolgd door een glas van de plaatselijke kirsch, die zo goed was dat hij een kleine fles kocht als souvenir voor Gemma. Daarna liep hij langs het stationsgebouw naar een deur waarop SERVIZIO stond.

Binnen in de bedompte warmte zat een handjevol mannen in spoorweguniformen te roken, te kletsen en kaart te spelen. Door een combinatie van een bedekt dreigement, ondersteund door zijn politiepasje, en openlijke omkoping, ondersteund door zijn portemonnee, wist hij een van de treinstewards over te halen om met hem mee te lopen over het spoor. De sneeuw bleef hier nog niet liggen, maar viel nu dichter dan ooit.

'Denkt u dat we op tijd vertrekken?' vroeg Zen aan de steward terwijl die een van de slaaprijtuigen openmaakte.

'Geen twijfel mogelijk, dottore. De hele bemanning komt uit Rome. Er is een sneeuwstorm voor nodig zoals die moffen nog nooit hebben meegemaakt om ons hier de nacht te laten overblijven. Sorry voor de kou binnen. De verwarming gaat aan zodra de loc wordt aangekoppeld.'

Eenmaal in zijn kille coupé ging Zen met kleren en al op het stapelbed liggen, doodop en somber gestemd, en viel meteen in slaap.

Hij kwam even bij toen er iets zwaar tegen de trein aan duwde en de lichten blinkend tot leven kwamen, en dommelde toen weer een tijdje weg, gekalmeerd door de complexe en bemoedigende geluiden en bewegingen. Maar het laatste halfuur of zo had hij bij het open raam gestaan, klaarwakker en naar het scheen voorgoed. Het enigszins verfomfaaide bed was uitnodigend, de nachtlamp gloeide gemoedelijk, maar de slaap wilde niet komen.

Hij maakte de fles kirsch open die hij op het station voor Gemma had gekocht, nam een voldoening schenkende slok en stak een sigaret op. Na de dag die hij had gehad, en niet te vergeten de vier uur slaap van de vorige nacht, zou hij uitgeput moeten zijn. En hij wás ook uitgeput. Maar het punt was dat hij ook klaarwakker was.

Dit overkwam hem normaal alleen als hij gegrepen was door een zaak, er diep in verwikkeld maar op het moment nog niet in staat om te begrijpen wat er gedaan moest worden en hoe dat aangepakt moest worden. Hij had eerder nog niet gedacht dat hij in die situatie zat. Integendeel, alles leek erop te wijzen dat hij met deze zaak opgescheept was, samen met een stapeltje andere, als zoethoudertje voor zijn beroepstrots, een doorzichtig excuus om hem bezig te houden. Het leek er echter op dat verschillende zogenaamd ondergeschikte afdelingen in zijn brein – diep in de kelder, waar het echte werk werd gedaan – niet overtuigd waren. Misschien waren het Anton Redels eigenaardig insinuerende opmerkingen geweest, of misschien de ontvangst die hij had gekregen bij de carabinieri in Bolzano, of de informatie die hij eerder die avond in het plaatselijke ziekenhuis had gekregen.

Hoe het ook zij, het was allemaal onzin. Hij had de leiding, verdorie, zijn rationele, wakende ik, en hij had besloten om naar huis te gaan, zijn rapport te schrijven en de boel af te sluiten. Hij zag Lucca nu als zijn thuis. Hij wist dat maar weinig inwoners hem datzelfde compliment zouden geven, maar dat was hun zaak. Wat hem betrof hoorde hij er thuis, en met de enige vrouw die hij ooit had ontmoet die hem zonder vragen accepteerde zoals hij was. Dat was geen kleinigheid en de hele rest leek er vanzelf uit voort te komen. Een van de weinige verschillen tussen hen, die Gemma ook zonder commentaar of suggesties voor verbetering had geaccepteerd, was dat hij zich na een aantal dagen daar rusteloos begon te voelen.

Het was in die stemming dat Zen de opdracht had geaccepteerd die zijn superieur Brugnoli in Rome hem voor de neus had gehouden. Het zou hem een kans geven om er even op uit te trekken, had hij gedacht, om zijn professionele vaardigheden te beoefenen, om enige tijd van huis te zijn en dan weer fris terug te keren en weer ontvankelijk te zijn voor de kleine geneugten van het leven in een klein stadje dat zo ver van de gebaande paden lag dat hij in de vroege ochtend in Florence heel wat uren stuk moest slaan voordat zijn eerste aansluiting vertrok op het kleine, enkelsporige lijntje dat via Pistoia en Lucca naar Viareggio liep. Gemma had aangeboden om hem te komen ophalen toen hij vanuit Bolzano belde, maar dat had hij natuurlijk geweigerd. Het was vernederend genoeg om geen auto te bezitten en allerminst de wens te hebben er een aan te schaffen, zonder je geliefde te dwingen midden in de nacht uit bed te stappen en honderdvijftig kilometer te rijden om jou te redden van de gevolgen van je eigen tekortkoming.

Hij nam nog een slok uit de fles en stak een nieuwe sigaret op. Hij stond links van het raam en was zo beschut tegen de golvende lucht. Het licht van een grillige maan, die telkens wegdook achter wolkenmassa's, verschafte het enige gevoel voor de omgeving, en toen het kwam, was het dramatisch: hoog oprijzende kliffen van ruwe, puntige rotsen, dichtbeboste hellingen, de strook van verwoesting aan beide zijden, en dan natuurlijk de Adige zelf, golvend en kolkend in de ondiepe stukken, akelig kalm en gespierd waar het kanaal dieper werd.

Als vogelnestjes gegroepeerde versterkingen verschenen op een steile rots aan de overkant van de rivier, het hol van een onbeduidende middeleeuwse vorst, gelegen boven de wegen waarover hij tol had geheven, een vroegere versie van de militaire stellingen die Zen eerder die dag had gezien. De gedachte aan de zware arbeid die was verricht voor deze ingenieuze constructies, gebouwd in een meedogenloze omgeving met alleen menselijk zweet, gevoegd bij het voortdurende risico om te worden beschoten of opgeblazen, was verbijsterend en vernederend. En deprimerend, want uiteindelijk was het allemaal voor niks geweest, zowel voor de roofridder als voor de jonge mannen die waren gestorven op de onherbergzame pieken die Zen eerder had bezocht. De eerste was vervangen door meer georganiseerde en democratische vormen van uitbuiting, terwijl het Italiaanse leger zowel zijn eer als de oorlog had verloren bij de *disfatta storica* van Caporetto, de slag die alle eerder geboekte winst teniet had gedaan. Ondanks hun heldhaftige opofferingen en pijn hadden de *Alpini* zich gedwongen gezien zich terug te trekken.

Toegegeven, aan het einde van de oorlog had de natie het hele grondgebied teruggekregen, en ook nog de Oostenrijkse cisalpijnse provincies van Zuid-Tirol, de valleien ten zuiden van de Brennero, als een kruimeltje dat men welwillend van de voorname tafel van de vredesconferentie van Versailles had laten vallen. Het bleef een feit dat honderdduizenden jonge mannen gestorven waren, van wie de meeste boerenknechten uit het midden en het zuiden van het land waren, die geen flauw idee hadden tegen wie ze vochten, laat staan waarom.

De trein leek sneller te zijn gaan rijden. Ze gingen te snel, dacht hij, en tegelijk moest hij onwillekeurig denken aan een fragment uit een Franse roman die hij had gelezen, waarschijnlijk toen hij op de universiteit zat. Hij herinnerde zich het misschien omdat het over de spoorwegen ging en omdat zijn vader een spoorwegman was geweest. Hoe het ook zij, hij was nu alles van het boek vergeten behalve het demonische einde waarin een trein met militairen door een saai landschap naar het front in een vergeten oorlog raasde. De dienstplichtigen, verdoofd door uitputting en de drank, scandeerden en zongen, onkundig van het feit dat de machinist van het plateau van de locomotief was gevallen, dat de onbestuurde trein af reed op hun onvermijdelijke ondergang.

La storia. Le storie. Historie. Iemands historie. De twee betekenissen van het woord kwamen in zijn gedachten samen. Hoewel hij van een generatie was die nooit de oorlog in had hoeven gaan, was Zen – zoals iedere Italiaan, direct of indirect – in aanraking gekomen met de geschiedenis en de oneindige verhalen, waar en onwaar, die eromheen waren geweven. In dit geval hadden ze meestal de vorm aangenomen van officiële zaken die hij diende te onderzoeken, of waar hij bij het onderzoek moest assisteren – of, cynischer gesteld: het moest belemmeren. Hoeveel waren het er geweest? Aan hoeveel verhalen had hij gewerkt? Tenzij ze natuurlijk, zoals sommige mensen zeiden, in feite allemaal hetzelfde verhaal waren, waarvan de schrijver en de afloop nooit bekend zouden worden.

Deze laatste toevoeging aan de lijst was zeker niet al te veelbelovend, nog afgezien van de moeilijkheden als gevolg van het feit dat hij zowat in het buitenland had geopereerd. Toen de fascisten van Mussolini na de Eerste Wereldoorlog aan de macht kwamen, waarbij ze de interne tegenspraken van de loze overwinning van het vorige regime hadden uitgebuit, hadden ze hun absolute macht tot het uiterste laten gelden in de omgedoopte Alto Adige, door het gebruik van het Duits te verbieden, binnenlandse immigratie vanuit Sicilië en het zuiden te bevorderen en in het algemeen de Oostenrijkers te onderdrukken in een overduidelijke poging om hen ertoe aan te zetten door de Brenner-pas op huis aan te gaan en nooit meer terug te keren.

Het was geen wonder dat de wrok tegen de Italianen in dit gebied nog steeds smeulde. Sinds het verlenen van regionale autonomie manifesteerde die zich vooral op het persoonlijke niveau waaraan Bruno aanstoot had genomen in het café op de berg, maar in de jaren zeventig had Zen oog in oog gestaan met het terrorisme van de separatisten, tijdens zijn 'tropenjaren' bij de politie, de verplichte diensttijd op Sicilië, Sardinië of in de Alto Adige, de drie meest problematische en gevaarlijke gebieden van het land. Nu waren alle terroristen echter met pensioen en hadden ze hun memoires geschreven, terwijl de lokale bevolking het heel goed maakte, dank u wel, met hun formele status van Italianen, maar in de praktijk met een zelfbeschikking bij alle kwesties die er echt toe deden. Ze schermden nog steeds wel met hun culturele en taalkundige verschillen, maar als puntje bij paaltje kwam, hadden ze liever te maken met een ver verwijderde en over het geheel genomen onverschillige regering in Rome dan dat ze onder het juk van hun eigen volk in het noorden zouden komen en alles volgens het boekje zouden moeten doen.

Werner Haberl, de jonge dokter die Zen had gesproken in het ziekenhuis in Bolzano, had beslist geen enkel teken van wrok vertoond. Integendeel, hij had het geval afgehandeld met een wellevend, geamuseerd, licht neerbuigend gemak en had Zen behandeld alsof hij te maken had met een uitwisselingsstudent uit een ontwikkelingsland als Ethiopië. Het lijk dat was gevonden in de oude *Minenkriegstollenlage?* Een bijzonder geval, ook voordat de carabinieri midden in de nacht hun overval hadden gepleegd en alles zonder een woord van uitleg hadden weggehaald. Het gebeurde niet elke dag dat er een deels gemummificeerd, onbekend lichaam van onbestemde leeftijd op je snijtafel belandde. Het laatste was dat lijk uit de ijstijd geweest dat ze in de Alpen hadden gevonden, zo'n honderd meter aan de Oostenrijkse kant van de grens, naar later bleek. Maar Ötzi was hier ook een tijdje geweest, terwijl de politieke aspecten werden uitgezocht.

Ja, hij was aanwezig geweest bij de sectie. Zoals iedereen. Personeel, studenten, zelfs mensen van buiten de afdeling. Het was tenslotte een uniek geval; niet een van de geijkte auto-ongevallen, drugsoverdoses, zelfmoorden en hartaanvallen. Ze hadden zich allemaal rond de tafel geschaard terwijl de professor zijn werk deed en zijn procedures en bevindingen minutieus beschreef ten behoeve van het aanwezige gezelschap en het opnameapparaat met behulp waarvan hij later zijn aantekeningen zou uitschrijven voordat hij het officiële rapport zou schrijven. Dat was natuurlijk meegenomen, samen met alle andere zaken, bij de interventie van de carabinieri vorige week. Om vier uur 's ochtends. Tien man in twee jeeps plus een militaire ambulance om het lijk en alle eigendommen mee te nemen. Men had geprotesteerd, maar tevergeefs.

Zen bespeurde een opening, die hij onmiddellijk benutte.

'Ze deden tegen ons ook behoorlijk aanmatigend. We dienden een verzoek in om het sectierapport te bekijken – een pure routinekwestie, om aan de bureaucratische rompslomp te voldoen – en dat werd ons botweg geweigerd. Ze vonden het zelfs niet nodig om zich te verontschuldigen! Om de een of andere reden schijnen ze te denken dat de zaak alleen van hen is. Ik zou ze heel graag willen laten zien dat ze daarin ongelijk hebben, en als u iets zou kunnen doen om me te helpen, zou ik u heel dankbaar zijn. Wat was bijvoorbeeld de doodsoorzaak?'

'Onmogelijk om dat eenduidig vast te stellen. Er waren vele rijtwonden en kneuzingen zoals je onder de omstandigheden kon verwachten, maar het lichaam verkeerde in een dusdanige staat van onthinding dat het eerste sectieonderzoek nog geen duidelijk resultaat opleverde. We stonden op het punt om meer forensische tests uit te voeren toen de *Aktion* van de carabinieri plaatsvond.'

'En de identificatie?'

'Ook nog onduidelijk. Het gezicht was zeer ernstig aangetast, maar zijn gebitskenmerken hadden misschien resultaat kunnen opleveren, als we de kans hadden gekregen.'

'En zijn kleding?'

Werner Haberl knikte.

'Dat was misschien wel het interessantste aspect dat we ontdekten. Het was bijvoorbeeld geen militair uniform. Dat was belangrijk om vast te stellen, omdat de droge, koude omstandigheden in die tunnels de rotting tegengaan, en onze eerste gedachte was uiteraard dat dit een van onze oorlogshelden kon zijn geweest. Of misschien een van de uwe.'

'Dus het lijk had daar al lang gelegen?'

'Afgaande op de conditie van het vlees en de organen schatte de patholoog het voorzichtig op een periode van minstens twintig jaar en misschien nog veel langer. Hij kon echter geen oorlogsslachtoffer zijn geweest. De kleren waren van een synthetische stof en een modernere makelij en dateerden zeker niet uit de tijd van de Grote Oorlog, en ze bestonden uitsluitend uit een broek, een overhemd en onderkleding en sokken. Geen schoeisel, geen jas. Bovendien waren alle kledingmerkjes verwijderd en bevonden zich geen persoonlijke eigendommen in de zakken van het slachtoffer of op de plaats waar het lichaam was ontdekt.'

'Met andere woorden...'

'Met andere woorden, we hadden hier kennelijk te maken met het scenario van een jongeman – volgens de voorlopige schatting van de patholoog was hij tussen de twintig en vijfentwintig jaar toen hij overleed – die alleen de tunnels in ging, gekleed in lichte zomerkleren waar alle merkjes uit waren verwijderd, zonder schoenen of laarzen, en die vervolgens zijn dood tegemoet viel.'

'Hebt u misschien een of andere markering op de rechterarm van de man gezien?'

'Er waren heel veel oppervlakkige kwetsuren. Het lijk verkeerde in een zeer slechte staat, zoals ik al zei.'

'Nee, ik bedoel iets kunstmatigs. Een tatoeage bijvoorbeeld.'

Haberl aarzelde even.

'Ik geloof dat er wel iets dergelijks was, nu u het zegt. We besteedden in de eerste fase niet veel aandacht aan dergelijke oppervlakkige details, maar die zouden natuurlijk wel te zien zijn op de video van de sectie.'

'En waar is die?'

Werner Haberl zuchtte vermoeid en sloeg zijn ogen ten hemel bij wijze van antwoord.

'Dat is heel interessant,' zei Zen, en hij legde een van zijn kaartjes op het bureau tussen hen in. 'Dit is mijn nummer, voor het geval u nog iets te binnen schiet over de zaken die we hebben besproken, of als er nieuwe ontwikkelingen zijn.'

Werner Haberl keek naar het kaartje, maar pakte het niet op.

'Ik heb het gevoel dat als er nieuwe ontwikkelingen zijn, dat die dan in Rome plaatsvinden. Waar, zoals ik op uw kaartje zie, u gevestigd bent, dottore.'

De eretitel kwam als worst uit een vleesmolen.

'U zou weleens gelijk kunnen hebben,' had Zen geantwoord terwijl hij opstond. *'Aber man kann nie wissen.'*

Je kunt nooit weten. Een veilige volkswijsheid. Op dit moment wist hij bijvoorbeeld zelf in de verste verte niet waar hij was. De stations schoten zo snel voorbij, met al hun lichten gedoofd, dat hij de namen niet kon lezen. Maar ze hadden de hoge ravijnen van de Adige achter zich gelaten, zoveel was zeker. Net als de maan. Het weer werd beter, het landschap was vriendelijker en gecultiveerder, de economie productief in plaats van extractief. Afstanden strekten zich uit, wegen waren recht, lichten waren er in overvloed, en er was verkeer op de wegen die ze kruisten. Het leven keerde terug. Zen rook zijn bedwelmende aanwezigheid, vol beloften en uitdagingen in de zachte lucht die door het raam naar binnen stroomde.

De trein minderde enigszins vaart, ratelde over een reeks wissels en dook toen een betonnen viaduct in onder een andere reeks sporen die negentig graden ten opzichte van zijn eigen koers liep. Zen liep zijn coupé uit de gang op. Ja, daar waren de lichten van Verona, een stad waarvan hij altijd een irrationele afkeer had gevoeld en die hij nooit had bezocht. *Una città bianca*, een leengoed van de priesters en het leger, van zielloze ondernemers en al die boerenhufterige ploerten van het achterland van Venetië, die de slechtste eigenschappen van zowel hun voorouders als de Oostenrijks-Hongaarse indringers hadden geërfd, zonder enige verzachtende eigenschappen van een van hen. En het gevoel was wederzijds. De *Veronesi* hadden de voorname Venetiërs ook altijd gehaat.

73

Nu reden ze de uitgestrekte verlatenheid van de Po-vlakte binnen. Zen ging terug naar zijn coupé voor nog een dosis kirsch en een nieuwe sigaret. De spoorlijn had zich versmald tot één baan, als om de onzekere greep van de beschaving op deze drooggelegde moerasgrond te benadrukken, terwijl het maanlicht, gefilterd door een mistlaag, een landschap zonder dimensies opriep dat werd geaccentueerd door de gedrongen, rechthoekige omtrekken van de cascine; agrarische barakken, nu grotendeels verlaten, waar generaties coöperatieve landarbeiders werden geboren, opgroeiden, trouwden, zwoegden en stierven, allemaal binnen één geïsoleerde en zelfvoorzienende gemeenschap die verloren ging in dit saaie landschap, dat geteisterd werd door een klamme hitte in de zomer en een vochtige koude in de winter.

'Voor het geval u ze wilt enhancen,' had Anton gezegd over het zwarte plastic ding dat bij de foto's zat die nu ingepakt waren in Zens reistas op het bagagerek boven hem. Wat kon dat nou betekenen?

De trein rolde dreunend over een reeks lange metalen overspanningen die waren aangelegd over de monstrueuze vadsigheid van de benedenloop van de Po. De lichten toonden de skeletachtige resten van de vroegere structuur van baksteen en steen, waarvan de centrale bogen waren uitgehold door bommen. Een andere oorlog, een ander slagveld, een andere mislukking. Mussolini's stafchef, maarschalk Badoglio, had naar verluidt zijn eenheid bij Caporetto in de steek gelaten en zich achter de linies in veiligheid gebracht. Een kwart eeuw later, na de val van de Duce, had hij lang genoeg geweifeld en gedraaid over de teruggave aan de geallieerden om de Duitsers in staat te stellen het schiereiland op het zuidelijkste puntje na geheel te bezetten, wat tot de verwoesting leidde van een groot deel van het erfgoed en de infrastructuur van het land, waaronder de brug die ze zojuist waren gepasseerd.

Er flitste een station voorbij. De trein reed nu langzamer en hij kon de naam net lezen. Mirandola. Een paar huizen langs een klein weggetje. Hij zou nooit meer weten over Mirandola, zoals hij ook nooit meer te weten zou komen over de zaak waarmee hij was belast. Dat was volkomen normaal. Je had verhalen en je had geschiedenis. Van het eerstgenoemde had je er heel veel en het andere was onkenbaar. Ondanks de economische voorspoed en de onberispelijke Europese kwalificaties van Italië, om maar niet te spreken van de opzichtige presentatie van een 'open regering' van het huidige regime, stond zijn openbare geschiedenis nog steeds bol van het geheime netwerk van gebeurtenissen die gezamenlijk de *misteri d'Italia* werden genoemd. De wormgaten in het politieke lichaam waren er nog steeds, maar de wormen waren nooit geïdentificeerd, laat staan aangeklaagd of veroordeeld.

Zo stond het ervoor. Er bestonden redenen, maar de rede zelf, in diskrediet gebracht door de excessen die in zijn naam waren gepleegd, had men prijsgegeven. Zelfs de werkelijkheid was niet meer dan een chic label voor welke leugens dan ook waarin men zich dat jaar had gehuld. Maar ook dat was normaal. Geen van de manieren waarop we de wereld ervaren correspondeert ook maar enigszins met de wetenschappelijke feiten. Niet alleen zijn onze intuïties altijd volledig onjuist, maar het zou ook onmogelijk zijn om je voor te stellen hoe ze zouden zijn als ze juist waren.

Toen dacht hij: ik had bij de *magistratura* moeten gaan. Antonio Di Pietro, de inspirerende onderzoeksrechter die bijna eigenhandig de val van het vorige regime, de zogeheten Eerste Republiek, had bewerkstelligd, was vroeger politieman geweest. Daarna had hij via avondstudie een bevoegdheid voor de rechterlijke macht verkregen, in het besef dat alleen dat onafhankelijke lichaam hem de macht kon geven die hij nodig had om in elk geval enkele van de schandelijkste 'mysteries van Italië' op te lossen. Ik ben nooit zo ambitieus geweest, dacht Zen somber. Ik heb gewoon vastgehouden aan m'n routine, altijd de weg van de minste weerstand gekozen, zo goed mogelijk mijn best gedaan en me ten slotte afgevraagd waarom mijn werk uiteindelijk nooit ergens toe leidt.

Een geklik van wissels bracht hem terug in het heden. Het spoor was nu weer verdubbeld en de trein naderde een massa oranje lichten, dampig door de mist die optrok uit de verre kusten van het moerasland. Een sigaret en een laatste slok kirsch later rolden ze door het station van Bologna, langs de herbouwde wachtkamer met de gedenkplaat die herinnerde aan alweer een van die ondoorgrondelijke mysteries: de bom van 2 augustus 1980, waardoor vierentachtig mensen om het leven waren gekomen en ruim tweehonderd mensen voor de rest van hun leven verminkt waren. De politieke elite van zowel de rechter- als de linkervleugel zocht de schuld bij extremisten van het vijandelijke kamp. Er was een korte vlaag van onderzoeken geweest en enkele mensen waren in staat van beschuldiging gesteld, maar het had tot niets geleid. Het was alsof die alledaagse wreedheid een force majeure was geweest, zoals een orkaan of een aardbeving. Dieptriest natuurlijk, een schokkende tragedie, maar niets aan te doen.

Met voor het eerst een gevoel van moeheid ging Zen op het bed liggen. Het raam was nog steeds open en toen de trein een vallei aan de voet van de Apennijnen binnenreed, ving hij even de zoete geur van houtrook op. Daarna was er alleen maar het gehamer van de wielen dat weerkaatste tegen de tunnelwanden, steeds vaker en langer. Hier dommelde hij eindelijk in, en hij werd pas wakker gemaakt door de treinsteward, die hem zei dat ze door Prato reden. Hij had net genoeg tijd om zijn spullen bij elkaar te pakken en zichzelf min of meer toonbaar te maken voordat de trein in Florence aankwam.

Hij stapte vermoeid het perron op, nog steeds maar halfwakker en zich afvragend hoe hij al die lange uren moest doorkomen voordat zijn aansluiting naar Luca zou vertrekken. Toen dook er een soepele verschijning uit de schaduw op en kuste hem.

'Je ziet er heel goed uit. De berglucht doet je kennelijk goed.'

Hij staarde Gemma aan.

'Wat doe je hier?' zei hij geërgerd. 'Ik had gezegd dat je niet hoefde te komen.'

'Nou, ik ben er wel. De auto staat buiten. Geef je tas maar.'

'Ik kan mezelf prima redden. Je bent mijn moeder niet!'

'Nee, dat is zo.'

'Maar goed, bedankt dat je gekomen bent. Sorry dat ik zo geprikkeld ben. Ik ben doodop. God, wat ben ik blij dat ik thuis ben.'

'Profiteer er maar van, want het ministerie heeft gebeld. Ene Brugnoli. Hij wil dat je morgen naar Rome komt.'

'Ik wil niet naar Rome.'

'Nou, ik wel. En jij moet. Ik heb stoelen voor ons gereserveerd in de trein van negen uur.'

'Wat heb jij ermee te maken? Jij werkt niet voor Brugnoli. Of wel soms? Zit het zo? Hij heeft je op me af gestuurd op het strand vorige zomer om...'

'Rustig nou. Ik wil daar gewoon wat gaan winkelen.'

'Best, maar ik moet werken. Je kunt niet van me verwachten dat ik alles maar laat liggen, met jou alle winkels af ga en dan met je ga lunchen.'

'Ik winkel liever alleen en ik ga al met iemand lunchen.'

'Wie dan?'

'Ze heet Fulvia. We hebben samen op school gezeten. We gaan 's ochtends samen met de trein en gaan 's avonds weer terug, en de auto laten we bij het station hier in Florence.'

'Maar...'

'Je bent gewoon moe. En een beetje dronken, denk ik. Morgen zie je het allemaal wel wat helderder.'

'Helemaal niet.'

'Nou, dan niet. Maar heb je er wat aan als je je daar nu druk over maakt?'

'Waarom moet jij altijd gelijk hebben?'

'Waarom moet jij altijd ongelijk hebben?'

'Ik heb níet altijd ongelijk.'

'Nee, maar dat denk je wel. Je wílt zelfs ongelijk hebben. Nou, ik wil gelijk hebben. En meestal heb ik dat ook. Ik heb een risico met jou genomen, vergeet dat niet. Een heel groot risico. Was dat een vergissing van me?'

'Nee, je had gelijk.'

'Ik bedoel maar. Rust nu maar uit terwijl ik rijd.'

VI

Zodra de zon in de verte onderging in een wolkenbank in het zuidwesten, opende Gabriele het luik in de vloer, liet de ladder zakken en klauterde omlaag. Daarna was het gemakkelijk: de steile trap die naar de eerste verdieping leidde en daarna de veel stijlvollere en vriendelijkere stenen bocht naar de begane grond en de statige entreehal die de hele breedte van de *bocchirale* bestreek en die met zijn enorme ruimte en kunstige plafondfresco's de status van de landheer verried.

Hij opende de voordeur naar de enorme binnenplaats, met zijn iets verhoogde en naar het midden toe oplopende dorsvloer die was omgeven door ondiepe afvoergoten, en stak schuin over naar de laatste van de zeven overwelfde openingen van de kloosterachtige *barchessale*, waar eens de landbouwmachines en -werktuigen hadden gestaan. Als kind had hij daar zijn fiets staan en daar had hij die nu ook neergezet, goed uit het zicht van eventuele toevallige – of niet zo toevallige – bezoekers.

Hij fietste tien minuten in een regelmatig tempo over de volkomen vlakke, volkomen rechte laan die langs het landgoed liep, aan beide zijden geflankeerd door diepe greppels, waarbij de desolate vlakheid van het landschap de rij populieren, geknot om de wind te breken, als architectuur deed afsteken. De tijd was cruciaal voor het welslagen van dit tochtje. Er was nog genoeg licht voor hem om goed zicht te hebben, maar ook weer zo weinig dat het onwaarschijnlijk was dat hij zou worden gezien. Afgezien van de onvermijdelijke grondmist die al weer begon op te komen, was de avond constant helder geweest en de maan zou precies op tijd opkomen om hem bij zijn weg terug te verlichten. Toen hij een jongen was, was er geen elektriciteit in de cascina geweest. Tijdens de vele zomers die hij er had doorgebracht, had hij een scherp oog gehad voor de tijden waarop de zon en de maan opkwamen en ondergingen, en van de fasen van de maan. Het was een vorm van respectvolle aandacht die hij moeiteloos weer had opgepakt.

Het tochtje was natuurlijk nog steeds een risico, maar minimaal en noodzakelijk. Hij zou via achterafwegen naar zijn bestemming gaan. Gezien de massale ontvolking van het hele gebied waren die vrijwel ongebruikt, vooral na het donker. Met enig geluk zou de winkelierster de enige zijn die zijn gezicht zag, en met zijn baard die hij had laten staan en zijn donkere bril zou zelfs zijn zuster moeite hebben gehad hem te herkennen. Bovendien waren de batterijen voor de campinglantaarn die hij uit Milaan had meegebracht bijna op, en zonder die vervanging voor de olie- en acetyleenlampen van zijn jongensjaren zou hij in de uren van duisternis helemaal niet kunnen functioneren.

Eerlijk gezegd had hij er hoe dan ook uit moeten gaan, hoe kort ook. Het rechthoekige blok van de cascina, volledig afgesloten van de buitenwereld op de twee hekken na, en omgeven door een brede drainagegreppel als de slotgracht van een middeleeuws kasteel, gaf een overweldigend gevoel van afgeslotenheid van de buitenwereld. Dit had aanvankelijk geruststellend geleken, maar inmiddels begon Gabriele te lijden aan wat hij en zijn vrienden in het leger 'kazernekoorts' plachten te noemen.

En er was nog een andere factor. Hij begon zich een beetje een sufferd te voelen. Zo had zijn vader hem soms met een minachtende vertedering genoemd – *il babbione* – en als zo vaak in het verleden begon het ernaar uit te zien dat hij gelijk had gehad. Er waren tien dagen verstreken en er was in het geheel niets gebeurd. Wat belangrijker was, het was moeilijk om te zien wat er zou kunnen gebeuren om zijn paniekvlucht naar het vroegere bezit van zijn familie op het platteland te rechtvaardigen.

Hij herinnerde zich dat hij ergens had gelezen dat het verschil tussen een theorie en een geloof niet berustte op bewijs, maar op de mogelijkheid van een tegenbewijs. Hoeveel observaties de relativiteitstheorie bijvoorbeeld ook leken te ondersteunen, de juistheid ervan zou nooit afdoende kunnen worden bewezen. De wetenschappelijke respectabiliteit ervan berustte op het feit dat de onjuistheid van de theorie direct zou kunnen worden bewezen als er tegenstrijdige aanwijzingen aan het licht zouden komen. Hetzelfde gold niet voor het feit dat God de wereld in zes dagen geschapen had en daarna sporen van de fossielen had gefingeerd om iets anders te suggereren, reden waarom dit niet meer dan een geloof was. Zo was het ook met zijn angst voor zijn veiligheid, besefte hij nu. Die was niet rationeel en kon daarom niet worden verdreven. Wat zou er moeten gebeuren om te bewijzen dat hij het mis had gehad, dat er in feite geen dreiging was, helemaal niets om bang voor te zijn?

Overigens had hij het heel comfortabel waar hij nu zat. Eigenlijk was dat een deel van het probleem. De nachten waren nog heel zacht voor de tijd van het jaar, en de campinguitrusting die hij voor zijn vertrek uit Milaan had gekocht – met contant geld, voor het geval iemand zijn creditcardbetalingen zou nagaan – was meer dan geschikt voor wat hij nodig had. Hij leefde net zo eenvoudig als hij thuis deed, op pasta, Parmezaanse kaas, olie, salumi en gedroogde soepen, af en toe aangevuld met een haas of duif die hij had gevangen en bereid met behulp van zijn legertraining om te leven van het land. Zijn enige andere aankoop, voordat hij op een trein naar Cremona was gesprongen vanuit het voorstadstation Lambrate, was deze tweedehands fiets geweest, waarop hij onzichtbaar was gearriveerd in zijn schuilplaats en die altijd beschikbaar was voor tochtjes zoals dit. Het water uit de bron was beter dan wat er in Milaan uit de kraan kwam en hij had ruim voldoende boeken meegenomen om zich mee te vermaken.

Het mooiste van alles was dat niemand wist waar hij was! Niet alleen zijn vijanden, maar ook zijn vrienden, kennissen en zakenrelaties, en niet te vergeten zijn zuster Paola en haar nog thuis wonende zoon van in de dertig. Als hij dacht aan alle tijd en liefde die hij had gespendeerd aan de luie nietsnut die zijn neef, zo innemend en intelligent toen hij jong was, als volwassene bleek te zijn geworden. Maar het was zijn eigen schuld geweest. Mensen stelden je altijd teleur. Je was beter af zonder ze. Een van de andere dingen die hij zich hier had gerealiseerd – er was meer dan genoeg tijd geweest om te denken – was dat hij er altijd stiekem van had gedroomd om te verdwijnen, om onzichtbaar te worden, volledig een subject voor zichzelf maar op geen enkele wijze een object voor anderen. Dat had hij altijd gewild en nu had hij in wezen zijn doel bereikt.

De fiets rolde soepel voort, met een vertederend piepje van de achteras. Het was een ouderwets damesmodel, het zwartgeschilderde frame elegant gebogen als een harp. Er waren drie versnellingen, twee remmen en verder geen fratsen. Voor Gabriele was het liefde op het eerste gezicht geweest, een katoenen japon met opdruk temidden van de sportartikelen van acryl, de in massa geproduceerde ATB's, en de prijs was absurd laag geweest.

Het licht nam nu snel af, maar hij zou hier geblinddoekt zijn weg nog bijna hebben gevonden. Hij had maar een streepje licht nodig om niet in een van de diepe greppels te vallen die langs alle wegen en paden liepen in dit gebied dat eeuwen geleden op de monsterlijke Po was gewonnen. Hij had ze allemaal verkend als jongen, toen hij vaak tien, twaalf uur op een dag ging lopen of fietsen en soms buiten sliep als hij was verdwaald of de fiets kapotging. Niemand had zich zorgen gemaakt als hij bij het vallen van de nacht nog niet terug was. In die tijd was de wereld hard maar goedaardig; nu was hij zacht maar kwaadaardig.

Hij sloeg links af de iets bredere weg op, die langs de oever van de rivier boog waarin al dit land afwaterde en die op zijn beurt afwaterde in een kleine zijrivier van de Po. Er passeerden hem twee auto's, een in elke richting, maar ze reden allebei met zo'n snelheid dat Gabriele voor de inzittenden niet meer was dan een gevaarlijke vlek die je moest zien te vermijden. De plaatselijke bewoners die waren achtergebleven reden allemaal als gekken, alsof ze wraak wilden nemen voor de jaren waarin hun voorouders elke dag van hun leven eindeloze afstanden hadden moeten voortzwoegen, onder een verzengende zon of in de stromende regen, naar of van hun werk op de akkers.

De weg maakte uiteindelijk een bocht om uit te komen op de doorgaande *strada statale* bij de middeleeuwse brug met de drie bogen die naar het kleine plaatsje leidde dat veilig op zijn plateau lag boven het overstromingsniveau van de omringende vlakten. Gabriele stapte af, verborg de fiets in een populierenbosje bij de splitsing en ging lopend verder.

Binnen de muren was het overal zo stil als in een graftombe. Hij ging links af, weg van de hoofdstraat, en daarna rechts af een straat in met lage bakstenen huizen van twee verdiepingen. Het stadje had een naam, maar op een dieper niveau was het icts algemeens; een van de duizend of meer niet van elkaar te onderscheiden gemeenschappen waarmee de Po-vlakte en -delta bezaaid waren, laag en bescheiden van voorkomen, gebouwd van pleistersteen, en oorspronkelijk dienend als een markt- en winkelcentrum voor het omringende gebied. Sinds de vlucht naar de steden in de jaren zestig en zeventig boden dergelijke plaatsjes het trieste voorkomen van een leven in gedwongen pensionering. Dit paste uitstekend in Gabrieles plannen. Driekwart van de bevolking was vertrokken en degenen die waren achtergebleven, bleven 's avonds binnen en gingen vroeg naar bed. Er was niemand op straat en zijn sportschoenen met rubberzolen maakten geen geluid terwijl hij naar de centrale piazza liep. Afgezien van het ontbreken van mensen op straat was alles nog precies zoals hij het zich herinnerde van veertig jaar geleden. Meer geparkeerde auto's natuurlijk, en hier en daar een huis dat opnieuw in de verf was gezet of was opgeknapt, maar in wezen was het nog steeds hetzelfde oudbakken brood dat voor een stadje moest doorgaan.

De winkel was er ook nog steeds, maar wel met een nieuw uithangbord en een spiegelruit, en de scepter werd niet meer gezwaaid door Ubaldo en Eugenia, maar door een vrouw in de overgang, in wie Gabriele uiteindelijk met een schok hun dochter Pinuccia herkende, over wie hij vroeger natte dromen had gehad. Hij had zijn zonnebril opgezet voordat hij de winkel binnenging en vroeg nu met zijn dikste Milanese accent of ze batterijen verkochten, op een toon die suggereerde dat plattelanders als zij waarschijnlijk niet wisten wat batterijen waren, laat staan dat ze die hadden.

Terwijl Pinuccia op zoek ging tussen een hoop kartonnen dozen op een plank in een duistere uithoek van de winkel, werd Gabrieles aandacht getrokken door een groot zwart skelet waarmee een stuk doorzichtig plastic was bedrukt dat aan een haak achter de toonbank hing. Een heks met een punthoed en een bezemsteel bungelde aan de andere kant van de kassa. Natuurlijk, het was bijna Allerheiligen. De laatste keer dat hij geïnteresseerd was in zulke dingen, viel er aan de import van dit soort exotische artikelen niet te denken. De Kerk zou het trouwens verboden hebben of er ten minste tegen hebben gefulmineerd. Allerheiligen was een religieus feest en de bijgelovige legenden en oudewijvenpraat met betrekking tot de avond ervoor was iets wat belachelijk moest worden gemaakt of genegeerd.

Pinuccia kwam terug met een verzameling batterijen waarvan Gabriele er zes kocht. Hij betaalde en vertrok, waarna hij zijn zonnebril afzette om te kunnen zien waar hij liep. De bijna volle maan piepte uit boven de daken van de huizen aan de hoofdweg. Hij had zijn reis uitstekend getimed.

De lichten van de enige openbare telefooncel glansden flauwtjes aan het andere uiteinde van de pompeuze *rinascimentale* piazza. De telefoon zou waarschijnlijk stuk zijn of van de bijna uitgestorven soort die alleen met muntjes werkte. Het onderhouden van openbare telefoons kostte de telefoonmaatschappij veel geld, en zelfs de bedelaars hadden tegenwoordig mobieltjes. Conciërges ook, trouwens.

Het binnenste van de cel was tamelijk vies – sigaretten-peuken op de grond, een intensief gelezen exemplaar van *Il Giornale* in plaats van het ontbrekende telefoonboek, een doordringende urinelucht – maar het toestel accepteerde zijn telefoonkaart en bracht hem in verbinding met Fulvio's mobieltje. Gabriele besefte terdege dat dit telefoontje ook een zeker risico met zich meebracht, maar hij had er diver-se dagen uitvoerig over nagedacht en had besloten dat het acceptabel was.

'Pronto!'

Zoals altijd nam Fulvio de telefoon op alsof hij je de oor-log verklaarde.

'Met Passarini.'

'Dottore! Hoe gaat het met u? Waar bent u geweest?'

'Het gaat goed. Ik bel alleen even om te horen of er nog iemand geprobeerd heeft contact met me op te nemen. Be-grijp je?'

Hoewel zijn manier van doen weinig indruk achterliet, was de conciërge opmerkelijk vlug van begrip.

'Certo, certo!'

'En?'

'Er is wel iemand die u zoekt. Zocht, moet ik zeggen. Ik heb hem al een paar dagen niet gezien.'

'Wat gebeurde er?'

'Hij kwam naar mijn hokje in de hal en vroeg of ik ver-antwoordelijk was voor het gebouw. Ik zei dat dat zo was en hij vroeg of dat ook gold voor de...'

Hij was echter, zo herinnerde Gabriele zich, lang van stof.

'Ja, ja. En hoe ging het verder?'

'Hij vroeg naar de boekwinkel, uw winkel. Ik zei dat ik het niet wist, ik had begrepen dat er een sterfgeval in de familie was en dat u besloten had een tijdje weg te gaan. Hij vroeg hoelang, ik zei dat ik geen idee had. Hij zei dat hij een belangrijke zakelijke kwestie met u moest bespre-ken – het ging om heel veel geld, iets wat niet kon wach-ten, enzovoort en zo verder. Maar hij liet geen naam of nummer achter. Ik zei gewoon dat ik geen idee had waar u was, wat afgezien van alles trouwens zo is, en dat ik hem tot mijn spijt niet kon helpen. Ik werkte hem voorzichtig weer naar buiten, maar hij wilde niet gaan, dat kan ik u wel zeggen.'

Gabriele zweeg zo lang dat de conciërge dacht dat de verbinding verbroken was en begon te roepen: 'Pronto? Pronto?'

'Ik ben er nog, Fulvio. Was er nog meer?'

'Alleen de gebruikelijke post en wat mensen die langskwamen. Die professor van de universiteit kwam toen ik het vuilnis buiten zette. Hij wilde weten of de platen die hij had besteld er al waren. Van een of andere atlas.'

Janssons *Atlas Novus*, dacht Gabriele. Een paar losse bladen uit een van de Latijnse uitgaven, mogelijk uit 1647. Hij had die zeer voordelig op de kop getikt in Leipzig, maar nu had hij een koper uit de Verenigde Staten die er belangstelling voor had, dus de professor moest maar even afwachten wat de marktprijs uiteindelijk zou worden.

'Die man die langskwam om naar me te vragen, hoe zag die eruit?'

'Gedrongen, normale lengte, bruine, dicht op elkaar staande ogen, kaal, uitstekende oren. O, en een gebroken neus. Echt helemaal plat, als een bokser of rugbyer. Wat kan ik er verder van zeggen? Hij straalde een gevoel van macht uit, alsof hij iemand was, of dacht dat dat zo was. Dat is het zo'n beetje.'

'Heel goed, Fulvio. Bedankt voor je hulp.'

'Maar wanneer komt u terug, dottore?'

'Dat kan ik echt niet zeggen. Het kan nog wel een tijd duren. Maar goed, ga gewoon door met wat je gedaan hebt en ik zal het goedmaken zodra ik terug ben.'

Hij hing op, haalde zijn telefoonkaart eruit en toen, als gedachte op het laatste moment, rolde hij het exemplaar van *Il Giornale* op en stak het in zijn jaszak. Het zou hem misschien enigszins kunnen boeien om te zien wat er in de wereld gebeurd was sinds hij die verlaten had.

Hij wilde al teruglopen naar zijn fiets toen hij een idee kreeg. Hij ging terug naar de winkel en vroeg Pinuccia of ze vuurwerk had. Pas op het moment dat Pinuccia hem aankeek op een manier die een zweem van verwarde herkenning suggereerde, besefte hij dat hij was vergeten zijn toneelzonnebril weer op te zetten.

'Vuurwerk?' vroeg ze.

'Certo,' antwoordde hij met zijn opdringerige Milanese accent. 'Voor Allerheiligen. Voetzoekers. Knalvuurwerk. Blauwe lont aansteken en meteen wegspringen. Boem. Vinden de kids geweldig. Begrijpt u?'

Eén moment was hij bang dat ze het maar al te goed begrepen had, maar uiteindelijk verdrong de dofheid in haar ogen dat korte vonkje van intelligente belangstelling en ze handelden de transactie zonder verdere incidenten af. Toch was dat vonkje er geweest, al was het maar heel even, dacht hij toen hij terugliep over de straat naar de brug.

Had Pinuccia ooit fantasieën over hem gehad? Hij was tenslotte een van de zoons van de lokale landeigenaar geweest. Dit was een aspect van de situatie dat destijds nooit tot hem was doorgedrongen. Hij was veel te veel bezig geweest met zichzelf worden om ook maar één moment te denken aan wie hij feitelijk was, maar anderen zouden misschien niet zo stom zijn geweest. En dat degene die hij ooit had liefgehad hem niet wist te herkennen, was onder de omstandigheden weliswaar gelukkig, maar voelde toch aan als een verlies. Zij was niet langer zij en hij was niet langer hij. Alleen in de vertrouwde omgeving van de cascina was hij eraan gewend geraakt om weer over zichzelf te denken als een jongen, maar die jongen was net zo dood als die arme Leonardo.

Het ritje terug verliep rustig en zonder incidenten, een magisch avontuur in het maanovergoten landschap. Het enige probleem was de mist, die nu zeer dichte flarden had gevormd op de onvoorspelbare manier die mist kenmerkte, zodat je in een mum van tijd van volkomen helderheid in ondoordringbaarheid terechtkwam, schijnbaar zonder enige reden. En dan er weer uit, van een klont die zo dik was dat hij moest afstappen en lopen, voorzichtig zijn pad kiezend, om plotseling in een zo grote helderheid te struikelen dat zijn behoedzaamheid bespottelijk leek. Toen hij een van de plekken passeerde waar een irrigatiekanaal in een smal stenen aquaduct over de afwateringssloten liep, herinnerde hij zich zijn kinderlijke fascinatie met dit natuurkundige oxymoron: water dat over water zweeft.

Weer terug op de basis controleerde hij de dunne katoenen draad die hij langs de deur in de hoofdpoort had gespannen, waarvan de groengeverfde planken nu waren verkleurd tot zachtblauw. De verklikker was niet gebroken. Hij ging er gebukt onderdoor en stapte binnen in de echoënde *aia*, rondkijkend in de ruimte die zo vertrouwd voor hem was dat die bijna onzichtbaar was achter de panoplie van herinneringen. Hij verwachtte voortdurend dat er een deur of raam zou openzwaaien en er een stem zou roepen: 'Gabriele! Welkom thuis!' Maar die stemmen waren allemaal dood. Hoeveel werk was er hier verricht, hoeveel levens waren er gesleten! Als een slagveld, dacht hij – een eindeloze, onbesliste slag in een zinloze oorlog die uitgevochten werd met een verouderde uitrusting, om redenen die niemand zich meer kon herinneren.

Terug in zijn adelaarsnest, zoals hij het had beschouwd toen hij er op zijn vijftiende voor het eerst kwam, begon hij met het voorzichtig laten zakken en vastmaken van de zonwering die hij had gemaakt van een tafelkleed van oliedoek, voordat hij de campinglantaarn van nieuwe batterijen voorzag en aandeed. Ondanks de iepen en populieren die voor de windbreking rondom het huis waren geplant, zou in dit vlakke landschap elk straaltje licht mijlenver te zien zijn en onmiddellijk de aandacht trekken.

Hij vulde de steelpan met water uit de emmer in de hoek, zette die op het butagasstel en ging zitten om de krant te lezen die hij mee had genomen. De meeste artikelen boeiden hem niet – het gebruikelijke opgeklopte gedoe over kabinetswijzingen die in Rome op stapel stonden – maar zijn aandacht werd getrokken door een van de koppen op de Cronaca-pagina, over een moord in een stadje met de naam Campione d'Italia. Er stond een foto van het slachtoffer bij, die werd beschreven als Nestor Machado Solorzano, een Venezolaans burger. Gabriele zag dat hij sterk leek op een iets ouder geworden Nestore Soldani.

Hij las het artikel vluchtig door en las het daarna enkele keren zeer aandachtig. Volgens zijn vrouw Andreina, die haar verhaal via een tolk vertelde, was het slachtoffer op zijn verjaardag thuis gebeld en was hij voor een onverwachte afspraak met een of meer onbekenden naar Capolago gereden, net over de Zwitserse grens. Op zijn terugreis was de BMW Mini Cooper waarin hij reed geëxplodeerd voor de ingang van hun villa in Campione. Door de explosie waren de auto en de hekken volledig verwoest en de ruiten van de omliggende huizen gebroken. Er was praktisch geen spoor van het lichaam van het slachtoffer teruggevonden.

Gabriele rekende snel de data na. De moord had plaatsgevonden op de dag nadat hij uit Milaan was vertrokken, nadat hij over de ontdekking van Leonardo's lijk had gelezen.

Het pastawater kookte over. Hij pakte de steelpan met trillende handen van het gas. En dan te bedenken dat hij een uur geleden nog smalend over zichzelf had gedaan voor zijn onnodige paniek en filosofische vragen had gesteld over de aard van het bewijs dat nodig zou zijn om zijn vlucht naar zijn onderduikplek hier te rechtvaardigen. Hier was zijn bewijs! Voor zover hij wist, wisten maar drie mannen zeker wat er met Leonardo gebeurd was en een van hen was nu dood, omgekomen door een bom in zijn auto, twee dagen na de ontdekking van het lijk.

Daarmee waren alleen hij en Alberto nog over. Hij was niet genegen om contact te zoeken met Alberto – feitelijk verdacht hij hem er half en half van dat hij achter de reeks zwijgende, impliciet dreigende ansichtkaarten zat die elk jaar kwamen rond de datum van Leonardo's dood – maar nu had hij het gevoel dat hij geen keus had. Degene die Nestore had vermoord, zou zijn naam als de volgende op zijn lijst hebben staan. Dit was geen verstoppertje spelen, maar een spel op leven en dood. Hij kon zich hier in de cascina niet eeuwig verscholen houden, maar hij wilde ook niet in voortdurende doodsangst in Milaan leven, of emigreren en een miserabel leven leiden in een of ander vreemd land, waar ze hem vroeg of laat misschien toch zouden weten te vinden.

Kort gezegd restte hem geen andere mogelijkheid dan om een beslissing te forceren, en Alberto was de enige tot wie hij zich kon wenden. Het zou natuurlijk voorzichtig moeten worden voorbereid, waarbij hij niets mocht verraden over zijn huidige verblijfplaats en zeker niet over zijn angsten. Hij zou overtuigd en zelfverzekerd moeten klinken, zelfs een beetje gevaarlijk. Hij zou zijn zeer begrijpelijke bezorgdheid na het horen van het nieuws over Nestores dood schetsen, nadrukkelijk duidelijk maken dat het geheim van operatie Medusa voor altijd sacrosanct zou blijven, en naar verdere details vragen over wie Soldani had vermoord en wat er ondernomen werd om de daders voor het gerecht te krijgen en de twee overgebleven leden van de Verona-cel te beschermen.

Hij zou zijn mobiele nummer erbij schrijven, met een datum en tijd waarop Alberto moest bellen, wat hem een week de tijd gaf om een afdoende en bevredigend antwoord te formuleren. De brief zou gepost worden in een van de grotere steden in de streek, die hij makkelijk per trein kon bereiken vanaf het onbemande station waar hij was aangekomen, Crema misschien. Op de dag dat Alberto zou bellen, zou hij heen en weer reizen in de andere richting, naar Mantua, en het telefoontje in de trein beantwoorden. Ze zouden nooit kunnen achterhalen waar hij zich bevond en hij zou op z'n minst weten hoe hij ervoor stond. Eén van de dingen die hij in zijn legertijd had geleerd, was dat denkbeeldige angsten hem weliswaar konden uitputten en verlammen, maar dat hij bij reëel aanwezig gevaar rustig en beheerst bleef. Het was tijd om de vijand het hoofd te bieden, wie dat dan ook mocht zijn, om die te dwingen naar voren te komen en zich bekend te maken. Hoe het ook mocht aflopen, het kon niet erger zijn dan te leven in een toestand van voortdurende onzekerheid en sluimerende doodsangst.

VII

Meteen toen Zen de bar binnenging vlak bij de Via Nazionale, de brede geplaveide strook tussen de Viminale- en Quirinale-heuvel, voelde hij zich een indringer. Het politieke centrum van het land mocht zich dan wel lager op de heuvel bevinden, bij het Palazzo de Montecitorio en het Palazzo Madama in het *centro storico*, maar dit was de plek waar de mensen bijeenkwamen die belast waren met het vuile werk van het volvoeren van de beslissingen die door de Kamer van Afgevaardigden en de Senaat werden genomen. Evenals zijn tegenhanger in de zakenwereld, die ook sterk vertegenwoordigd was, was deze gemeenschap strikt hiërarchisch, en de daaruit voortvloeiende verschillen reikten veel verder dan de werkplek. Het was net zo ondenkbaar dat je het café of restaurant van je superieur zou bezoeken als dat je op zijn kamer zou gaan zitten. Dat zou ongepast zijn, en gênant voor alle betrokkenen.

Zen kon niet vaststellen wat de precieze status was van de bezoekers van deze gelegenheid, die discreet verscholen lag in een zijstraat bij het operagebouw, maar het was beslist een slag boven de zijne; eerder het hogere kader dan het middenkader. De vrouw die op de verhoging van de caissière troonde, keek alsof ze al tientallen jaren was opgejaagd door de meeste mannen in het café voordat ze met vervroegd pensioen was gegaan in haar huidige functie. Terwijl hij voor zijn koffie betaalde, schoof Zen zijn legitimatiebewijs van het ministerie op de balie tussen hen. De vrouw keek ernaar en naar hem, tastte daarna in een ruimte onder haar die onzichtbaar was voor het gewone publiek en overhandigde hem een onbeschreven witte envelop.

Zonder een bedankje of een glimlach aan haar te besteden liep Zen naar de bar, waar hij ondanks de fooi die hij met zijn bonnetje had neergelegd, moest wachten totdat verschillende andere mannen die na hem waren binnengekomen en niet de moeite hadden genomen om de caissière vooraf te betalen, met gepaste ceremonie en aandacht werden bediend. Dit was een club waar je je niet kon inkopen. Je moest erbij horen.

De koffie was, toen die eindelijk arriveerde, een van de beste die Zen ooit had gedronken in Rome, waar de kwaliteit notoir variabel was. Hij ging met zijn rug naar de bar zitten, met smaak genietend van de fluweelzachte essence, en scheurde de envelop open. Er zat een velletje papier in met daarop de handgeschreven boodschap: 'Tuinen van de Villa Aldobrandini, 15.00. Dit onmiddellijk vernietigen.' Zen verscheurde het briefje en verdeelde de snippers over twee van de metalen tonnen die dienden als asbakken en afvalbakken, maar toen hij naar buiten ging de koude straat op, deed hij dat met bezwaard gemoed. Er waren boodschappen die zelf weer een boodschap bevatten en in dit geval klonk het nieuws niet goed.

De zon was doorgebroken toen hij bij de hangende tuinen van de Villa Aldobrandini aan de voet van de Via Nazionale was aangekomen, en het licht, dat in deze tijd van het jaar laag aan de hemel hing, was verblindend. Hij beklom de marmeren treden langs het blootgelegde metselwerk van een bouwwerk uit het Romeinse keizerrijk dat, ontdaan van zijn marmeren buitenlaag, veel leek op de resten van een fabriek uit het einde van de negentiende eeuw.

De tuinen zelf, zo'n tien meter boven het straatniveau, bestonden uit een doolhof van grindpaden die zich kronkelden tussen eilanden van gazons, omzoomd door stenen randen, en doorspekt met onthoofde antieke standbeelden en de kale stammen van oude hazelaars, cipressen, palmen en pijnbomen. Er was voldoende groenblijvende vegetatie om voor een groene achtergrond te zorgen, maar over het algemeen waren de bomen verstikkend ver uitgegroeid voor de omgeving en een groot deel van het struikgewas maakte een vale, kwijnende indruk.

Behalve door het gewone contingent aan slapeloosheid lijdende klaplopers en verwilderde katten, werden de tuinen bevolkt door enkele lokale inwoners die hun hond uitlieten, en een openlucht-dameskapsalon. Hier en daar tussen de bomen hadden zo'n tien dames van middelbare leeftijd die precies wisten hoeveel ze waard waren, tot op de laatste lira, op plastic klapstoelen plaatsgenomen om zich voor een redelijke prijs redelijk toonbaar te laten maken door veel jongere vrouwen die alles wat ze voor hun werk nodig hadden in dozen en tassen hadden meegenomen. Geen vergunning, geen huur of tarieven die moesten worden betaald; dienstverlening zonder fratsen voor een prijs zonder fratsen.

Hoewel de tuinen zelf vrij klein waren, leken ze door hun complexe ontwerp bedrieglijk groot, en het duurde geruime tijd voordat Zen de gestalte van zijn superieur ontwaarde, die bij de muur aan de andere kant stond en het uitzicht bewonderde over de Piazza Venezia en de Capitonile naar de Gianicolo en de reeks heuvels op de noordoever van de Tiber. Brugnoli zag er veel kleiner uit dan Zen zich hem herinnerde van hun enige voorgaande ontmoeting. Hij had een marineblauwe kasjmieren jas aan, die hij los droeg over een pak dat met diverse, nauwelijks waarneembare kenmerken van de snit en stof wist te suggereren dat het niet zomaar een kledingstuk was, maar een ironisch commentaar op zulke kledingstukken, maar dit was zo vakkundig en duur uitgevoerd dat de meeste mensen het verschil niet zouden zien, en al helemaal niet dat de grap – waarvan de clou natuurlijk de prijs was – ten koste van hen ging. Kort en goed: dit was geen zakenkostuum, maar een 'zakenkostuum'.

'Leuk om je te zien,' riep Brugnoli uit terwijl ze elkaar een hand gaven. 'Ik ben blij dat je kon komen.'

Zoals hij het zei, klonk het alsof Zen hem door te komen opdagen een persoonlijke dienst had bewezen. Niet goed wetend hoe hij op deze ongewone frasen moest reageren, koos Zen ervoor om te zwijgen.

'Hoe staan de zaken?' vervolgde Brugnoli, terwijl hij zijn medewerker een zijpad in leidde, weg van de dichtstbijzijnde coiffeuse en haar cliënte. 'Ik hoop dat je nieuwe functie je bevalt?'

'Prima, dank u.'

'En je privéleven? Ik hoorde dat je naar Lucca bent verhuisd.'

'Ja.'

'Alleraardigst plaatsje. Ik zou er niet kunnen wonen. Te rustig. Maar jou bevalt het er wel?'

'Zeker.'

'Mooi, mooi.'

Hij zweeg even, keek om zich heen en knoopte daarna zijn jas dicht. Ze liepen nu in de schaduw van de grote bomen.

'Ik begreep dat je die zaak hebt onderzocht met dat lijk dat ze in die militaire tunnel hebben gevonden.'

Zen knikte.

'Met welk resultaat?'

'Nou, ik heb de plek waar hij is ontdekt bekeken met een van de Oostenrijkse speleologen die het lijk hebben ontdekt, en heb daarna een kort gesprek gehad met een jonge dokter in het ziekenhuis in Bolzano die de sectie had bijgewoond.'

'En de carabinieri? Het is tenslotte hun zaak.'

'Ik heb ene kolonel Miccoli telefonisch gesproken en hij zei dat hij bereid was me te ontmoeten. Maar toen ik naar het hoofdbureau van de carabinieri in Bolzano ging, werd mij gezegd dat hij niet aanwezig was.'

'En zijn collega's? Waren die behulpzaam?'

Zen aarzelde.

'Ze waren correct,' zei hij ten slotte.

'Maar niet hartelijk?'

'Niet bepaald.'

'Niet erg toeschietelijk.'

'Nee.'

'Nee,' herhaalde Brugnoli. 'Nee, dat dacht ik al.'

Ze liepen een tijdje zwijgend voort.

'We zitten met een probleempje, zie je,' zei Brugnoli ten slotte, terwijl hij stilhield om de bast van een gigantische palmboom te bestuderen.

'Een probleempje?'

'Met onze vrienden bij de parallelle dienst. Ze hebben eigenlijk de deur in ons gezicht dichtgeslagen, om eerlijk te zijn. Geen mooie woorden, geen fraai klinkende uitvluchten. Gewoon: donder op. En dat op een heel hoog niveau. Heel erg hoog.'

Ze gingen uit elkaar om een jonge moeder te passeren die een onhandelbaar kind in een wandelwagentje probeerde te kalmeren. Dat kind zou moeten lopen, dacht Zen. Deze tuinen moeten voor hem zoiets zijn als de regenwouden van Brazilië. Hij wil ontdekken en overwinnen, de inheemse stammen bedwingen en de verloren gegane schat van El Dorado ontdekken. Maar zijn moeder is bang dat hij over de balustrade valt en zijn hersenen verbrijzeld worden op het voetpad hieronder. We vertrouwen onze kinderen niet meer en vragen ons dan af waarom ze tot onbetrouwbare mensen opgroeien.

'Hebben ze een reden gegeven?' vroeg hij toen ze buiten gehoorsafstand waren.

'O ja. Ze waren niet beleefd en zeker niet hartelijk, maar om je eigen rake woorden te gebruiken: ze waren correct. Ze noemden een reden. Ze maakten ons ook in niet mis te verstane bewoordingen duidelijk om deze reden niet openbaar te maken aan iemand beneden ministersniveau. Niettemin ga ik het je nu toch vertellen.'

'Wacht eens,' onderbrak Zen hem. 'Ik weet niet of het wel juist is dat u mij in vertrouwen neemt. Ik bedoel...'

Brugnoli lachte en liep weer verder, waarbij hij hen wegleidde van een oudere man die een hond uitliet en een alcoholist die uitgeteld in de bosjes lag.

'Wat je bedoelt is dat je mijn confidenties niet wilt aanhoren, dottore. Begrijpelijk, maar ik ben bang dat je geen keus hebt. Ik zal je alleen de hoofdzaken vertellen. Dat is trouwens zo'n beetje alles wat ze ons verteld hebben. Kort gezegd, ze zeggen dat het lijk dat gevonden was, van een militair was die bij een legeroefening per abuis is gedood.'

Brugnoli zweeg even, maar Zen zei niets.

'De reden voor geheimhouding, volgens *La Difesa*, is dat het slachtoffer lid was van een speciale elite-eenheid waarvoor binnen het leger op vrijwillige basis gerekruteerd werd en die was gemodelleerd naar de Britse SAS en de Amerikaanse Delta Force. Het bestaan ervan wordt officieel ontkend en er wordt nooit iets verteld over de leden van de eenheid, de training of de operaties. En al helemaal niet over eventuele sterfgevallen. De naaste familie wordt natuurlijk ingelicht, maar zelfs zij krijgen niet altijd de waarheid te horen over wat er is gebeurd.'

Zens mobiele telefoon begon te piepen. Hij keek naar het nummer van de beller, schakelde het toestel toen uit en verontschuldigde zich tegenover zijn superieur.

'Hoe dan ook,' vervolgde Brugnoli, 'onze bronnen – en ik benadruk dat zij zich op het allerhoogste niveau bevinden – zeggen dat de tunnel uit de Eerste Wereldoorlog waar het lijk is gevonden regelmatig als trainingslokatie voor die eenheid wordt gebruikt. Traditie, esprit de corps, onze helden uit het verleden en dat soort dingen. Verder zeggen ze dat een ongelukkige samenloop van omstandigheden de dood van de jonge man heeft veroorzaakt. Het spreekt voor zich dat ze niet willen dat er iets hiervan in de openbaarheid komt, en daarom hebben ze de nodige stappen ondernomen om ervoor te zorgen dat de kwestie geheim blijft.'

'Mijn informant bij het ziekenhuis in Bolzano zei me dat de carabinieri vorige week met veel manschappen het ziekenhuis zijn binnengevallen en het lijk en alle persoonlijke eigendommen hebben meegenomen, inclusief de foto's en bandopnamen van de voorlopige sectie.'

Brugnoli bleef staan bij de rand van de tuinen en staarde omhoog naar een enorm bureaucratisch palazzo dat strikt was gebouwd volgens Mussolini's voorgeschreven architecturale technieken, waarbij het gebruik van geïmporteerd staal werd vermeden. Vanuit een raam op de tweede verdieping keek een man naar hen, of misschien bewonderde hij gewoon het uitzicht op de tuinen in de late najaarszon.

'En volgens mijn bron droeg het slachtoffer burgerkleren waaruit alle merkjes waren verwijderd,' merkte Zen op.

Brugnoli snoof sardonisch.

'Bij Defensie zullen ze zeggen dat dat volkomen normaal was. Die mannen behoorden tot een eenheid die was getraind om undercover of achter de vijandelijke linies te werken. Zij dragen geen traditionele uniformen.'

'Ook geen schoenen?'

'Schoenen?'

'Het lijk was op blote voeten.'

Brugnoli dacht hier even over na en haalde toen laatdunkend zijn schouders op.

'Ze zullen zeggen dat hij legerlaarzen droeg die moesten worden verwijderd om identificatie te voorkomen. Ze hebben overal een antwoord op, Zen.'

Hij draaide zich om en slenterde een van de zijpaden in.

'Wanneer heeft dit zogenaamde incident plaatsgevonden?' vroeg Zen.

'Ze weigerden om daarover specifiek te zijn. "Om redenen van operationele veiligheid."'

Zen bleef staan en ging zenuwachtig in de weer met het aansteken van zijn sigaret om zijn toenemende gevoel van paniek te verbergen. Brugnoli leidde hem zowel letterlijk als figuurlijk om de tuin, naar wat in potentie heel gevaarlijk terrein was.

'Je vraagt je waarschijnlijk af waarom ze het lijk ter plaatse hebben laten liggen,' vervolgde zijn superieur. 'Welnu, ze beweren dat het dodelijke incident te maken had met een test met een of ander zenuwgas, van dat spul dat ze bij chemische oorlogsvoering gebruiken. Omdat ze niet zeker konden zijn van het mogelijke risico dat ermee gemoeid was, besloten ze de lokatie te verzegelen door een lading tot ontploffing te brengen om de tunnel te blokkeren. De familie werd verteld dat hun zoon was omgekomen bij een tragisch ongeval waarbij hij zo ernstig verminkt was dat het nodig was om een begrafenis met gesloten kist te houden om onnodig leed bij de rouwenden te voorkomen.'

'Maar de tunnel was niet geblokkeerd. Het lijk werd ontdekt door die Oostenrijkse jongens en daarna naar buiten gebracht door de carabinieri. Ik ben er zelf doorheen gekropen.'

'Ze lieten doorschemeren dat er sinds het gebeurde een of andere verschuiving moet hebben plaatsgevonden.'

'Dat is onmogelijk. De rotsen in die bergen zijn net ijzer.'

Brugnoli keek Zen met een effen blik aan.

'Je denkt toch zeker niet dat we hier ook maar iets van geloven, hoop ik?'

'Wat doet het ertoe of we het geloven of niet?' vroeg Zen met nadruk. 'We kunnen het niet weerleggen, omdat ze ons niets hebben gegeven om te weerleggen. De identiteit van het slachtoffer wordt verzwegen, net als de datum en de aard van het vermeende incident, de toegang tot ooggetuigen en fysieke bewijsstukken, en ook alle bevindingen van het sectieonderzoek. Feitelijk hadden ze net zo goed kunnen zeggen dat de zaak in de doofpot moest omdat het slachtoffer een buitenaards wezen was dat de aarde had aangevallen en dat het publiek in paniek zou raken als dat bekend zou worden. En als dit alles aan ons wordt doorgegeven "vanaf het allerhoogste niveau", dan kan er alleen op dat niveau vooruitgang worden geboekt. Ik zie daarom niet in welke effectieve stappen ik, zoals mij wordt opgedragen, in deze zaak kan ondernemen.'

Deze laatste zin werd uitgesproken op de koudste en meest bureaucratische toon waartoe Zen in staat was, en het had effect. Brugnoli pakte hem met een bezwerende lach bij de arm en leidde hem naar de enige in- en uitgang van de hoog boven de straat gelegen tuinen.

'*Caro dottore!* Er is geen sprake van dat jou iets wordt opgedragen. Dit zijn de oude tijden niet meer! Denk aan mijn motto: "Persoonlijke keuze, persoonlijke bevoegdheid, persoonlijke verantwoordelijkheid." Als je niet volledig achter een handelwijze staat, zul je niet goed kunnen presteren en niet de gewenste resultaten bereiken.'

'En wat zijn precies de gewenste resultaten?'

Brugnoli maakte een weids gebaar.

'Je hebt er terecht bezwaar tegen gemaakt dat je onnodig belast bent met confidenties, dus ik zal niet in details treden of bepaalde namen noemen, maar feit is dat in de huidige politieke situatie, nu er veel geruchten de ronde doen dat er wijzigingen in het kabinet op stapel staan, er een duidelijke spanning bestaat tussen bepaalde hoge functionarissen bij het ministerie van Defensie en die bij ons team. Potentieel staat er heel veel op het spel, geloof me maar.'

Beide mannen bleven stokstijf staan toen er plotseling een woest uitziende figuur uit de struiken rechts van hen opdook en om geld vroeg. Een van zijn armen was bij de elleboog geamputeerd en zijn huid had dezelfde kleur als de boomstammen overal om hen heen. Hij droeg alleen een korte broek en een onderhemd en praatte onophoudelijk en onverstaanbaar in een reeks luide, stotende zinnen.

Brugnoli negeerde de bedelaar en liep door. Zen groef in zijn zak en liet een paar muntjes in 's mans overgebleven hand vallen.

'Dat moet je niet doen,' merkte Brugnoli op toen Zen hem weer had ingehaald. 'Het moedigt ze alleen maar aan.'

'Het is mijn verzekeringspolis.'

'Wat bedoel je daar nou mee?'

Maar Zen verkoos geen antwoord te geven op deze vraag.

'Wat heeft de huidige politieke situatie te maken met deze specifieke zaak?' vroeg hij in plaats daarvan.

Brugnoli zuchtte diep.

'Dottore, je moet ongetwijfeld zaken hebben meegemaakt waarbij je niet meteen je primaire doel kon verwezenlijken, bij gebrek aan bewijzen of bereidwillige getuigen of wat dan ook, maar je vooruitgang kon boeken door een secundair doel na te streven waarbij die omstandigheden zich niet voordeden en dat je als middel kon gebruiken om alsnog vat te krijgen op het probleem. Nou, dat is hierbij ook het geval. Het zou averechts werken en bovendien waarschijnlijk ook zinloos zijn als we La Difesa in deze zaak openlijk zouden aanvallen, wat hoe dan ook ondergeschikt is aan onze werkelijke belangen. Maar aangenomen dat ze inderdaad liegen dat ze zwart zien, dan zou een bekwaam agent als jij misschien wel in staat zijn om potentieel interessant materiaal boven water te krijgen dat ons het voordeel zou kunnen verschaffen dat we nodig hebben om de grotere problemen in kwestie aan te pakken.'

Zen knikte langzaam, alsof al die lange woorden en abstracte concepten hem in de war hadden gebracht. In werkelijkheid was hij de respectievelijke risico's aan het afwegen die verbonden waren met het aannemen of weigeren van Brugnoli's voorstel.

'Dus wat u wilt...' begon hij moeizaam.

'Wat ik wil is een gigantisch schandaal dat dagen, zo niet weken voorpaginanieuws is, en liever nog het hoofd van een vooraanstaand iemand op een schaal, en het mooiste zou een bekentenis zijn die iedereen bij Defensie medeschuldig verklaart, van de *onorevole* zelf tot aan de schoonmaakploeg. Maar ik ben eigenlijk met alles tevreden – gewoon wat zand in de machinerie en de hele boel in de war sturen.'

Zen zei een hele tijd niets.

'Die Oostenrijkse speleoloog heeft me een paar digitale foto's gegeven die zijn vriend van het lijk had gemaakt,' zei hij ten slotte. 'Ze zijn niet erg duidelijk, maar hij zei dat het misschien mogelijk was om iets te doen wat "enhancen" heet.'

Brugnoli knikte heftig. 'Geen probleem! Een van mijn eerste initiatieven was het moderniseren van dat soort apparatuur en voorzieningen. Ga maar naar de technische dienst op de eerste...'

Hij brak zijn zin af.

'Wat is er op die foto's te zien?'

'Zoals ik al zei: de afdrukken zijn niet erg duidelijk, maar mogelijk is er een of ander merkteken op zijn rechterarm te zien, misschien een tatoeage. Het zou ons kunnen helpen bij het identificeren van het slachtoffer.'

Brugnoli tuitte zijn lippen scherpzinnig.

'Dan kun je het beter ergens privé laten doen.'

'Vertrouw je onze eigen technici niet?'

'Ik vertrouw erop dat ze goed werk doen. Ik vertrouw er niet op dat ze geen kopieën ergens op een computer achterlaten waar de oppositie die zou kunnen vinden. En als het ook maar iets voor ons betekent, dan zal het voor hen veel meer betekenen.'

Het duurde even voordat Zen begreep wat dit inhield.

'Heeft het ministerie van Defensie een spion bij de Viminale?'vroeg hij.

'Het zou me verbazen als het niet zo was. Bijna zeker meer dan één, in feite. Om nog maar te zwijgen van de geheime dienst. Ontevreden agenten die vinden dat ze ten onrechte zijn gepasseerd voor promotie, opportunisten die nog een jaar of twee te gaan hebben tot hun pensioen en hun zakken willen vullen nu het nog kan – dat soort dingen. Vandaar de welbewust indirecte manier waarop ik deze ontmoeting heb georganiseerd. Je bent al bekend bij de carabinieri in Bolzano en ze zullen je bezoek daar ongetwijfeld hebben gerapporteerd aan hun superieuren bij Defensie. Als ik je gewoon had gevraagd om vanochtend naar mijn kantoor te komen, dan zou dat feit misschien zijn gerapporteerd en zou de logische conclusie zijn getrokken.'

'Misschien moet u dan iemand anders gebruiken,' stelde Zen snel voor. 'Iemand die nog niet besmet is door eerdere bemoeienissen met de zaak.'

Op Brugnoli's gezicht was te lezen dat hij zich niet had laten misleiden door zijn poging om onder de opdracht uit te komen.

'Nee, nee! Jij bent de man voor deze opdracht, Zen. Gezien het feit dat je al begonnen bent met je onderzoek, is het toch niet meer dan natuurlijk dat jij ermee doorgaat. Wat koste wat kost geheim moet blijven is elk verband tussen jouw niveau en het mijne. Als één agent hardnekkig doorzoekt naar verdere bewijzen in deze zaak, is dat niet zo'n probleem. Maar als onze vijanden beginnen te vermoeden waar we echt mee bezig zijn, zullen ze onmiddellijk stappen ondernemen om de dreiging te neutraliseren.'

En mogelijk de 'ene agent' in kwestie, dacht Zen.

'De procedure die we afspreken is dat je alleen aan mij rapport uitbrengt, en persoonlijk,' vervolgde Brugnoli. 'Niet telefonisch, via een vaste lijn of mobiel, niet per e-mail, fax, brief, ansichtkaart, postduif of welke andere vorm van openlijke communicatie ook, behalve natuurlijk als ik het contact tot stand breng. Onze *modus operandi* moet alle betrokkenen de mogelijkheid bieden om alles te ontkennen zolang de operatie loopt. Als je contact met me moet opnemen, schrijf dan een niet-ondertekend briefje waarin je een tijd en plaats noemt, stop dat in een envelop zonder opschrift en laat het achter bij de caissière in de bar waar je vandaag bent geweest.'

Zen knikte verbaasd.

'Is ze zo betrouwbaar?' vroeg hij.

Brugnoli nam rijkelijk de tijd voordat hij antwoord gaf.

'Ze is mijn maîtresse geweest,' zei hij zelfgenoegzaam.

Hij keek gedecideerd op zijn horloge, als om zijn indiscretie te verbergen.

'Maar goed, ik moet gaan. Blijf hier nog minstens tien minuten nadat ik ben vertrokken. Ik weet bijna zeker dat niemand ons tot nog toe heeft geobserveerd, maar je kunt niet voorzichtig genoeg zijn.'

'O, nog één ding...'

Zen zocht in zijn jaszak naar zijn notitieboekje en een pen.

'Toen ik in Bolzano was, kwam ik een agent tegen, een zekere Bruno Nanni.'

Hij schreef de naam op, scheurde het blaadje eruit en gaf het aan Brugnoli.

'Hij dient zijn tropenjaren daar uit en het schijnt hem bijzonder hard te zijn gevallen. In wezen is hij een uitstekende jonge agent, heel bereidwillig en bekwaam, maar hij voelt zich volkomen misplaatst in de Alto Adige en, ik moet zeggen: hij heeft de neiging om af en toe over de schreef te gaan, wat naar mijn mening een negatieve invloed kan hebben op de reputatie van het korps in dat gevoelige gebied. Ik val iemand als u niet graag lastig met een triviale kwestie van deze aard, maar ik vroeg me af of...'

'Waar wil hij naar toe?' vroeg Brugnoli.

'Bologna.'

De andere man knikte.

'Ik stuur vanmiddag nog een memo naar PZ.'

'Ik denk dat dat het beste zou zijn.'

Tot verrassing van Zen liep Brugnoli op hem af en trok aan de mouw van zijn jas.

'Hé, dottore!' zei hij met een klein lachje. Je moet al de veronderstelde veranderingen hier niet te letterlijk nemen. Ja, veel dingen zijn veranderd, maar de belangrijke dingen blijven hetzelfde. Dat geldt voor jouw relatie met mij en de mensen over wie ik het eerder had. Als jij voor ons zorgt, dan zorgen wij voor jou. Begrijp je waar ik het over heb?'

Zen knikte een paar keer snel achter elkaar.

'Ja,' zei hij. 'Ja, ik begrijp het volkomen.'

VIII

Tijdens de quarantaineperiode die Brugnoli hem had opgelegd, belde Zen met degene wiens nummer eerder op het schermpje van zijn mobiele telefoon was verschenen, verontschuldigde zich voor het feit dat hij het telefoontje op dat moment niet had kunnen aannemen – 'Ik was in een bespreking' – en maakte een afspraak. Daarna begaf hij zich naar een goedkope, vrolijke bar op de Via Nazionale waar hij zonder speciale reden een glas spumante bestelde en een reeks lange, intelligente, uiterst analytische artikelen in *La Gazzetta dello Sport* las over de brandende kwestie van dat moment, namelijk of de coach van het nationale voetbalelftal moest worden vervangen na de recente reeks ontluisterende resultaten tegen tegenstanders uit landen die in een aantal gevallen tien jaar geleden nog niet eens hadden bestaan, en zo ja, door wie dan.

Om precies één uur stond hij op het trottoir van de steile straat iets lager op de heuvel, tegenover het Palazzo Colonna. Hij moest zo'n twintig minuten wachten voordat er een auto bij de stoeprand stopte. Het was een donkerblauwe Fiat *macchina di rappresentanza* van het type dat je met hoge overheidsambtenaren associeerde. De chauffeur stapte uit en opende het achterportier om Zen te laten instappen. Het was een jonge man, klein en donker, zelfs voor iemand uit het zuiden, met gitzwarte ogen en gitzwart haar en gekleed in een aftands kostuum dat iets te krap was voor zijn lijvige gestalte, een wit overhemd en blauwe das en een detonerende pet met klep. Hij zag eruit als een parttime assistent van een goedkope provinciale begrafenisondernemer.

Gilberto begroette Zen met een doelbewust nonchalant knikje en na een onverstaanbare mededeling tegen de chauffeur sloot hij de glazen afscheiding met het voorste compartiment.

'Wat was dat?' vroeg Zen terwijl de Fiat gierend wegreed.

'Ik gaf Ahmed een paar instructies.'

Zen dacht hier even over na en besloot toen het te negeren.

'Leuk dat je tijd had om te lunchen,' zei hij opgewekt. 'Waar gaan we naar toe?'

Gilberto drukte op een knop op het bedieningspaneel op de armleuning in het midden. Er volgende een machinaal gezoem terwijl ondoorzichtige schermen neerdaalden over alle ramen en de glazen afscheiding, waardoor ze totaal van de buitenwereld afgeschermd werden.

'Wat zullen we nou krijgen?' riep Zen uit.

Gilberto lachte en drukte op een andere knop om het afgesloten interieur te verlichten.

'Ik hoop dat je het niet erg vindt, Aurelio, maar het antwoord op je vraag over de lunch is eigenlijk een geheimpje. Je zult het wel begrijpen zodra we er zijn.'

'Hoe ben je aan dit bakbeest gekomen? Ik dacht dat die alleen voor de grote jongens waren.'

'Wat ben ik dan, een stuk stront?'

'Nee, maar je zat er wel tot je nek in, voor zover ik weet.'

'Dat was voor de revolutie. Je houdt de laatste ontwikkelingen niet erg bij, hè Aurelio? Voor jullie staatsambtenaren is dat natuurlijk ook niet zo nodig. Maar daar zijn ook een aantal dingen veranderd, zoals deze auto's. Uiteraard wilde *il Cavaliere* niet dat zijn mensen rondreden in auto's die waren vervaardigd door *l'Avvocato*.'

Zens flauwe glimlachje was een reactie op de legendarische animositeit tussen de minister-president en Giovanni Agnelli, de oprichter van Fiat.

'Bovendien was er die hele kwestie van imago,' vervolgde Nieddu enthousiast. 'Een van de vele aspecten van Berlusconi's genialiteit is dat hij de eerste politicus sinds Mussolini is die het vitale belang van presentatie heeft ingezien. Daarom wist hij zijn opponenten de laatste keer zo overtuigend te verslaan. Al die linkse jongens zaten met elkaar te praten over de echte thema's, wezenlijke en politieke kwesties, en dan kregen ze natuurlijk onenigheid en vielen ze uiteen in facties en beledigden ze elkaar en verkondigden dat je vooral niet moest stemmen op de ideologische ketters die niet hadden begrepen welke weg op dit historisch belangrijke moment moest worden ingeslagen – enzovoort, enzovoort. En ondertussen zat Silvio daar alleen maar en lachte je toe op posters, in tijdschriften en tv-programma's, met de uitstraling van de gezaghebbende man die hij is, en maakte hij nooit de fout om concrete voorstellen of programma's te noemen. "Vertrouw me," was de boodschap. En dat deden de kiezers. Hij heeft de verkiezingen niet gewonnen; zijn opponenten hebben verloren.'

'Met wat hulp van de pers en televisie, die hij voor het grootste deel in handen heeft.'

'Dat gold ook voor de christen-democraten, de socialisten en communisten vroeger. Daar gaat het niet echt om. De mensen zijn het zat, Aurelio! Daar komt het op neer. Neem nou deze auto's. Ze zijn net als die ZIP-limousines waar het politbureau vroeger in rondreed. De gewone mensen associëren die met het vorige regime, met coteriëen, kuiperijen, corruptie en de eindeloze misteri d'Italia. Heeft Andreotti Mino Pecorelli en Della Chiesa laten vermoorden? Wat is er nou echt gebeurd met La Malfa? Wie heeft de bom geplaatst op de Piazza Fontana? Hoe en waarom is Roberto Calvi gestorven? De waarheid is dat niemand zich nog voor dat soort zaken interesseert. Berlusconi weet dat, dus dumpt hij dat hele wagenpark, waardoor ondergetekende deze chique kar met weinig kilometers op de teller voor een zacht prijsje op de kop kan tikken. Niet alleen dat, maar omdat de associatie met onbetwiste macht en prestige op onderbewust niveau nog steeds aanwezig is, kan Ahmed zich nog steeds te buiten gaan aan zijn kenmerkende rijstijl, die hij trouwens heeft ontwikkeld achter het stuur van een jeep in het Taurus-gebergte. Hij heeft daarom een natuurlijke neiging om de aanwezigheid van ander verkeer te negeren, tenzij dat zwaarbewapend en gepantserd is.'

Zen gaf geen antwoord. In feite had hij weinig aandacht gehad voor Gilberto's tirade, maar meer voor de geluiden en het gevoel van de voortgang van de auto langs bochten, pleinen en kruisingen, over kinderhoofdjes, klinker- en asfaltwegen waarin tramrails waren aangelegd.

'Ik wist niet dat er goede restaurants waren in Prenestino,' merkte hij ten slotte op.

Gilberto lachte inschikkelijk.

'Heel goed, Aurelio! Ik had beter moeten weten, jij laat je niet voor de gek houden. Maar eigenlijk gaan we nog wat verder dan Prenestino. Het is ook niet echt een restaurant, maar meer de personeelskantine. Maar je krijgt er goed te eten en de prijs is beslist niet verkeerd. Maar goed, genoeg hierover. Wat wil je dit keer van me?'

'Niets. Dat zei ik al.'

'En mijn moeder vertelde me dat *la befana* met kerst geen cadeaus zou brengen als ik niet braaf was. Ik geloofde haar ook niet. Kom op, Aurelio. Ik stoor me er helemaal niet aan, maar laten we het gewoon afhandelen, dan kunnen we allebei rustig van onze lunch genieten.'

Zen gaf zijn vriend een tikje op zijn dij.

'Gilberto, ik zweer bij alles wat heilig is dat ik toen ik je vanochtend vanuit de trein belde, alleen maar met je wilde lunchen en met je bijpraten over hoe het gaat. Maar het geval wil dat er nadien iets gebeurd is waarmee je me zou kunnen helpen. Het gaat om een paar digitale foto's die ik wil laten enhancen. Nou ja, één foto in elk geval. Ik heb een gecomprimeerd bestand op diskette bij me. Je moet het natuurlijk eerst nog wel unzippen.'

Hij leunde achterover, behoorlijk tevreden met zichzelf over zijn beheersing van het jargon. Gilberto besteedde er evenwel geen enkele aandacht aan.

'Natuurlijk,' zei hij terwijl hij een kastje openmaakte dat onzichtbaar ingebouwd was in het notenhouten instrumentenpaneel voor hen, en een flacon met een heldere vloeistof en twee kleine glazen pakte. Hij vulde de glazen op het plankje dat gevormd werd door de klep van het kastje en voegde toen mineraalwater uit een kleine plastic fles toe. De vloeistof in de glazen werd troebel wit. Gilberto overhandigde er een aan Zen.

'Salute!'

Zen rook aan het glas. De geur was overweldigend, maar het duurde even voor hij besefte wat het was. Zoethout was een van die lekkernijen uit zijn jeugd die hij was vergeten.

'Bevalt het?'

Gilberto had zijn glas leeggedronken en stak een sigaret op.

'Wat is het?' vroeg Zen, en hij nam een slokje.

'Al sla je me dood. Een soort arak, denk ik. Ze mogen natuurlijk helemaal niet drinken, maar...'

'Over wie heb je het?'

Nieddu keek hem aan met een plagerig glimlachje.

'Ik dacht dat jij een speurneus was, Aurelio. Ik heb je al drie aanwijzingen gegeven.'

Zen diepte zijn eigen sigaretten op.

'Ik ben politieonderzoeker, Gilberto,' zei hij op een afgemeten toon die hem meteen bespottelijk in de oren klonk.

'O, juist. En wat onderzoek je momenteel?'

De auto had de hoofdweg verlaten en slingerde heen en weer door een net van zijstraten, waarbij hij vaak vaart verminderde of scherp afremde.

'Je kunt niet van me verwachten dat ik je dat vertel. Zeker niet als je me niet eens zegt waar we naar toe gaan.'

'Daar zit wat in. Ik dacht alleen dat het misschien iets met Nestore te maken had, snap je.'

'Wie?'

'Nestore Soldani. Een vroegere zakenrelatie van me.'

'Nooit van gehoord.'

Gilberto keek hem aan met een blik waaruit ongeloof sprak.

'Volg jij het nieuws niet?' Het is al twee dagen het gesprek van de dag. Iemand heeft een kilo wapenexplosieven onder de bestuurdersstoel van zijn auto geplaatst.'

'Ik was weg. Aan het werk. Geen tijd gehad om tv te kijken.'

De auto sloeg links af een wegdek vol gaten op, draaide toen scherp naar rechts en kwam tot stilstand. De chauffeur sprong uit de auto en opende het portier aan Gilberto's kant. Toen rende hij naar de andere kant om Zen te assisteren, maar die had zichzelf er al uit geholpen. De auto stond geparkeerd op de binnenplaats van wat een fabriek leek die dateerde uit de *abusivo* bouwhausse van de jaren zestig of zeventig. Nieddu opende een roestige metalen deur in de muur en ging hem toen voor een gang door en over een trap van kale betonnen treden.

'Hierheen,' zei hij terwijl hij een deur aan de linkerkant opende.

Binnen bevond zich een krappe, bedompte en onaantrekkelijke kamer. Aan de ene kant stond een bureau dat bezaaid was met papieren en computerapparatuur, en aan de andere kant een lage tafel en twee stoelen. Een stug ogende oudere vrouw verscheen in een deuropening aan het uiteinde van de kamer en zei iets onverstaanbaars. Zonder naar haar te kijken antwoordde Nieddu op dezelfde manier.

'Wat voor taal is dat?' vroeg Zen.

'Koerdisch.'

'Spreek je Koerdisch?'

'Een paar zinnetjes. Meer is niet nodig. Geef dat bestand met de foto's eens.'

Zen overhandigde het hem. Nieddu schoof het in de computer en was een tijdje bezig met de muis en het toetsenbord.

'Okay, hier zijn ze,' zei hij. 'Welke foto wilde je enhancen?'

Zen bestudeerde de beelden op het scherm en wees toen. 'Die daar.'

De verzameling foto's verdween en maakte plaats voor een schermvullende weergave van de foto die hij had geselecteerd, waarop een bijna onherkenbaar gebroken lichaam te zien was.

'Hmm, heel erg dood,' was het commentaar van Nieddu.

'Een omgekomen klimmer,' verklaarde Zen.

'Ga nou niet liegen, Aurelio. Dat is voor ons allebei vervelend. Van welk deel wil je meer weten?'

'Hier, die markering op zijn arm.'

Gilberto bestudeerde het scherm enige tijd nauwkeuriger, stond toen op en keek Zen in de ogen.

'Je zei dat je die zaak niet onderzocht, Aurelio,' zei hij heel kalm.

'Waar heb je het over?'

'Ik heb het over Nestore Soldani! Je zegt dat je nooit van hem gehoord had en dan geef je me een schijfje met een schokkende opname van zijn lijk, in de hoop dat ik bezwijk, instort en alles vertel wat ik weet. In de krant stond dat er niets van zijn lichaam was teruggevonden, maar dat was natuurlijk ook weer een leugen. Nog steeds de keiharde *commissariato*-technieken van vroeger, hè Aurelio? Het hele land om je heen is veranderd, maar jij bent te druk bezig met je werk om op te letten wat er gebeurt, net als de tegenstanders van Berlusconi. Je hebt niets geleerd en bent niets vergeten.'

Zen pakte de arm van zijn vriend stevig vast.

'In godsnaam, Gilberto, rustig nou! Hoor eens, die vriend van je, die Nestore – wat is er met hem gebeurd?'

'Je weet wat er is gebeurd!'

'Ik zweer je dat ik het niet weet.'

'Iedereen in het land weet het! Hij is met auto en al opgeblazen bij de ingang van zijn villa in Campione.'

Zen liet Nieddu's arm los.

'Dan is er geen verband. Deze foto is van een lijk dat gevonden is in een afgelegen gebied in de bergen ten oosten van Bolzano. Geen villa's, geen auto's.'

Nieddu priemde naar het scherm.

'Hoe zit het dan met die tatoeage? Nestore had er precies zo een op zijn arm.'

Zen haalde zijn schouders op.

'Zoveel mannen hebben een tatoeage. Zelfs vrouwen tegenwoordig.'

'Het is dezelfde, zeg ik je!'

Ze werden onderbroken door de oudere vrouw die binnenzeilde met een groot dienblad dat ze op de lage tafel neerzette. Het was beladen met schalen met eten van een soort dat Zen volkomen onbekend was. Gilberto zei iets in de taal vol keelklanken die hij eerder had gebruikt. De vrouw boog voor beide mannen en vertrok, waarbij ze de deur achter zich sloot.

'Zweer je dat je hier niets vanaf weet?' vroeg Gilberto plechtig aan Zen.

'Op het graf van mijn moeder.'

Nieddu knikte korzelig.

'Goed dan, laten we eten.'

'Wat is dit allemaal?' vroeg Zen terwijl ze aan de lage tafel gingen zitten.

Nieddu pakte een fles witte wijn en mineraalwater uit een koelkastje in de hoek.

'De plaatselijke keuken,' zei Gilberto, wijzend. '*Kelemî, niskan, hevîr. U gost*, geloof ik. *Lortek, balcanres, ciz biz, gostê, ristî...* Dit weet ik niet zeker, maar het is heerlijk. De enige uitzondering is hun geliefde drank, een of ander brouwsel van verzuurde melk. Daar heb ik nooit aan kunnen wennen. Normaal heb ik maar één of twee van die gerechten, maar ik heb tegen Tavora gezegd dat er vandaag een gast komt, dus ze heeft een feestmaal bereid. In hun cultuur, waar hongersnood altijd een zeer reële dreiging is geweest, is het belangrijk dat er bij een heel speciale gelegenheid te veel eten op tafel wordt gezet. Maar maak je geen zorgen, eet gewoon wat je wilt. Alles wat we niet eten, wordt opgebruikt.'

Aanvankelijk aarzelend en toen met steeds meer smaak maakte Zen zijn keus uit de schalen met gegrild vlees, groenten, bulgur en op heel dun pizzadeeg lijkende sneden brood. Het was inderdaad allemaal verrukkelijk.

'Hoe ben je met die mensen in contact gekomen?' vroeg Zen.

'Nou, het zijn natuurlijk illegalen. Hun land, dat niet bestaat, is al sinds mensenheugenis een oorlogszone. Historisch gezien is de enige keus die de Koerden hebben gehad of ze willen worden onderdrukt en afgeslacht door de Iraniërs, de Irakezen of de Turken. Dus zijn er een heleboel die proberen weg te komen. Enkelen zoals zij hier lukt dat.'

'En wat heb jij ermee te maken?'

'Ik doe het uiteraard niet uit humanitaire overwegingen. Dat zouden ze trouwens niet accepteren. Het is een heel trots volk. Waar het feitelijk op neerkomt is dat onze wensen samenvielen. Deze mensen – ze behoren trouwens allemaal tot dezelfde familie – hadden eten, onderdak en bescherming tegen de autoriteiten nodig. Ik had loyale en betrouwbare arbeidskrachten nodig. Ik werd geïntroduceerd bij het hoofd van de clan via contacten in de stad in Puglia waar hun schip aankwam, en we sloten een overeenkomst. Ik heb me aan mijn deel van de overeenkomst gehouden en zij aan het hunne. En Rosa is uiteraard opgetogen. Als ik er zelfs maar over zou denken om een van de jongere vrouwen te versieren, zouden zij me eerder te grazen nemen dan Rosa. Bij deze mensen is het trouwen of de dood.'

'Hoeveel van hen zijn er bij je in dienst?'

'Dertig of veertig. Je raakt gauw de tel kwijt. Hoe dan ook, dat soort dingen laat ik over aan hun baas. Ze wonen en werken allemaal hier, spreken geen Italiaans en verlaten bijna nooit het terrein. Het is een beetje zoals een van die verlaten boerennederzettingen die je vanaf de snelweg ziet in de Po-vlakte...'

'Cascine.'

'Precies, ja. De huiseigenaar voorzag de deelpachters die voor hem werkten van eten en onderdak. Het was als een klein dorp. Welnu, dat doe ik hier ook.'

'Maar wat doen zij voor jou?'

'Ah ja, daar ga ik verder liever niet op in.'

'Dus het is illegaal.'

Gilberto keek beledigd.

'Nou, Aurelio! Moet je van die botte termen gebruiken? Je hebt geen enkel gevoel voor de nieuwe manier van denken. Het Italiaanse volk heeft een man tot zijn premier herkozen tegen wie een onderzoek loopt, naast negen andere aanklachten, wegens de betaling van een half miljoen dollar aan een rechter om die op zijn hand te krijgen bij een strijd om een overname. Eenmaal in functie was het eerste dat hij deed wetswijzigingen doordrukken waarmee hij voorkwam dat de zaak voor de rechter komt voordat de verjaringstermijn verstreken is, en nu probeert hij een nieuwe wet te laten aannemen die hem het recht geeft de rechter van zijn keuze aan te wijzen voordat de zaak voorkomt. En dan vraag je míj of wat ik doe illegaal is?'

Zen lachte.

'Hoe dan ook, het is niet zo,' vervolgde Nieddu. 'Nou ja, niet heel erg illegaal. Gewoon een import- en distributieoperatie.'

'Drugs, neem ik aan.'

Onverwacht genoeg lachte Gilberto ook.

'Dat klopt: drugs. En sigaretten, maar alleen voor mijn eigen gebruik. Dat is pure nostalgie. In de derde wereld drukken ze op de pakjes niet al die onzin dat kanker slecht voor je is. Pak aan, dat is zowat het enige dat ze zeggen. Nog even en ze bepalen bij wet dat de waarschuwing groter moet zijn dan het pakje. Dan vraag je de *tabaccaio*: "Mag ik een gezondheidswaarschuwing, alstublieft?" en dan zit er aan de onderkant een pakje sigaretten op geplakt.'

Hij klapte luid in zijn handen. De vrouw verscheen en nam het dienblad met het overgebleven eten mee, en kwam daarna terug met een pot koffie en twee kopjes.

'Waar zal ik de uitvergrotingen van die foto's naar toe sturen?' vroeg Gilberto.

'Ben je nog steeds bereid om het te doen?'

'Niet persoonlijk. Ik heb er de apparatuur niet voor. Maar ik ken iemand die dat wel heeft, en die is snel en discreet.'

'Ik dacht dat na die kwestie over...'

'Ben je gek! Ik zei dat ik het zou doen, en dan doe ik het ook. Dat bevalt me ook zo aan die Koerden: zolang je familie bent – en ik tel voor hen als familie – breken ze nooit hun woord.'

'Ik ben geen familie,' zei Zen.

Gilberto glimlachte.

'Je hebt mijn huwelijk gered. Dan tel je ook als familie. Heb je een computer?'

'Gemma wel.'

'Fijn om te horen dat je iemand kent die in de eenentwintigste eeuw leeft. Is ze on line?'

'On wat?'

Gilberto beeldde geërgerde wanhoop uit.

'Kan haar computer met andere computers praten?'

'Ik denk van wel. Ja, dat moet wel, die op de apotheek. Zo doet ze haar bestellingen.'

Gilberto keek nadenkend.

'Is ze apotheker? Kijk eens aan.'

'Wat bedoel je?'

'Laat maar. Wat is het adres?'

'Ik weet het niet zeker. Het is in Lucca, Via Fillungo, maar ik weet het nummer niet.'

Gilberto zond hem weer een vernietigende blik toe, haalde toen een visitekaartje te voorschijn en overhandigde dat aan Zen.

'Geef dit aan haar en zeg dat ze me een lege e-mail moet sturen. Zodra de uitvergroting klaar is, stuur ik die als attachment mee terug.'

Zen schonk voor hen beiden meer koffie in en stak een sigaret op.

'Vertel eens iets meer over Nestore Soldani,' zei hij.

Nieddu creëerde een bijna fysieke afstand met zijn blik.

'Je zei dat hij niets te maken had met de zaak die je onderzoekt.'

'Absoluut niet, Gilberto. Maar je zegt dat het al een paar dagen groot nieuws is. Ik ga nog even langs het ministerie voor ik Gemma bij het station zie en ik zou misschien kunnen uitzoeken wie eraan werkt, en misschien een paar details te weten komen die ik aan je kan doorgeven.'

Hij leunde achterover en zweeg. Gilberto Nieddu was zo lang bezig met zijn koffie en zijn sigaret dat Zen dacht dat de gok was mislukt, maar toen plaatste hij beide op tafel en begon op een vlakke, emotieloze toon te praten.

'Ik kwam Nestore eind jaren tachtig voor het eerst tegen, via een gemeenschappelijke kennis. Ik was net weg bij de politie en was in de elektronische beveiliging en de spionagebusiness gegaan. Soldani had net ontslag genomen uit het leger en zocht werk. Hij was officier geweest bij de Alpini – als vrijwilliger, als je dat moet geloven. Hoe dan ook, hij beschikte over capaciteiten die ik nodig had en ik gebruikte hem voor een paar klussen, maar hij had te veel ambitie om erg lang bij me te blijven. Het volgende dat ik hoorde was dat hij naar Venezuela was vertrokken en diverse operaties had opgezet die veel leken op hetgeen waarmee ik in de loop der jaren bezig was geweest.'

'Illegaal dus,' waagde Zen op te merken.

Gilberto Nieddu liet één hand door de lucht zweven.

'Op het keerpunt, Aurelio. Op het keerpunt.'

Hij drukte zijn sigaret uit en keek even naar de klok aan de muur.

'Venezuela heeft rijke olievoorraden, zoals je waarschijnlijk wel weet. Wij hebben die niet. Soldani had ook contacten, met name een vroegere wapenbroeder, die toen al een hoge bons bij de geheime dienst was. Hij had nog meer contacten, onder anderen met figuren op hoge posten bij het staatsoliebedrijf AGIP. Kortom, Nestore was in staat om een zeer lucratieve en voor beide partijen voordelige deal tot stand te brengen tussen de beide betrokken regeringen, en kon de prijs drukken waaraan Venezuela officieel gehouden was door afspraken met de andere OPEC-landen. Hij streek een passend percentage op en besloot toen wijselijk om ermee op te houden terwijl hij nog aan de winnende hand was, en zich terug te trekken in het oude land voordat de politieke situatie in Caracas een onaangename wending zou nemen, wat heel kort daarna ook gebeurde. Maar natuurlijk kon hij er ook niet zeker van zijn hoe hij hier ontvangen zou worden, dus hij speelde het slim. Toen hij nog daar was veranderde hij voor de zekerheid zijn naam, verbond de Venezolaanse nationaliteit aan zijn nieuwe identiteit en verhuisde toen naar Campione d'Italia. Hij kocht daar een landgoed, wat je moet doen om je er te kunnen vestigen, en nam toen volkomen onverwacht contact met me op. Ik denk dat hij zich misschien een beetje eenzaam voelde. Hij nodigde me uit om te komen logeren, maar ik ben er nooit aan toegekomen. Zo'n goed contact hebben we ook nooit gehad. Zoals ik al zei: het was een zakelijke relatie zo lang die duurde. Maar ik was evengoed geschokt toen ik las wat er met hem was gebeurd.'

Zen knikte en stond op.

'En wie denk je dat het gedaan heeft?'

Gilberto Nieddu haalde zijn schouders op.

'Wie zal het zeggen? Nestore had waarschijnlijk meer ijzers in het vuur, zaken waarover hij me niks had verteld. Hij beweerde dat hij met pensioen was, wat hij zich zeker had kunnen veroorloven, maar mannen zoals hij gaan eigenlijk nooit echt met pensioen, net zomin als jij of ik dat zal doen. Jawel, alles is geweldig en het leven is één groot feest, maar hoe kom je de dag door? Nestore was zo iemand die tien minuten na de landing op Malpensa alweer aan een handeltje zou beginnen en hij was niet iemand die risico's uit de weg ging. Eigenlijk eerder het tegendeel. Ik zie hem er zelfs voor aan dat hij ze opzocht, vooral op zijn leeftijd. Dus ik kan alleen maar aannemen dat hij zich heeft ingelaten met gemeen tuig, de dreiging heeft onderschat en uit de weg is geruimd.'

Zen knikte neutraal, maar bleef staan.

'Die tatoeage,' zei hij.

'Wat is daarmee?'

'Die herkende je meteen, zelfs op een niet-uitvergrote afbeelding.'

'In de tijd dat hij nog voor mij werkte, droeg Nestore vaak

hemden met korte mouwen als het warm weer was. Hij pronkte met zijn bicepsen en zijn borsthaar, het macho-uiterlijk. De tatoeage was heel kenmerkend. Ik maakte er een opmerking over.'

'Op wat voor manier kenmerkend?'

'Hij was heel klein en gedetailleerd.'

'Wat stelde het voor?'

'Een vrouwenhoofd.'

'Geen tekst?'

'Nee. Alleen het hoofd, bedekt met haar in een van die etnische stijlen. Je weet wel, een soort dreadlocks.'

'Heb je hem gevraagd wat het voorstelde?'

'Dat weet ik niet goed meer. Nee, wacht even. Ik geloof dat hij zei dat het iets was wat hij gedaan had toen hij in het leger zat. Een of ander genootschap voor de lagere officieren. Hoe dan ook, misschien heb ik me wel vergist in de gelijkenis. Als de enhancement eenmaal is gemaakt weten we het zeker. Ze kunnen verbluffende dingen doen tegenwoordig – het ene fragment tegen het andere afzetten in contrasterende kleuren, enzovoort. Als het goed is moet ik je binnen een paar dagen iets kunnen sturen, afhankelijk van hoe druk ze het hebben. Ondertussen kan Ahmed je brengen waar je maar wilt. In ons beider belang wil ik je vragen om de schermen gesloten te houden tot je ruimschoots uit deze omgeving weg bent. Jij hebt jouw leven, Aurelio, en ik heb het mijne. In beide gevallen kan een beetje kennis gevaarlijk zijn.'

'Heet hij echt Ahmed?'

'Weet je, dat heb ik nou nog nooit gevraagd.'

IX

Claudia liet de wagen om elf uur komen. De zon was doorgekomen en de lucht die binnenstroomde door de geopende ramen van het appartement leek te gaan opwarmen. Niet echt heet natuurlijk, niet om deze tijd van het jaar, maar mogelijk was het wel.

Het verkeer daarentegen was onmogelijk, zoals gewoonlijk. Waar kwamen al die mensen vandaan? Wat deden ze daar? Waar gingen ze naar toe en waarom? Ze waren gewoon met te veel, dat was het probleem. Andere mensen waren als eten of drinken, of ook wel als geliefden. Wat je nodig had was een 'adequate toereikendheid', zoals haar vader altijd zei. Alles daarboven was niet alleen overtollig, maar ook potentieel schadelijk.

Toen haar ouders nog leefden, was er geen behoefte aan auto's geweest. Toen liepen ze gewoon van hun huis in de stad naar Porta San Giorgio, namen de puffende trein die door de Valpolicella ging en vandaar naar de oevers van het Garda-meer, en stapten dan uit in het dorp met zijn verspreide bebouwing, waar de villa bijna recht tegenover het station stond. Maar nu was de trein verdwenen, net als haar ouders, net als het dorp zelf. Net als Leonardo.

Verdiept als ze was in haar herinneringen, merkte Claudia een seconde of twee te laat dat het verkeerslicht was versprongen. Een of andere jonge blaaskaak in een kekke outfit herinnerde haar met drie agressieve claxonsignalen direct aan haar plichten als verantwoordelijk weggebruiker en reed haar toen, terwijl zij nog naar de versnellingspook tastte, met schaamteloos gemak voorbij alsof hij wou zeggen: 'Tijd voor het bejaardenhuis, oma!' Schoften. De kwestie was niet alleen dat er zoveel van hen waren en dat de meerderheid zo jong en minachtend was, maar ook dat alle gevoel voor decorum verloren was gegaan. Iedereen was erop uit om te pakken wat hij pakken kon, als een horde *contadini* die elkaar de enige kroes die in huis was uit de handen trokken.

Het drong opeens tot haar door dat de reden waarom ze zulke gelukkige herinneringen aan de villa had, was dat haar ouders daar altijd gelukkig hadden geleken. Nu ja, een van de redenen. Maar misschien verklaarde dat de hele kwestie met Leonardo ook wel. Zoals ieder kind had ze wanhopig gewenst dat haar ouders gelukkig waren, maar ze wist niet hoe ze hen moest helpen en ze schenen zichzelf ook niet te kunnen helpen. Volwassenen werden geacht te weten hoe ze dingen moesten doen, maar Claudia had zich al heel vroeg gerealiseerd dat haar ouders volkomen hopeloos waren als het om geluk ging. Ze hadden werkelijk geen flauw idee. Behalve in de villa. Wat vermoedelijk verklaarde waarom het in haar gedachten een magische plek met onbegrensde en weldadige krachten was geworden.

Het verdwenen spoor had langs de weg gelopen, dus toen de opstopping van de stad eenmaal achter haar lag, kon Claudia de reizen van haar jeugd in haar gedachten volgen door te letten op de plaatsen waar de trein was gestopt en de dingen die daar waren gebeurd. Daar had die vreselijke mevrouw haar een compliment gegeven voor haar handschoenen. Toen droeg men natuurlijk nog handschoenen. 'La contessa Ardigò,' had haar moeder gefluisterd toen de afschrikwekkende verschijning eenmaal was uitgestapt. En die andere keer, veel later toen ze een tiener was, toen een jonge contadino iets uit zijn broek had gehaald en er als een waterpistool mee gesproeid had. Het had alkalisch geroken – sterk, maar niet weerzinwekkend.

Bij die gelegenheid had haar moeder geen commentaar gegeven, aangezien het incident had plaatsgevonden terwijl Claudia alleen op het balkon aan het einde van de trein stond, waar ze het uitzicht bewonderde, en ze had het niet nodig geacht om de ervaring met haar ouders te delen. Ze was zich er al van bewust dat er vele zaken in hun eigen levens waren waarvan ze haar geen deelgenoot maakten, dus ze had het compliment maar met een bedankje beantwoord, om te bewijzen wat een welopgevoede jonge vrouw ze was, dankzij de constante en 'rampzalig dure' – haar vader – voorzieningen die ze haar verschaften. Er waren bepaalde zaken waarover een dame niet sprak, zelfs niet met haar ouders.

Dertig minuten nadat ze Verona verlaten had bereikte Claudia de rand van het dorp, waarvan de bebouwing nog meer verspreid was dan vroeger. Ze reed langs een protserig betonnen appartementencomplex en sloeg toen rechts af naar wat nog steeds een landweg was, waarna ze naar links boog naar de laan achter hun voormalige landgoed, en parkeerde in de schaduw van de hoge muur waarvan elke steen, toen ze nog een kind was, leek te zijn gevormd uit de samengeperste kern van de gezegende zielen die in het paradijs woonden waarover de priesters vertelden.

In geen van de nieuwe huizen aan de andere kant van de laan – ertussen gebouwd in de voorspoedige jaren van het economische wonder dat de Veneto een hoger gemiddeld cijfer per hoofd van de bevolking had bezorgd dan Zwitserland – was enig teken van leven te bespeuren. Het kostte haar geweldig veel moeite om te erkennen dat ze daar echt stonden, laat staan dat ze bewoond waren. In Claudia's gedachten zou die ruimte altijd bestaan uit een kale oplopende helling met boerenland waarop rijen aan draden vastgebonden wijnranken stonden.

Ze stapte uit de auto en liep in de richting van de groene houten deur in de muur. Al dat gedoe over haar ouders. Ze had een afspraak met zichzelf gemaakt om daar niet aan te denken. En vooral niet aan Leonardo of de latere gevolgen. Maar het leek niet te hebben gewerkt. Alles waarover je niet mocht denken nam uiteindelijk meer ruimte in je hersenen in beslag dan de dingen waarover je wel geacht werd te denken. Het was als een belasting die over vergetelheid moest worden betaald. Soms vroeg ze zich af of het dat wel waard was.

Ze draaide de tuindeur open met de sleutel, ging erdoor en sloot hem achter haar af. En toen, met gesloten ogen, draaide ze zich om en leunde tegen de houten planken. Er ging minstens een minuut voorbij voordat ze haar ogen weer opendeed. Het was in orde. Alles was precies zoals het moest zijn, zoals ze het had achtergelaten. De grootste vreugde van de tuin was dat ze er absolute controle over had. Dat gold in principe natuurlijk ook wel voor het appartement in Verona, maar daar kwamen en gingen mensen, ook al was het alleen op uitnodiging, die onmiskenbare sporen van hun aanwezigheid achterlieten. De tuin was een ongerepte zone. Niemand kwam hier behalve zij. En Naldino, één keer. Dat was niet meer dan terecht en vanzelfsprekend geweest. Hier was hij tenslotte verwekt.

Haar bestemming lag links van haar, maar ze keek die kant niet op, omdat ze er als altijd langs een omweg naar toe wilde gaan. Ze liep over het grindpad dat zich onder de hoge esdoorns en steeneiken door kronkelde en knikte op een vertrouwde, licht verveelde manier naar het door schimmel aangetaste borstbeeld op zijn sokkel, zoals je dat doet tegen een bediende, waarna ze verder liep naar de vijver waarin dikke karpers heen en weer schoten onder de laag waterlelies.

Recht voor haar stond nu de rij cipressen die ze had geplant om te voorkomen dat er vanuit het nieuwe appartementencomplex in de tuin kon worden gekeken. Het waren lelijke bakbeesten maar ze waren in de loop der jaren snel gegroeid, precies zoals de kweker had beloofd, en waren zo uitgelopen en dichtgegroeid dat er niets meer te zien was van de hoge muur die de aannemer op haar aandringen had gebouwd om het overgebleven deel van haar land af te sluiten. Dat was haar idee geweest en het had prima gewerkt. De rij bomen voldeed aan zijn doel, maar in een ander opzicht bestond hij in het geheel niet, net zomin als het achterdoek in het theater, waarvan iedereen zich bewust is maar waar niemand naar kijkt. Waar het om ging was datgene wat ervoor lag, niet het beschilderde gordijn of de schrille barricade van kaal beton erachter. Alleen het toneel was van belang en dat had, verlicht en gloeiend, sfeer.

Nu was het tijd om weer terug te gaan, het grastapijt over te steken naar een ander pad dat bestrooid was met een dunne laag zwartgemaakt grind. De twee vertakkingen waren oorspronkelijk verderop op het terrein bij elkaar gekomen en hadden geleid naar de dubbele glazen deuren van de villa die toegang boden tot de tuin. Haar bestemming was nu in zicht, maar ze keek er nog steeds niet naar en hield haar ogen gericht op de grond voor haar of de bomen boven haar. Elke stap die ze zette, elke beweging die ze maakte, was nauwkeurig gechoreografeerd, een rituele dans. Want dit was heilige grond. De gebruikelijke regels waren hier opgeschort en verdrongen door een strengere reeks.

Toen ze eenmaal de enorme iep was gepasseerd die deze hoek van de tuin domineerde, was het toegestaan om op te kijken en het miniatuurhuis met zijn groene deur en luiken te aanschouwen. Een beweegreden voor dit ritueel was dat ze er altijd op een irrationele manier van overtuigd was dat het huis er niet zou staan. De villa was weg, net als zoveel dingen en alle mensen die erbij hoorden. Waarom zou dit, in veel opzichten het onwerkelijkste van alles, ook niet een van de vele valse herinneringen blijken te zijn die haar verbeelding tegenwoordig met toenemende frequentie opriep, in zijn vergeefse pogingen om het onverklaarbare te verklaren?

Ze pakte de sleutel met haar rechterhand uit haar zak en legde die toen in haar linkerhand. Ook dit maakte deel uit van het ritueel, want toen het kleine huis als door magie was verschenen, op haar zevende verjaardag, was ze *mancina* geweest. Het had haar ouders en onderwijzers veel tijd gekost, en veel moeite, om haar te genezen van die verderfelijke linkshandigheid, die impliceerde dat je tot de sinisteren behoorde, dat je was aangeraakt door de Boze.

Maar haar ouders hadden haar ook dit huis gegeven, misschien voor een deel als schadeloosstelling. Veel van haar herinneringen zouden misschien vervalst zijn, maar niet die van haar verjaardag. Het werk was in het geheim gedaan, gedurende de winter, en haar ouders hadden zich volledig uitgeleefd in hun rol. Op de dag zelf hadden ze een strook mousseline voor haar ogen gebonden en haar door de tuin gevoerd terwijl ze allerlei grappen en grollen en plagerige opmerkingen maakten, en ten slotte hadden ze haar precies goed neergezet en de blinddoek verwijderd. En ze had haar ogen letterlijk niet kunnen geloven. Niets in haar verdere leven – zelfs Leonardo niet – was zo magisch en zoet geweest als dat moment.

Terwijl de voordeur krakend openging, sprongen de geuren op en vielen haar aan. Ze bukte om onder de lateibalk door te gaan en ging daarna zo recht mogelijk staan, waarbij haar haar langs het plafond streek. De eerste keer dat ze hem daarheen had meegenomen, had Leonardo direct zijn hoofd tegen een balk gestoten en was tegen haar aan gevallen, misschien omdat hij verrast was. Ze hadden alleen hun badkleding aangehad en hadden beiden uitbundig gelachen om dit bizarre ongeluk dat twee volwassenen overkwam in een huis dat voor een kind was gemaakt. Een lichte regen van pleisterkalk had Claudia's blote schouders en de bovenste heuvels van haar borsten bedekt. Leonardo had het bezorgd weggeveegd en zich vele malen verontschuldigd voor zijn onhandigheid.

Tegen de muur links van haar, tussen de ramen, hing een onbedrukte doek van zwart satijn. Haar moeder had geen spiegels toegestaan in het gezinsappartement in Verona, behalve in de badkamer, omdat ze je ziel stalen, zoals ze in haar soms wat griezelige *Südtirolisch* stelde. Maar in het geval van Claudia's speelgoedhuis had haar vader zijn zin doorgedrukt met zijn argument dat het de grote kamer lichter en groter zou maken. Na de dood van Leonardo had ze zichzelf er niet toe kunnen brengen deze spiegel die van zoveel getuige was geweest te verwijderen of te vernietigen, maar ze kon het ook niet verdragen om aan zijn meedogenloze blik te worden blootgesteld, en dus had ze hem met een doek afgedekt.

Eronder stond een klein dressoir, een miniatuurreplica met volmaakte verhoudingen van de kast die in de eetkamer van het appartement stond, en die dan ook van dezelfde fabrikant kwam. Ze deed de kast open en pakte een van de flessen Cinzano Rosso die ze daar bewaarde, en pakte daarna een glas van de plank erboven. Het zoete rode vocht, vermengd met een licht bittere smaak, vloeide haar keel binnen en gaf haar lichaam een zomerse gloed. Het licht dat schitterde door de plompe vensters met vier panelen was dun en zwak, maar met behulp van de alcohol zorgde het voor het juiste effect. De stand van de zon rond de equinox was natuurlijk in beide perioden van het jaar gelijk, maar het najaar had de hele stuwkracht van de zomer achter zich, terwijl de uitputting van de winter het voorjaar tegenhield.

Nu liep ze de kamer door, langs de haard, de tafel en stoelen en het namaakfornuis waarop ze met liefde namaakmaaltijden voor haar poppen had klaargemaakt. De deur aan het einde leidde naar de slaapkamer waar ze als kind elke zomer na de lunch een dutje had gedaan. De regels waren duidelijk. De nachten moesten worden doorgebracht in haar kamer in de villa, maar overdag was dit huis van haar. Haar ouders mochten haar daar niet storen, hoewel Claudia het voor elkaar had gekregen om enkele van haar schoolvriendinnen uit te nodigen. Ze had die privacy en vrijheid toen ten volle benut, en later nog veel meer.

Ze deed de deur achter zich dicht en hing haar jas op het haakje erachter, ondanks het feit dat de onderste helft over de tegelvloer sleepte, en ging toen in een foetushouding op het kleine houten bed liggen. Het kussen nam haar hele hoofd in beslag en gaf op zijn beurt zijn eigen opgespaarde geuren vrij. Dit beddengoed was nooit gewassen sinds de eerste keer dat zij en Leonardo daar hadden gelegen. Ze kon nog steeds de haarlotion ruiken die hij had gebruikt, en meer nog: de eigenlijke geur van hém. Vreemd genoeg kon ze haar eigen geur niet onderscheiden, hoewel die daar in ruime mate aanwezig moest zijn geweest.

Maar hoe was het allemaal begonnen?

Haar onstuimige herinneringen speelden zich, als ze die raadpleegde, meestal als een film of toneelstuk in haar gedachten af, waarbij elke handeling en opmerking al vooraf bekend en onvermijdelijk is, maar ze waren vals. Het was zo niet geweest. Het had niet zo kunnen zijn. Integendeel, het was vooral zo spannend geweest omdat ze beiden steeds weer hun weg zochten en ze ieder afzonderlijk op elk moment een ondraaglijk beschamende afwijzing voorzagen.

Het feit alleen al dat Leonardo van zijn kazerne in Verona naar de villa was gekomen, in een weekend waarvan hij wist dat Gaetano naar een NAVO-conferentie in Brussel was – 'om een paar boeken over militaire geschiedenis terug te brengen die kolonel Comai mij vriendelijk genoeg geleend had' – vormde al een risico.

Claudia had hem ontvangen op het terras naast de villa. Ze had gezwommen in het kleine zwembad dat nu begraven lag onder de betonnen parkeerplaats van het nieuwe appartementencomplex, en droeg haar bikini met daaroverheen een badstof jurk. Het was een middag in augustus, een roerloze, zware hitte die de dreiging van onweer in zich had.

Hij had zich uitvoerig verontschuldigd voor de storing en bleef enigszins afwezig benadrukken dat hij meteen weer weg moest. Claudia had hem uitgenodigd om thee te blijven drinken, en was erin geslaagd hem het gevoel te geven dat het onbeleefd zou zijn om te weigeren. Ze had vervolgens de badstof jurk uitgetrokken met het excuus dat die klam aanvoelde, en slechts gekleed in haar bikini had ze zich enige tijd in de zon gekoesterd en de sprakeloze jonge luitenant bestookt met een reeks vragen over zijn familie, achtergrond en ambities. Ze had hem niet aangekeken, maar had sterk zijn ogen op haar gericht gevoeld. Toen de thee werd gebracht, was ze weggeglipt naar haar kamer in de villa en teruggekomen in een zijden omslagdoek die ze van tijd tot tijd liet openvallen, vooral als ze vooroverboog om de thee in te schenken. Toen hij ten slotte vertrok, had ze hem gezegd dat hij hartelijk welkom was om een keer als het gelegen kwam nog eens te komen.

'Je hoeft geen excuses te bedenken,' had ze gezegd. 'Ik voel me nogal eenzaam en verveel me als Gaetano weg is. Ik zou blij zijn met wat gezelschap.'

Nee, dat kon niet kloppen. Ze zou nooit zo direct zijn geweest, zo doorzíchtig. Niet de eerste keer in elk geval. En zelfs als ze dat gedaan had, zou hij er nooit op in zijn gegaan, uit angst voor een schandaal dat zijn carrière voorgoed kapot zou kunnen maken. Dus hoe was het nu allemaal begonnen?

Van één ding was ze zeker. Hun eerste ontmoeting, waar op het oog niets op aan te merken viel, was bij het jaarlijkse diner en bal geweest, een gelegenheid die nauwelijks meer openbaar had kunnen zijn.

De kolonel had natuurlijk enkele mannen van zijn 'stal', zoals hij ze noemde, voorgesteld aan zijn veel jongere vrouw en hen vervolgens aangemoedigd – onder de omstandigheden praktisch bevolen – om met haar te dansen. Zijn benen bezorgden hem al last, de eerste voorbode van de marteling die later zou komen toen ze de traplift in de villa hadden moeten laten installeren. In die fase kon Gaetano nog steeds zonder al te veel moeite staan, lopen en, indien nodig, marcheren, maar hij zou niet met enig plezier hebben kunnen dansen, zelfs als hij gewild had. Het kwam erop neer dat hij dat niet wilde, maar hij wilde ook niet dat Claudia naast hem moest blijven zitten, een triest muurbloempje, terwijl de andere echtgenotes met de beentjes van de vloer gingen en zich overgaven aan kleine en volslagen onschuldige flirterijen.

Luitenant Ferrero had zijn taak op zich genomen met een enthousiasme dat Claudia aanvankelijk toeschreef aan het verlangen van de jongeman om een wit voetje te halen bij zijn commandant. Ze hadden samen een polka, een gavotte en een foxtrot gedanst voordat Leonardo haar afstond aan een van zijn medeofficieren. Ze had hem natuurlijk onmiddellijk willen hebben en had de gedachte ook onmiddellijk van zich af gezet. Nog afgezien van alles was ze zich er zeer van bewust dat ze tien jaar ouder was dan hij. Met zijn lange geschiedenis als militaire stad was Verona zeer ruim voorzien van 'kazerne-aasvliegen', zoals ze bekendstonden. Het zou luitenant Ferrero geen moeite hebben gekost om snel, veilig en goedkoop aan zijn behoeften te voldoen.

Maar aan het einde van de avond was hij teruggekomen en had op een nauwelijks merkbare andere manier Claudia gevraagd voor de laatste dans, een langzame wals. Ze had een zijden sjaal gedragen, maar in de zaal was het nu zo warm en benauwd dat ze die had afgedaan, waardoor ze voor het eerst het volledige effect van haar zeer laag uitgesneden jurk zichtbaar had gemaakt.

Zodra de muziek begon, merkte ze dat er iets mis was. Eerder was Leonardo een voorbeeldige partner geweest, die zich elegant bewoog, steeds precies in de maat danste en geen moment agressief leidde of achterliep. Nu leek hij enigszins spastisch te zijn geworden. Zijn lichaam was in een vreemde hoek gebogen en zijn bewegingen leken onbeholpen en geremd. Hij zou bijna Gaetano geweest kunnen zijn bij de weinige gelegenheden dat het haar gelukt was hem mee te lokken naar de dansvloer.

Toen ze haar arm steviger om de rug van haar partner legde en hem naar zich toe trok zodat hij rechter zou gaan staan, werd de reden van zijn onbeholpenheid duidelijk: een enorme erectie die zelfs zijn legeronderbroek nauwelijks wist te verbergen. Hun ogen ontmoetten elkaar en hielden elkaar vast. *Der Blick*, had haar moeder haar een keer verteld. Daar begon de liefde mee. Het enige dat ervoor nodig was, was die niet voor te wenden, verstenende blik, en je was verloren.

Niettemin was er tot nog toe feitelijk nog niets verloren. Zij bleven de enige twee mensen daar die wisten wat er gebeurde. Na afloop van de dans had Leonardo, die nu geen poging deed zijn hachelijke situatie voor haar te verbergen, haar zonder dat er een woord werd gezegd op zeer correcte wijze teruggebracht naar haar echtgenoot, had hun beiden een goedenavond gewenst en was met zijn medeofficieren vertrokken. En toen, tien dagen later, was hij onuitgenodigd bij de villa verschenen, zogenaamd om een paar boeken terug te brengen. Ook bij die ontmoeting was er niets ongeoorloofds gebeurd. Gaetano was in het buitenland geweest, maar de bedienden waren dicht in de buurt en Claudia verwachtte die avond een vriendin voor het diner.

Dus hoe was de verhouding zelf begonnen? Er was een andere ontmoeting in de villa geregeld, zoveel was zeker. En het moet persoonlijk zijn afgesproken, in elkaars aanwezigheid, voordat Leonardo die eerste keer de trein terug naar Verona nam. Er waren in die tijd nog geen mobiele telefoons. Alle telefoontjes naar de kazerne liepen via de centrale en hoe wanhopig ze ook geweest mocht zijn, Claudia zou nooit het risico hebben genomen om iets op papier te zetten. De hardnekkigste van de versies die zich nu aan haar opdrongen hield het erop dat ze hem had uitgenodigd – bij de voordeur van de villa, volkomen onverwacht, van slag geraakt door het komende vooruitzicht van zijn fysieke afwezigheid – om de woensdag erop weer te komen. Ze had hem misschien verteld dat ze die dag een stel vrienden op bezoek kreeg, een boeiend en invloedrijk echtpaar dat hem weleens goed zou kunnen helpen bij zijn carrière. Ze had beslist geweten dat haar echtgenoot een tweedaagse bijeenkomst op het ministerie van Defensie in Rome zou bijwonen om verslag uit te brengen over de NAVO-conferentie.

Ze had het personeel die twee dagen vrij gegeven, met als verklaring dat ze bij afwezigheid van haar man terug zou gaan naar Verona. Er was nog wel het risico van rondneuzende buren, van toevallige ontmoetingen in het dorp, zelfs van Gaetano's onaangekondigde terugkeer vanwege ziekte of een afzegging. Kortom, ze was enigszins gek geworden, niet zozeer in verwarring gebracht door de seksuele vooruitzichten die haar te wachten stonden, hoewel dat een krachtige drug was, als wel door een onweerstaanbare gewaarwording dat de onzekere chaos van het dagelijks leven zich eindelijk samenvoegde tot een zinvolle verhaallijn die ze moest volgen, ongeacht waar die toe leidde.

Ja, maar hoe was het allemaal begonnen?

Hoe de uitnodiging ook was verwoord, Leonardo was gekomen, via de dienstingang aan de zijkant van de villa, die Claudia open had gelaten. Ze had dit verklaard door te zeggen dat het personeel een dag vrij had en dat ze met haar gasten bij het zwembad in de tuin zou zitten en de bel misschien niet zou horen. In werkelijk was het gedaan om de mogelijkheid dat nieuwsgierige ogen hem zouden zien zo klein mogelijk te houden.

Ze was topless aan het zwemmen in het zwembad toen hij arriveerde en heel even dacht ze dat ze te onbeschaamd was geweest en alles had verprutst. In de war gebracht door haar naaktheid en het ontbreken van andere mensen, zag Leonardo eruit alsof hij het direct op een lopen kon zetten. Toen ze de handdoek pakte die ze aan de rand van het zwembad had neergelegd, die om haar middel wikkelde en uit het water stapte, had hij met een kort knikje haar uitleg aanvaard dat het andere stel op het laatste moment wegens familieomstandigheden had afgezegd. Ze had hem gekalmeerd door haar bovenstukje weer aan te doen en een zwembroek te pakken uit de tenen mand waarin de handdoeken werden bewaard, en erop aan te dringen dat hij naar binnen zou gaan en de zwembroek zou aantrekken. Ze had een hele verzameling zwemkleding voor bezoekers, zei ze, voor als ze vergeten waren die zelf mee te nemen. In werkelijkheid was de zwembroek van Gaetano.

Leonardo had gehoor gegeven aan haar instructies, als de beleefde jongeman die hij was. Toen hij weer uit de villa te voorschijn kwam, kon Claudia slechts met zeer veel moeite haar instinct onderdrukken om schaamteloos naar de zwembroek te staren, die zoveel boeiender leek dan wanneer hij door haar man werd gedragen. Ze gingen beiden het water in en zwommen enige tijd energiek, elkaar en zichzelf wijsmakend dat dit het doel van de oefening was. Daarna kwamen ze weer boven, wreven zichzelf stevig droog en gingen naast elkaar liggen op de grote badhanddoeken die ze hadden uitgespreid in de zon.

Na een tijdje was Claudia rechtop gaan zitten en was begonnen Ambre Solaire aan te brengen op alle plaatsen waar ze bij kon, terwijl ze had zitten kwebbelen over de extreme gevoeligheid van haar huid en de potentieel gevaarlijke effecten van de augustuszon. Daarna had ze zich omgedraaid en Leonardo gevraagd ook wat van de geurige, bronskleurige olie op haar rug te smeren, alsjeblieft. O, en maak het bandje van mijn bovenstukje maar los, wil je, zodat er geen witte streep op mijn huid overblijft. Ze had misschien zelfs gezegd dat hij het harder moest inwrijven om ervoor te zorgen dat de olie goed in de huid drong, of soortgelijke nonsens. Het was alsof ze weer een bezoek bracht aan haar jongemeisjesjaren, maar met alle kennis en gezag van haar huidige positie. Die ze zeer genadeloos had uitgebuit. Ze zou zich niets hebben laten ontglippen.

Hij had haar instructies zwijgend opgevolgd, maar was opgehouden toen hij bij haar billen kwam, maar ze had hem gevraagd om door te gaan – ja, en haar dijen ook alsjeblieft, helemaal tot aan het broekje, want de huid was zo gevoelig daar en zelfs een lichte verbranding kon vreselijk pijnlijk zijn. Hij had dicht boven haar geknield om dit werk te doen, met zijn benen schrijlings boven een van haar benen, en van tijd tot tijd hadden hun lichamen elkaar geraakt.

Nadat het gebeurd was, ging hij weer naast haar liggen. Ze spraken niet – de warmte stond dat toe – maar ze wist dat hij naar haar keek en ze werkte zich op haar ellebogen omhoog om haar sigaretten te pakken, waarbij haar borsten haar teruggeschoven bovenstukje vrijgaven, zodat haar tepels op een paar centimeter afstand van zijn vingers te zien waren. Maar nog steeds ondernam hij geen actie.

Toen hij ten slotte aankondigde, op zijn o-zo-welopgevoede toon, dat hij echt weer terug moest gaan, zeer bedankt voor de uitnodiging, het was me een waar genoegen, dacht ze dat ze verloren had. Als ze die dag zou verliezen, zou ze alles verloren hebben. Haar trots zou haar niet hebben toegestaan om nog eens iets soortgelijks op te voeren zonder een gepaste reactie van zijn kant.

Toen had ze haar geweldige inzicht gekregen, haar geniale inval.

'Dat is goed,' had ze gezegd terwijl ze opstond, 'maar voor je gaat moet je mijn kleine huis achter in de tuin nog even bekijken. Mijn ouders hebben dat voor me laten bouwen toen ik zeven werd en ik heb alles precies zo gelaten als het was. Het is een heel bijzondere plek, als iets uit een sprookje. Ik denk wel dat het uniek moet zijn. Je hebt het gevoel alsof je de echte wereld achter je laat zodra je de drempel over gaat.'

Hij had natuurlijk toegestemd, als de beleefde jongeman die hij was, en netjes verklaard dat hij onder de indruk was van de buitenkant, die, zoals zij hem vertelde, was afgewerkt door echte ambachtslieden van het soort dat tegenwoordig niet meer bestond, en dat ze de beste stenen hadden gebruikt uit de groeven bij San Giorgio di Valpolicella. Ze gingen naar binnen, giechelend en grappen makend over het geringe formaat van de ingang, en Claudia sloot de deur.

Toen hij onwillekeurig rechtop ging staan, had Leonardo zijn hoofd tegen het plafond gestoten en haar met pleisterkalk besprenkeld, die hij onder het uiten van verontschuldigingen wegveegde. Maar de beweging van zijn vingers ging door lang nadat de laatste sporen wit stof waren verdwenen, en werd steeds langzamer terwijl zijn ademhaling steeds sneller ging. Hun ogen ontmoetten elkaar, precies zoals bij die eerste keer. Alleen konden ze er nu iets aan doen. Claudia legde één hand op zijn rug, op precies dezelfde plek als tijdens die wals, trok hem heftig naar zich toe, met haar andere hand in zijn nek, en duwde zijn open mond op die van haar. En toen…

Dat was de manier waarop ze het zich herinnerde, meestal tenminste. Maar ze wist ook dat herinneringen elke keer dat je ze oproept een beetje veranderen, en ze had deze herinneringen zo'n beetje elke dag en nacht van haar leven opgeroepen nadat Leonardo was gestorven. Inmiddels had ze geen duidelijk idee meer hoeveel er nu oorspronkelijk was en hoeveel een replica, nog sterker geconstrueerd om het gewicht te ondersteunen van het belang dat het hele gebeuren nu voor haar had. Misschien was de letterlijke waarheid uitgewist door de versie die deze had verdrongen. Misschien was het te langdradig en verward geweest, een documentaire die was samengeflanst met behulp van verbleekte foto's en oude nieuwsfilmpjes waarin iedereen te snel loopt, in plaats van een Hollywood-film met glamoursterren, perfect gerealiseerde productienormen en een gevoel dat je precies weet waar het naar toe gaat.

Ze stond van het bed op en veegde haar kleren af. Het speelgoedhuis was vies, maar ze kon zich er niet toe zetten om hier iets schoon te maken. Het enige echte bewijsmateriaal waren de verblekende foto's die ze later hadden genomen met de instantcamera die Polaroid rond die tijd net op de markt had gebracht. Ze keek naar de la in de kast naast het bed waar ze het Boek bewaarde, maar opende hem niet. De laatste keer dat ze naar de foto's had gekeken, was ze misselijk geworden. Zij zag er pafferig en ongelukkig uit, Leonardo lomp en onbeholpen, en alles was zo prozaïsch. Nee, daar schoot je niets mee op. Het materiaal moest liefdevol worden bewaard maar hoefde niet te worden bekeken, zoals je ook niet wilde kijken naar de resten van een overleden dierbare in zijn smetteloos onderhouden graf.

Dit was het huis van herinnering, het huis van gedachtenis, afgegrendeld van de tand des tijds. Gaetano had het huisje maar één keer betreden, direct nadat Claudia de villa na de dood van haar moeder had geërfd, en had toen verklaard dat het moest worden gesloopt om plaats te maken voor een groentetuin. Maar Claudia had als beheerder haar zin gekregen door erop te wijzen dat de kosten van het slopen van zo'n solide bouwwerk veel hoger zouden zijn dan de waarde die de overblijvende grond zou hebben, en door discreet te opperen dat hun kinderen daar zouden kunnen spelen, zoals zij dat ooit had gedaan. Ze had dat gewild, ze had hen gewild. Ze had niet geweten dat er nooit kinderen van Gaetano zouden komen, dat zijn zaad niet goed was.

Gaetano had de kwestie nooit meer ter sprake gebracht

en Claudia had het huisje meer dan een kwart eeuw met liefdevolle zorg beheerd en had zelfs afgezien van een aanzienlijke som geld om het te behouden toen ze de rest van het terrein had verkocht aan de bouwmaatschappij die de villa had gesloopt om dat appartementencomplex te bouwen. Ze had vaak gedacht dat ze gek moest zijn geweest om zoiets te doen, zo nutteloos als het kon lijken als ze een slechte dag had, maar nu gaf ze zichzelf gelijk. Het bleek allemaal zin te hebben!

Ze had natuurlijk niet gedacht dat Leonardo ooit zou sterven en al helemaal niet eerder dan zij. En zelfs als dat zou gebeuren, dan zouden zijn ouders het lichaam hebben gekregen als dat er was geweest. Maar volgens Danilo was dat geliefde lichaam op wonderbaarlijke wijze ergens opgedoken, onder omstandigheden die met grote geheimzinnigheid waren omgeven. Misschien wisten Leonardo's ouders het niet. Zij wisten niet beter dan dat hun zoon was omgekomen bij dat vliegtuigongeluk. Ze konden trouwens zelf inmiddels ook wel dood zijn. De conclusie was duidelijk: het lichaam moest hiernaar toe worden gebracht. Hier hoorde het thuis, niet op een of andere verre begraafplaats.

Ze schonk zichzelf nog een glas Cinzano Rosso in voordat ze de fles terugzette. Maar hoe zat het met de familie Ferrero? De ouders waren misschien wel dood, maar had hij geen broers of zussen gehad? Twee zussen, meende ze zich te herinneren. En zelfs als zij geen juridische aanspraak op het lichaam maakten, hoe zou zij dat dan kunnen doen? Het zou betekenen dat ze alles moest onthullen, en dat zou haar heel goed fataal kunnen worden. De wet was niet geïnteresseerd in liefde, maar was bijzonder geïnteresseerd in moord. Het zou volslagen krankzinnig van haar zijn om enig initiatief in die zaak te ontplooien.

Ze dronk haar glas leeg en ging weer naar buiten, waarbij ze deur van het miniatuurhuis achter zich afsloot. Toch was het een prachtige droom, dat ze Leonardo's as onder deze bomen zou kunnen uitstrooien! Daarmee zou de cirkel rond zijn en zou ze de pijn verlichten die sinds zijn dood steeds aan haar had geknaagd. Het zou een zeer besloten ceremonie worden, alleen zij en haar geliefde, op een dag als vandaag aan het einde van de zomer, als de hele natuur zich buigt om vernieuwd te worden, onder de last van zijn eigen vermoeidheid.

En Naldino natuurlijk. Ze zou hem moeten uitnodigen, hoewel hij als het meezat niet de moeite zou nemen om van zijn voedselcoöperatie helemaal hierheen te komen, alleen om eer te bewijzen aan een vader die hij nooit had ontmoet. Zelfs zijn moeder kreeg tegenwoordig maar weinig van hem te horen. Maar goed, als hij weigerde was dat zijn zaak. Dan zou ze hem in elk geval de gelegenheid hebben gegeven.

Pas toen ze bij de tuindeur was, na netjes het lange, kronkelende cirkelvormige pad over het terrein te hebben gevolgd, drong de oplossing voor al haar problemen tot haar door. Het inzicht was zo overweldigend krachtig dat de adem haar in de keel stokte, ongeveer net zoals moest zijn gebeurd op die dag dertig jaar geleden toen de man in Leonardo het eindelijk won van de jongen, en hij haar nam.

Natuurlijk, Naldino was de oplossing voor haar problemen! De autoriteiten zouden haar het lichaam misschien weigeren, maar hem konden ze het niet weigeren.

X

Zen liep langzaam terug door de straat naar het huis, met een tevreden glimlach rond zijn lippen. De dag was koel en grijs en er hing regen in de lucht, maar zijn humeur was niet bewolkt. Een van de vele dingen die duidelijk waren geworden sinds hij bij Gemma was ingetrokken, op een tijdelijke basis die *de facto* permanent leek te zijn geworden, was dat hij van hen tweeën het vroegst opstond, dat zij een zoetekauw was en – zonder ook maar enigszins vervelend of veeleisend te zijn – het fijn vond om te worden verwend. Het resultaat was deze expeditie, die een traditie was geworden op de dagen dat hij thuis was.

Zen had ontdekt, in de loop van de min of meer terloopse onderzoeken en ongerichte naspeuringen die bij zijn persoonlijkheid hoorden, dat de bakkerij die leverde aan het meest gerenommeerde café van Lucca zich op betrekkelijk korte afstand van hun huis bevond. Het café zelf ging pas om zeven uur open, maar het banket waar het beroemd om was, was al veel eerder klaar. Het enige dat hij toen nog had hoeven doen, was een persoonlijke regeling treffen met de *pasticciere*, en zo kon hij de gezonde en aangename effecten van een vroege ochtendwandeling door de kronkelende, ontwakende achterafstraatjes van het stadje combineren met het genoegen om de verrukte glimlach van een gulzig kind op Gemma's gezicht te zien als hij haar wakker maakte met kostelijke zoetigheden en een vers gezette kop koffie met veel melk.

Hun relatie, waarvan Zen kenmerkend genoeg had aangenomen dat die lastig zou worden, zo niet tot mislukken gedoemd was, bleek integendeel de makkelijkste en aangenaamste die hij ooit had gekend. Ze had een bepaalde lichtheid die hij nooit eerder had meegemaakt, een bijna volledige afwezigheid van stress en inspanningen, van pijnlijke compromissen en problematische onderhandelingen. Het was alsof ze dat allebei nu wel gehad hadden, hun tijd erin hadden gestoken en hun schulden hadden afbetaald, en zich nu gewoon rustig aan wilden amuseren. Niet op grootse, extravagante wijze, maar met eenvoudige kleinigheden zoals dit dagelijkse ontbijtritueel. Lichte tevredenheid en een totale afwezigheid van gedoe leek hun gemeenschappelijke, onuitgesproken doel te zijn, waar ze beiden bijna instinctmatig aan bijdroegen.

Maar toen hij deze ochtend het appartement binnenging, trof hij tot zijn verbazing en lichte ergernis Gemma in de keuken aan, gedoucht en aangekleed en bezig koffie te zetten terwijl ze naar het nieuws luisterde.

'Je hoort nog in bed te liggen,' zei hij knorrig.

Ze zette de radio uit en kuste hem.

'Vandaag niet, schat.'

'Wat is er zo speciaal aan vandaag?'

'Ik ben jarig.'

Hij zette het doosje met de gebakjes op het aanrecht, met een onbestemd gegriefd gevoel.

'Dat had je me moeten zeggen. Dan had ik een cadeau voor je kunnen kopen.'

'Ik heb niks nodig. Maar je kunt me mee uit lunchen nemen als je wilt.'

'Er zijn hier geen behoorlijke restaurants.'

'In de stad niet, nee. De inwoners zijn te krenterig om een kwaliteitsrestaurant in stand te houden.'

Ze sprak met een aangedikte versie van het plaatselijke accent, dat Zen net zo'n beetje kon herkennen maar nog steeds niet nadoen. '"Waarom een hoop geld uitgeven in een restaurant als we net zo goed hier kunnen eten voor de kwart van de prijs?"'

'Venetianen zijn net zo.'

'Maar er is een goed restaurant in het Serchio-dal. Ik vind

het tenminste goed. Eenvoudig en pretentieloos, maar het eten is puur en de lokatie is erg mooi. Helaas heb ik vandaag ook een bespreking met een vertegenwoordiger van Bayer over hun nieuwe producten en moet ik een berg papieren van de regionale autoriteiten uitzoeken waar ik al te laat mee ben. Daarom ben ik al zo vroeg in de weer. Ik had het willen doen terwijl je weg was, maar toen kwamen die mensen van het gasbedrijf die het hele huis overhoop haalden. Ik kon ze hier natuurlijk niet alleen hun gang laten gaan, maar het was onmogelijk om te werken terwijl ze aan het hameren en beuken waren.'

Ze schonk voor hen beiden koffie in.

'Was er een probleem met het gas?' vroeg Zen.

'Nou, niet bij mij. Maar ze zeiden dat er een klacht was geweest van iemand anders in het gebouw en daarom hadden ze monteurs gestuurd om te controleren of het systeem normaal functioneerde.'

'En?'

'Nou, ze hebben een nieuwe meter geïnstalleerd en een paar buizen vervangen. Alles schijnt nu weer goed te functioneren.'

Zen at met smaak een paar hapjes van een brioche die nog smeltend warm van de oven was.

'Wanneer was dat?' vroeg hij.

'Toen je in Bolzano was.'

Hij knikte.

'Gevaarlijk spul, gas. Je vindt het heel normaal, maar het kan dodelijk zijn. Je moet er niet aan denken dat we stikken of worden opgeblazen. Zeker niet op je verjaardag.'

Gemma keek hem bevreemd aan.

'Je hebt hun legitimatie toch wel gezien?' vervolgde Zen.

'Van wie?'

'Die mannen die voor het gas kwamen. Soms gebruiken kleine criminelen zo'n soort truc om iemands huis binnen te dringen en dan de bewoner vast te binden en de boel leeg te roven.'

'Dat is allemaal niet gebeurd. Ze hadden een pasje dat

klopte, droegen uniformoveralls en wisten duidelijk waar ze mee bezig waren.'

'Ik ben blij dat te horen.'

Gemma stond op.

'Nou, ik moet nu wel naar de apotheek.'

Ze liep weg om haar jas, aktetas en tas te halen. Zen dronk de rest van de koffie op terwijl hij door het raam naar de blinde gepleisterde muur aan de overkant staarde. Toen Gemma terugkwam, liep hij met haar mee het appartement uit naar het trapportaal.

'Toen het ministerie hierheen belde om die afspraak in Rome te regelen, is Brugnoli's naam toen genoemd?' vroeg hij met een ongewoon rustige stem.

'Hoe had ik het anders kunnen weten? Hij kan ook wel degene zijn geweest die belde, ik weet het niet. De beller zei alleen dat hij je de volgende dag in Rome wou spreken. Dat heb ik je allemaal al verteld toen ik je in Florence van de trein haalde.'

'Sorry, ik was nogal afwezig die ochtend.'

'Dat kun je wel zeggen.'

'Dat kwam door die zaak waar ik aan werkte. Akelige toestand. Maar dat is nu allemaal voorbij. Goed, hoe laat gaan we lunchen?'

'Ik ben om half twaalf terug. Ik reserveer wel als ik in de apotheek ben, maar we moeten proberen om uiterlijk om twaalf uur weg te gaan. Ciao!'

'A presto, cara.'

Gemma haastte zich de stenen trap af en verdween om de hoek, en het geluid van haar suède schoenen weerklonk door het trappenhuis terwijl Zen in gedachten verzonken terugliep naar hun appartement.

Er was veel om over na te denken. Hij liep door naar de keuken, waar hij de *caffettiera* uit elkaar haalde en uitspoelde, de ontbijtborden en kopjes in de vaatwasser zette bij de spullen van de avond ervoor, er waspoeder bij deed en de machine aanzette. Wat een prachtige uitvinding waren die vaatwassers! Je zette er alle vuile spullen in, luisterde een uurtje naar de geruststellend klotsende machine, deed hem dan weer open en alles was blinkend schoon. Was er ook maar zo'n soort apparaat voor de andere problemen in het leven.

Nu er geen taken meer over waren om zijn gedachten af te leiden van zijn zorgen, stak hij een sigaret op en probeerde zich met tegenzin daarop te richten. Tot het tegendeel bewezen was, moest hij uitgaan van de veronderstelling dat het zogenaamde bezoek van het gasbedrijf in feite een preventieve afluisteroperatie was die op touw was gezet door Brugnoli's vijanden bij het ministerie van Defensie of mogelijk zelfs de geheime dienst. Als de legitimatie en uniformen vervalst waren, wees dat op een hoog niveau van professionalisme en middelen.

De onderneming had waarschijnlijk tot doel gehad om de telefoonlijn af te tappen en microfoontjes te installeren die waren verbonden met microzenders. Daar zou hij alleen achter kunnen komen als hij terugging naar Rome, contact opnam met Brugnoli via de afgesproken tussenpersoon en hem zou vragen een elektronisch beveiligingsteam te sturen dat het appartement schoon zou vegen. Maar dat zou alleen maar tot gevolg hebben dat de oppositie werd bevestigd in zijn vermoedens dat Zen erbij betrokken was. Het zou beter zijn om de microfoontjes gewoon te laten zitten en ze te gebruiken om misleidende informatie door te spelen.

Een gesnerp in de verte bracht hem terug in het heden. Het was zijn mobiele telefoon, die hij in zijn jaszak had laten zitten. Hij liep door naar de hal, pakte het blinkende kastje, ging weer terug naar het trapportaal en sloot de deur achter zich voordat hij de oproep beantwoordde.

'Pronto!'

'Dottore Aurelio Zen?'

'Spreekt u mee.'

'U spreekt met Werner Haberl, de dokter die u laatst gesproken heeft in Bolzano.'

'Ah, ja. Hoe gaat het, dokter?'

'Heel goed, dank u. Mijn excuses dat ik u zo vroeg bel, maar u had me gevraagd contact op te nemen als er nieuwe ontwikkelingen waren in de zaak die we besproken hebben.'

'Zeker, maar mag ik u terugbellen? Ik heb op dit moment een ander gesprek.'

'Geen probleem, ik ben hier de hele ochtend. Ik zal u mijn directe nummer geven.'

Zen schreef het op en klapte de telefoon dicht terwijl hij zich inprentte dat hij er voortaan uiterst voorzichtig mee moest omgaan. Als ze al die moeite hadden genomen om het appartement dat hij met Gemma deelde af te tappen, dan zouden ze ook vrijwel zeker zijn mobiele telefoon afluisteren.

Vijf minuten later liep hij over de Via del Fosso. Het was zachtjes begonnen te regenen en er leek niemand op straat te zijn. Op de hoek ging hij links af naar de kerk van San Francesco en hij liep een tabakswinkel binnen om een pakje Nazionali en een telefoonkaart te kopen. In de telefooncel tegenover de kerk deed hij de kaart in het apparaat en koos het nummer dat Werner Haberl in Bolzano hem had gegeven. Hij keek de straat af terwijl de telefoon overging. Er was niets bijzonders te zien.

'*Hallo.*'

'*Herr Doktor Haberl, bitte.*'

'*Am Apparat.*'

'Met Aurelio Zen, dokter. Mijn excuses voor de vertraging. En, wat zei u over onze vriend in de tunnel?'

'Ja. Wel, ik heb net van een collega gehoord dat een man, Naldo Ferrero, vandaag het ziekenhuis heeft gebeld. Hij beweerde dat hij er wettelijke aanspraak op kon maken om het lichaam mee te nemen en dat hij wilde weten hoe hij te werk moest gaan. Toen mijn collega zei dat wij het lichaam niet langer onder onze hoede hadden, werd hij zeer geagiteerd en dreigde hij een formele *denuncia* bij de politie in te dienen. Toen werd hem uitgelegd dat de politie zelf het lichaam had meegenomen.'

'Op welke grond maakte hij aanspraak op het lichaam?'

'Welnu, dat is de reden dat ik dacht dat het u zou interesseren. Die Ferrero zei dat hij de zoon is van de dode.'

Zen zweeg even.

'Heeft hij een telefoonnummer achtergelaten?'

'Ja ja, we hebben alle gegevens. Dat doen we standaard aan het begin van elk telefoongesprek. Hebt u pen en papier?'

Zen schreef het adres en telefoonnummer van de eiser op en bedankte Werner Haberl uitvoerig voor zijn medewerking. Daarna drukte hij de knop in en keek nogmaals de straat rond. Net als eerder leek alles normaal. Hij koos opnieuw een nummer. De telefoon ging een keer of tien over voordat er een vermoeid klinkende vrouw aan de lijn kwam.

'La Stalla.'

'Kan ik Naldo Ferrero spreken, alstublieft?'

'Een ogenblik.'

Ze legde de hoorn neer en Zen hoorde haar in de verte 'Naldo!' roepen. Het tegoed op de telefoonkaart was ongeveer met de helft verminderd voordat er eindelijk een man aan de lijn kwam.

'Ja?'

'Goedemorgen, signor Ferrero. Ik bel in verband met uw overleden vader.'

Hij zweeg, maar er kwam geen antwoord.

'Ik ben van een verzekeringsmaatschappij,' ging Zen verder. 'Het schijnt dat er enige onduidelijkheid bestaat over de omstandigheden waaronder en de datum waarop uw vader is overleden. Ik hoopte dat u bereid zou zijn om een half-uur of zo met me te praten om deze en andere eventuele kwesties op te helderen. Er is veel geld mee gemoeid.'

Opnieuw stilte, daarna een verachtelijk gesnuif.

'Verzekeringsmaatschappij, m'n reet,' zei Ferrero. 'M'n vader is dertig jaar geleden overleden. Zijn lichaam is niet gevonden, maar over het feit van zijn dood bestond geen onduidelijkheid. Eventuele verzekeringsclaims zouden dus destijds al zijn afgehandeld. Dus wie bent u in godsnaam?'

'Iemand die u na al die jaren zou kunnen helpen bij het opeisen van de stoffelijke resten van uw vader.'

'Ik ben heel goed in staat om dat zelf te doen. En als u, zoals ik vermoed, van de politie bent, dan kan ik u meedelen dat ik bezig ben met de voorbereiding van een formeel beroep bij de rechterlijke macht in Bolzano, met een aanklacht tegen de illegale interventie die heeft plaatsgevonden in het ziekenhuis daar waarbij het lichaam van mijn vader is meegenomen, en tegen de algehele weigering mij te vertellen waar hij zich nu bevindt. En dat is alles wat ik over de zaak te zeggen heb!'

De hoorn werd op de haak gesmeten.

Zens laatste telefoontje was naar de klantenservice van het plaatselijke kantoor van het gasbedrijf. Hij gaf een vals adres in de Via del Fosso op en legde uit dat hij had gehoord dat er onlangs een spoedmelding was geweest van een andere bewoner in de straat vanwege een mogelijk lek. Kon het bedrijf bevestigen dat dit verholpen was en dat er geen risico meer bestond voor de woningen in de buurt? Na het raadplegen van de computer zei de klantenservicemedewerker dat hij verkeerd moest zijn geïnformeerd. Er waren de afgelopen maand nergens in Lucca meldingen van gaslekken geweest.

Hij verliet de telefooncel en liep dezelfde weg terug naar huis. De enige die hij zag was een zwerver met een gebroken neus en kortgeschoren haar, die met een fles wijn in zijn handen op een bankje zat naast de gekanaliseerde rivier die door het midden van de straat stroomde.

Toen Gemma even voor half twaalf terugkwam, was Zen in de slaapkamer bezig zijn laatste spullen in te pakken. Hij sloot de gehavende koffer en droeg die naar de woonkamer.

'Slecht nieuws, ben ik bang,' zei hij tegen haar.

'Je zegt de lunch toch niet af? Zeker niet op mijn verjaardag.'

'Nee, dat is het niet. Maar ik moet weer een paar dagen weg.'

'Waarom nu weer?'

'Ik werd net gebeld door de familieadvocaat in Venetië. Ik moest het gesprek trouwens buiten op de trap aannemen.

143

Ik had hier binnen geen goed bereik en toen viel dat rotding helemaal uit.'

Dit was bedoeld voor degenen die mogelijk zaten mee te luisteren via de geplaatste afluisterapparatuur.

'Maar goed, er is kennelijk een of ander probleempje met het testament van mijn moeder. Niks ernstigs, zegt hij, maar ik zal er wel naar toe moeten om het allemaal te regelen en wat papieren te tekenen. En toen ik het ministerie belde om te vragen of ik vrij kon nemen, puur als formaliteit, zeiden ze dat als ik daar toch in de buurt was, ik meteen kon nagaan hoe het onderzoek naar een moord in Padua ervoor stond. Het klinkt afschuwelijk saai, maar ik kon moeilijk nee zeggen. Maar ik kan over een paar dagen wel weer terug zijn, als het een beetje meezit.'

'Je hebt opeens wel een hele hoop werk.'

'Zo gaat het met dit werk altijd. Het gaat op en neer.'

'Eigenlijk komt dit prima uit. Mijn zoon heeft blijkbaar iemand ontmoet met wie het weleens "heel serieus" kan worden en hij wil dat ik haar ga keuren. Dat geeft mij de kans om een paar dagen weg te gaan. Goed, laten we maar gaan.'

'Misschien kun je me daarna afzetten bij het station,' zei Zen extra nadrukkelijk. 'Er gaat rond vijf uur een trein naar Florence die aansluiting geeft op de Eurostar naar Venetië. Dan kan ik morgenochtend meteen naar de advocaat en het zo snel mogelijk afhandelen.'

Gemma legde haar aktetas op de tafel en knipte toen met haar vingers, opende de klep en haalde er enkele vellen papier uit.

'Dat was ik bijna vergeten. Die vriend van je in Rome aan wie ik mijn e-mailadres moest sturen heeft je deze foto's gestuurd. Hij zegt dat...'

Zen viel haar snel in de rede.

'Ik bekijk ze wel in het restaurant. Kom op, laten we gaan en je verjaardag vieren.'

Onder het voorwendsel dat hij de band van het rechterachterwiel van Gemma's voertuig niet vertrouwde, inspecteerde Zen de straat nauwkeurig voordat ze wegreden, en nog eens terwijl ze door de binnenstraatjes reden. Het zag er niet naar uit dat ze werden gevolgd.

Net als Zens geboortestad Venetië was Lucca een echte *civitas*, al werd die niet begrensd door water maar door zijn massieve muren om de hele stad. Als je door een van die tunnelachtige poorten ging, wist je dat je de stad had verlaten; als je er weer door naar binnen ging, was er geen twijfel mogelijk dat je weer terug was. Hij vond dit zowel ontspannend als geruststellend. Ze reden door de bescheiden naoorlogse voorstedelijke randen van de stad naar de aangename, kronkelende vallei van de Serchio. De regen was hier heviger, maar dat paste bij het landschap, zo intens landelijk als Lucca stedelijk was – afwisselend onnadrukkelijk mooi, onspectaculair wild, onopvallend, onbedorven en bijna onbezocht.

Het restaurant was eenvoudig maar aantrekkelijk, met een smeulend haardvuur dat de hele ruimte deed geuren en met eten dat zo goed was als Gemma beloofd had. Ze namen samen een schaal *pappardelle* met wilde porcini, gevolgd door een *fritto misto* van konijn, lam en kip met scherpe gestoomde groenten. De wijn was te drinken, de amandeltaart precies goed en alleen de koffie viel wat tegen, maar wie maalde daar in die fase nog om?

Bij een sigaret en een glas onvermijdelijke lokale *amaro*likeur, waarvan de digestieve eigenschappen uitvoerig door de eigenaar werden geprezen, haalde Gemma de afdrukken te voorschijn die ze had gemaakt van Gilberto Nieddu's e-mail-attachment van de uitvergrote digitale foto's.

'Heeft hij er iets bij gezegd?' vroeg Zen terwijl hij ze snel doorkeek.

'Er was een heel kort briefje bij, niet de moeite om uit te printen. Hij zei alleen dat ik je moest zeggen dat het teken op zijn arm hetzelfde is.'

Zen knikte. Op de afdrukken was de tatoeage in verschillende onderscheidende tinten te zien en ook in het oorspronkelijke zwart tegen de okerkleurige achtergrond van de verschrompelde arm. Hij stelde het hoofd van een jonge vrouw voor in een dik vierkant kader. Haar haar zat in knopen, haar ogen waren leeg, haar gezichtsuitdrukking was onpeilbaar.

Zen gaf de pagina's aan Gemma.

'Wat denk jij dat dit is?'

'Het is Medusa,' zei ze onmiddellijk.

'Medusa?'

'Nou, een van de Gorgonen. Medusa is de bekendste, door die legende met Perseus. Ze veranderde iedereen die haar aankeek in steen, maar hij ving haar beeltenis op zijn schild op, waarmee hij haar kracht ongedaan maakte, en daarna hakte hij haar hoofd eraf. Een van die Griekse mythen. Ik heb ergens gelezen dat het een klassiek symbool is van de mannelijke angst voor de seksualiteit van vrouwen.'

'Ik ben toch niet bang voor jouw seksualiteit, hè?'

Gemma glimlachte en kuste hem.

'Helemaal niet. Het lijkt me dat je die juist heel fijn vindt.'

Zen pakte de papieren weer, vouwde ze op en stopte ze weg in zijn binnenzak.

'Bedankt voor de lunch,' zei Gemma toen ze terugreden door de beboste vallei.

'Ik neem een echt cadeau voor je mee als ik terugkom van dit tripje.'

'Ik hoef niks te hebben, Aurelio. Dat heb ik je al gezegd.'

'Goed, maar wil je dan helemaal niks?'

'Ik wil dat jij gelukkig bent.'

In het station in Lucca ging Gemma met Zen mee naar de loketten, waar hij op zeer luide toon om een enkele reis naar Florence vroeg en de naam van zijn bestemming enkele malen herhaalde alsof de loketbediende doof was of dom, of allebei.

'Daar is de man van het gas,' merkte Gemma op toen deze moeizame transactie achter de rug was.

'Wat?'

Zen was nog bezig zijn kaartje en geld op te bergen.

'Een van de mannen die dat probleem met het gas kwamen verhelpen. Daar, hij staat in de hoek.'

Hij keek snel even die richting uit. Het was een iets nettere versie van de dronkenlap die hij die ochtend op een bankje in de Via del Fosso had gezien.

'Kijk eens aan. Een kleine wereld.'

Gemma gaf een van haar charmante, afkeurende grijnsjes ten beste.

'Een kleine stad, bedoel je,' zei ze en ze kuste hem op zijn wang.

Zen stapte in de trein toen deze vanaf de kust aankwam, maar uiteindelijk ging hij niet naar Florence. Roken was verboden in interregionale treinen, dus toen ze in Pistoia aankwamen was het niet vreemd dat hij tussen de automatische deuren ging staan om van een langverwachte sigaret te genieten, en dat hij zijn tas voor de veiligheid had meegenomen. Toen het signaal klonk dat de deuren gingen sluiten wachtte hij tot het laatste moment en sprong toen door de opening het perron op.

Toen de dieseltrein eenmaal weggereden was, kocht hij een ander kaartje, ditmaal naar Pesaro via Bologna, en ging toen in een café tegenover het station zitten tot het tijd was om de laatste trein van de dag op de lijn naar het noorden te nemen, een van de eerste die ooit was aangelegd door de barrière van de Apennijnen en die nu nauwelijks nog voor passagiersverkeer werd gebruikt.

XI

De penduleklok in zijn grote, doodskistvormige kast aan
het andere eind van de spelonkachtige ruimte gaf aan dat
het zeventien minuten over tien was. De taxichauffeur had
onmiskenbaar duidelijk gemaakt dat hij tot uiterlijk elf uur
opgeroepen kon worden.

Er waren geen lichten te zien door de miezerige ramen en
het licht binnen kwam van zwakke gloeilampen die zo geel
waren als oud krantenpapier. De kamer was zo koud dat de
adem van beide mannen zichtbaar was. Een ijselijke noord-
oostenwind joeg en striemde afwisselend tegen het gebouw,
met een akelig gekreun en gehuil dat werd geaccentueerd
door de klok die tikte als een doodskloppertje. Zen leunde
naar voren over de kale lange eettafel, met in elkaar gevloch-
ten vingers.

'Ik herhaal, signor Ferrero: de enige echte kans die u hebt
om erachter te komen wat er met uw vader is gebeurd, is
via mij.'

'Welke vader?'

Onder andere omstandigheden zou Zen een poging tot een
grap hebben vermoed, maar hij had al ondubbelzinnig vastgesteld dat de andere man absoluut geen enkel gevoel voor
humor had.

'De vader wiens achternaam u hebt en op wiens stoffelijke resten u momenteel aanspraak probeert te maken. Ik
ben bereid u bij uw pogingen te helpen, voor zover ik de
mogelijkheden daartoe heb, in ruil voor uw volledige medewerking.'

Naldo Ferrero keek hem met openlijke vijandigheid aan.

'Wat hebt u daarmee mee te maken?'

Zen antwoordde niet. Nadat hij bijna een uur aan zijn kop was gezeurd over de gevaren van mondialisering, de geboorte van de Slow Food-beweging en de noodzaak van een nieuwe plattelandseconomie gebaseerd op werkbare biologische landbouwmethoden, was hij er vrij zeker van dat Naldo de stilte niet lang zou kunnen verdragen.

'Ik hoef geen dealtje te sluiten met de politie,' merkte Ferrero vinnig op. 'Mijn gerechtelijke aanvraag is volkomen in orde en mijn aanspraak kan bewezen worden met een DNA-test. En trouwens, sinds wanneer zijn jullie zo betrokken?'

Zen maakte de fout om ironisch te glimlachen.

'Het hoort allemaal bij de hervormingen van de nieuwe regering. We zijn er om het publiek te dienen.'

Het gezicht van de andere man werd nog strakker en donkerder.

'Zo! Dus u vindt nu ook dat u er grapjes over kunt maken, hè? Als ik moet kiezen, denk ik dat ik liever het oude naakte gezicht van de macht zag dan dit nieuwe masker, dottore Zen.'

'Ik ook, maar om de een of andere reden hebben ze ons niets gevraagd. Welnu, wilt u kaartspelen of maar wat rotzooien?'

'Pardon?'

'Een oud Venetiaans gezegde. God wordt verslagen met een spelletje kaart tegen Sint-Petrus, en dus verricht Hij een snel wonder waarmee Hij de kaarten verandert en Petrus een verliezende kaart bezorgt. Mijn vraag aan u was de reactie van de apostel.'

Ferrero keek met een nietszeggende blik naar hem. De arme man had geen idee hoe hij moest omgaan met stilte of humor. Een ware woordenstroom was zijn enige manier om de wereld het hoofd te bieden.

'Ik heb u alles al verteld wat ik weet,' verklaarde hij onaangedaan.

'Goed, laten we dan proberen het kaf van het koren te scheiden en samenvatten wat u me hebt verteld, met weglating van elke verwijzing naar de landbouw, voedingsmiddelen en basisbewegingen die zich ten doel hebben gesteld om de "commune" terug te krijgen in "communist".'

Zen raadpleegde het notitieblok, dat op de tafel tussen hen in lag.

'U vernam via het televisienieuws van de ontdekking van een onbekend lichaam in een stelsel van verlaten militaire tunnels. Uw moeder, Claudia Comai, woonachtig te Verona, had u al verteld, na de dood van haar echtgenoot Gaetano, dat uw biologische vader in werkelijkheid een zekere Leonardo Ferrero was geweest, die voor uw geboorte was omgekomen bij een vliegtuigongeluk boven de Adriatische Zee. Nu belt ze u om te zeggen dat het lichaam dat is opgedoken in de Dolomieten in werkelijkheid van hem is, en vraagt ze u om een formeel verzoek in te dienen om het op te eisen.'

'Dat zijn de feiten.'

'Prima, maar laten we proberen het allemaal wat helderder te maken, goed? En mag ik u er nogmaals aan herinneren dat u niet onder ede staat en dat u niet zal worden gevraagd om een schriftelijke verklaring over deze zaak te tekenen. Dat zal natuurlijk veranderen als ik vermoed dat u probeert om iets te verbergen of iemand te beschermen.'

Een bijzonder hevige windvlaag beukte als een bijl op het huis in. De stille, bedompte lucht leek te trillen onder deze aanval.

'Ik heb niets te verbergen,' verklaarde Naldo Ferrero strijdlustig.

'Dat kan wel wezen. Maar uw moeder heeft zeker wat te verbergen.'

'Laat mijn moeder erbuiten!'

'Ik ben bang dat dat niet mogelijk is, aangenomen dat ze u de waarheid heeft verteld. Geloofde u haar?'

'Waarom zou ze zo'n verhaal verzinnen?'

'Nou, het is niet moeilijk om een paar redenen te bedenken. Laten we aannemen dat ze een verhouding met die Ferrero had gehad, en oprecht verliefd op hem was geweest en dat hij met haar had gebroken en daarna was gestorven. Dan zou ze geprobeerd kunnen hebben zichzelf ervan te overtuigen dat u zijn zoon was, zodat er iets van hem zou overblijven.'

'Mijn moeder is niet gek!'

'Goed, laten we dan aannemen dat haar versie van de gebeurtenissen waar is. We weten dat Leonardo Ferrero is omgekomen bij een vliegtuigongeluk. Hoe logisch is het dan dat ze na al die jaren aan u vertelt dat u een onbekend lichaam dat diep onder de grond ontdekt is, moet opeisen omdat het van hem zou zijn?'

'Denkt u dat het me hoe dan ook iets kan schelen?' schreeuwde hij. 'Ik heb de man nooit ontmoet.'

'U hebt uw naam van Comai in Ferrero veranderd,' herinnerde Zen hem.

'Dat was om mijn moeder een plezier te doen. Alles wat ik ooit gedaan heb, deed ik om haar een plezier te doen. Ze vroeg me om contact op te nemen met de autoriteiten in Bolzano en dat heb ik gedaan. Toen ik haar het resultaat vertelde, vroeg ze me een gerechtelijke aanvraag in te dienen en die ben ik nu aan het voorbereiden. Ze is mijn moeder en ik hou van haar. Deze kwestie betekent om de een of andere reden duidelijk heel veel voor haar en dus doe ik mijn plicht en doe wat zij wil. Persoonlijk zal het me een rotzorg wezen wie mijn vader is.'

Hij liep met grote stappen weg en verdween om de hoek van de bar. Zen stak een sigaret op en keek om zich heen. Il Ristorante La Stalla was gesloten voor het seizoen, maar zelfs hartje zomer was het moeilijk voor te stellen dat zo'n geïsoleerde lokatie stampvol zou zitten met de onstuimige massa luidruchtig ontspannen hedonisten die nodig zou zijn om zin te geven aan wat sterk leek op – en dat bijna zeker ook was – een omgebouwde schuur.

In feite werd het hele restaurant gekenmerkt door een ondefinieerbaar gevoel van mislukking, alsof het was ingehaald door recentere ontwikkelingen waaraan het zich niet had kunnen of willen aanpassen. Naldo had uitgelegd dat het in de jaren tachtig was opgezet als commune, met geld van een trendy linkse filmregisseur die zijn zoon hier had geïnstalleerd en hem tot chef-kok had gebombardeerd in een poging om hem van de heroïne af te krijgen. De behandeling had kennelijk zeer goed geholpen, want de zoon was daarna vertrokken en had een restaurant aan de kust bij Ancona geopend, een stap die door de rest van het collectief werd beschouwd als verraad tegenover zijn kameraden. Dat hij hun idealistische project in de steek had gelaten, hier op een afgelegen plek in de uitlopers van de Apennijnen – alleen bereikbaar via een lang onverhard zijpad van een achterafweg bij een dorp dat niet op de kaart stond die Zens taxichauffeur had geraadpleegd – en vervolgens zijn eigen non-nonprofit zaak had opgezet in een afzichtelijke doos van glas en roestvrij staal in het hart van de hel van het consumentisme aan de kust. En er nog een fortuin aan verdiende ook! Vijf maanden werken per jaar en dan de hele winter naar Mauritius of Thailand. Het was weerzinwekkend, gewoon weerzinwekkend.

Er waren rond dezelfde tijd kennelijk nog een paar andere afvalligen geweest, wat mogelijk verband hield met het feit dat de subsidie van de filmregisseur ook plotseling opdroogde, dus toen Naldo verscheen had men hem hartelijk verwelkomd. Het ethos van de commune schreef voor dat al het werk op de boerderij en in het restaurant 'authentiek' moest worden verricht, dat wilde zeggen met de hand of met de meest primitieve en elementaire werktuigen die gehanteerd werden door de in deelpacht werkende familie die hier ooit had geleefd. Het moet de overgebleven pioniers geen moeite hebben gekost om het nut in te zien van een extra stel enthousiaste, jeugdige spieren in het collectief.

Maar het gevoel van mislukking ging verder dan dat. Er was een wijdverbreide stank waarneembaar van frustratie, zelfs wanhoop, even onmiskenbaar als schimmel. *Het was allemaal niet zo gegaan als ze zich hadden voorgesteld.* De leden van de commune hadden zich uit de naad gewerkt en de idealistische principes van de beweging naar de letter gevolgd, maar ze waren teleurgesteld door de ontwikkelingen.

En niet alleen hier! Het hele land, zo was gebleken, was tot in de kern verrot. Na alle moedige en onvermoeibare gevechten tegen diepgewortelde corruptie, grove schandalen, het terrorisme van extreem-rechts, pogingen tot militaire coups en een horde geheime organisaties die erop gericht waren de machtigen in het zadel te houden en alle anderen in onderworpenheid, waren de verantwoordelijke personen eindelijk verdreven, maar toen bleken ze plaats te maken voor Silvio Berlusconi en zijn opportunistische kornuiten. Het bleek dat de meerderheid van de Italianen inderdaad *un paese normale* wilde, alleen niet zoals links die slogan bedoeld had, namelijk een 'Scandinavisch' model van integriteit en socialisme met een menselijk gezicht, maar in de meest letterlijke zin van het begrip: een land als zoveel andere – niet beter, niet slechter.

Daar hadden ze voor gekozen en dat hadden ze gekregen, waarna de *sinistri* slechts nog konden huilen boven hun pasta- en bonensoep van ingrediënten die waren geteeld volgens de hoogste principes van de biologische landbouw, en zichzelf te gronde richten met hun gekibbel over wiens schuld het was dat alles fout was gegaan. Niet voor het eerst dacht Zen na over de ironie van het feit dat degenen die expliciet hadden verklaard dat de geschiedenis het laatste hof van beroep was, zo onwillig waren om de vonnissen daarvan te aanvaarden.

De droge tikken van de staande klok combineerden in een gesyncopeerd patroon met twee stel voetstappen. Marta, de kleine, zorgelijk uitziende vrouw die Zen bij zijn komst had begroet, begaf zich achter de bar en begon glazen te sorteren. Naldo, nog steeds met hetzelfde stuurse smoelwerk, ging terug naar de tafel. Zen voelde opeens een overweldigend verlangen om ervandoor te gaan, en snel ook. Als het om ondervragingen ging was zijn vuistregel eenvoudig: als je datgene kunt ontdekken waar iemand zichzelf om veracht, wat natuurlijk iets heel anders kan zijn dan hetgeen waar anderen die persoon om verachten, dan heb je hem te pakken. Maar hoe hij ook zijn best had gedaan, hij was er niet in geslaagd om deze cruciale sleutel bij Naldo Ferrero te vinden, en hij had hier niets meer te zoeken. Hij stond op en drukte zijn sigaret op de vloer uit.

'Ik zal uw moeder moeten spreken, signor Ferrero.'

'Dat kan niet.'

Zen zuchtte. Wat zou hij die praatjesmaker graag hebben meegenomen naar het politiebureau in Pesaro om hem bloed te laten zweten!

'Ik kan haar gegevens natuurlijk opvragen bij mijn collega's in Verona, maar ik dacht dat u me misschien de tijd en moeite zou willen besparen. Het maakt niet uit. Het resultaat zal uiteindelijk hetzelfde zijn.'

'U kunt uzelf de tijd en moeite besparen. Mijn moeder is naar Zwitserland gegaan.'

Zen was oprecht verbaasd.

'Als ze uitgerekend op dit moment het land verlaat, maakt dat uw versie van haar rol in deze affaire op z'n zachtst gezegd nogal twijfelachtig,' merkte hij koel op.

'Het heeft er helemaal niets mee te maken! Ze gaat rond deze tijd van het jaar altijd naar Lugano. De volgende keer dat ze belt, ga ik haar zeggen dat ze daar voorlopig moet blijven. Of ze nou dertig jaar geleden wel of geen verhouding met iemand heeft gehad is niet relevant voor de identiteit en de doodsoorzaak van het lichaam dat is gevonden. Daar weet ze niets van en ik sta niet toe dat u haar terroriseert zoals u mij hebt geprobeerd te terroriseren!'

Hij stond daar, licht zwaaiend op de bal van zijn voeten, alsof hij een klap verwachtte en er volledig op voorbereid was om terug te slaan. Zen negeerde hem, pakte zijn mobiel en belde de taxichauffeur, die naar een plaatsje in de buurt was gereden nadat hij hem bij het restaurant had afgezet. De man zei dat hij er over een kwartier zou zijn. Zen stopte zijn telefoon weg en liep naar de deur.

'Wilt u misschien iets drinken terwijl u wacht?' vroeg de vrouw achter de bar terwijl hij langskwam. Ze had een klein lijf maar grote borsten, met een beminnelijk air van hoogblozende sensualiteit, die absoluut een verwoestend effect moet hebben gehad op de rangen van een PCI-*sezione* in een klein stadje zo'n tien jaar geleden. Nu zag ze er wijzer en bedroefder uit, en afgemat op een manier die verder ging dan pure fysieke of geestelijke uitputting.

'Het espressoapparaat staat doordeweeks uit, en het duurt uren voordat dat is opgewarmd, maar we hebben bier of...'

Zen kreeg het gevoel dat ze Naldo's eerdere agressieve gedrag probeerde te compenseren, uit beleefdheid en bezorgdheid om de mogelijke consequenties.

'Hebt u ook grappa?' vroeg Zen.

De vrouw sloeg voor het eerst haar ogen op.

'We hebben een lokale soort, met de hand gemaakt in beperkte partijen in kleine koperen vaten...'

'Die wil ik met genoegen eens proberen,' antwoordde Zen met een warme glimlach. 'Maar alleen op voorwaarde dat u met me meedoet.'

De vrouw kreeg weer een zorgelijke blik.

'O, ik weet het niet. Er is nog zoveel te doen.'

'Wat dan?'

'Nou, de varkens moeten nog gevoerd worden. Dat had ik eerder willen doen, maar toen ging de waterpomp kapot en...'

'Daar zal signor Ferrero allemaal wel voor zorgen. Gezien de onberispelijke staat van dienst op andere gebieden, zullen in deze gelegenheid wel gelijke rechten voor mannen en vrouwen gelden.'

Hij wendde zich tot Naldo, die nog steeds op dezelfde plek stond, ogenschijnlijk verstrikt in een langdurige, onoplosbare strijd die al zijn tijd en energie vergde.

'Dit is uw kans om de genoegens van het loodgieterswerk en de varkenshouderij uit de eerste hand te ervaren,' zei Zen tegen hem. 'Ik weet zeker dat we erop kunnen rekenen dat u zo'n kans op persoonlijke verrijking, die zich misschien nooit meer zal voordoen, niet zult laten lopen.'

Naldo richtte zich woedend tot de vrouw.

'Hoor je wel wat hij allemaal tegen me zegt, Marta?'

'Het was maar een grapje!'

Zen kreeg het gevoel dat dit een tekst was die al zo vaak was gebruikt dat die versleten was. Hij besefte ook alsnog waar Naldo zichzelf om verachtte: zijn afhankelijkheid, zijn gebrek aan doortastende viriliteit, zijn *mammismo*.

'En bovendien,' ging ze verder, 'zou het geen kwaad kunnen als je wat lichaamsbeweging kreeg. Ik heb je al zo vaak gezegd dat lichamelijke arbeid de aanmaak van endorfinen activeert en helpt tegen je depressie.'

Naldo liep met een gezicht als een donderwolk naar buiten naar de achterkant van het gebouw en liet Zen achter met het vreemde gevoel dat hij zojuist een of ander punt had gescoord, ook al had hij niet gespeeld om te winnen.

Zonder zich te haasten schonk Marta een glas heldere sterkedrank en een glas wijn in en zette die allebei op de bar.

'Salute,' zei ze. Ik drink zelf geen sterkedrank, maar ik heb me laten vertellen dat deze goed is.'

Zen rook aan het glas en nam toen een flinke slok. Het was inderdaad een zeer goede poging voor een gebied dat geen traditie kende wat grappa betreft, hoewel er net dat laatste beetje raffinement aan ontbrak dat stokers in zijn geboortestreek Veneto wel wisten te bereiken.

'Uitstekend,' zei hij, terwijl hij zijn sigaretten pakte en er een aanbood aan Marta, die haar hoofd schudde.

'Waarom zit de politie nou achter Naldo aan?' vroeg ze.

'We zitten niet achter hem aan. Ik probeer hem te helpen bij het opsporen en identificeren van het lijk van zijn vader, dat is alles.'

Hij keek haar even aan.

'Heeft hij ooit met u over dat aspect van zijn leven gepraat?'

Toen ze niet meteen antwoordde, wierp hij zijn handen in de lucht.

'Sorry! U biedt me een drankje aan en voor u het weet onderwerp ik u aan een kruisverhoor.'

'Dat is het niet. Ik weet gewoon niet zeker wat u wilt weten of wat gepast zou zijn om u te vertellen zonder het aan Naldo te vragen.'

Zen knikte ten teken dat hij de situatie begreep.

'Ik zal u zeggen wat hij mij heeft verteld,' zei hij. 'Het komt erop neer dat hij zei dat zijn moeder beweert dertig jaar geleden een verhouding te hebben gehad met ene Leonardo Ferrero. Die man is gestorven kort nadat ze zwanger was geraakt. Claudia maakte haar man wijs dat het kind van hem was. Hij heeft de waarheid kennelijk nooit vermoed. Later, na zijn dood, heeft ze dit allemaal aan haar zoon verteld, die de achternaam van haar minnaar heeft aangenomen op verzoek van zijn moeder. En nu stelt ze dat dit onbekende lijk dat is opgedoken dat van haar minnaar is.'

'Dat is zo'n beetje alles wat hij mij heeft verteld, behalve dan dat die Leonardo in het leger zat. Dat is het enige dat hij weet.'

Ze dronk haar glas wijn leeg en schonk voor hen beiden nog een tweede drankje in.

'Maar u weet meer,' zei Zen terwijl hij haar aandachtig aankeek.

Marta nam de tijd voor haar antwoord, maar het was een stilte waarmee ze zich op haar gemak voelde en waarin ze rustig uitdacht wat ze wilde zeggen.

'Door de manier waarop ik ben opgegroeid vind ik het moeilijk om de politie te vertrouwen. Er was zoveel wreedheid en bedrog... Maar ik vertrouw u toch. U hebt een heel positieve aura.'

Aurelio Zen had in de loop van de tijd heel wat complimenten gekregen, maar dit was nieuw. Had het iets te maken met een van die proefflesjes van nieuwe aftershaveproducten waarmee Gemma thuiskwam na haar besprekingen met vertegenwoordigers?

'Ik hoorde erover van een van de oprichters van dit project, een van de oorspronkelijke Turijnse activisten,' zei Marta. 'Later besloot hij dat ons werk hier contrarevolutionair was en ging hij naar Mexico in een poging om de indiaanse rebellen te organiseren. Maar goed, in de vergadering die we belegden om Naldo's toetreding tot het collectief te bespreken, was Piero er sterk tegen. Naldo noemde zich toen al Ferrero en hij had tegen iemand gezegd dat zijn vader Leonardo heette. Dat kreeg Piero te horen, die meteen achterdochtig werd. Volgens hem was Leonardo Ferrero betrokken geweest bij een militair complot van de fascisten om de regering omver te werpen. Hij had details hierover onthuld aan een journalist en was kort daarna omgekomen bij een explosie in de lucht die nooit behoorlijk was onderzocht. Piero beweerde dat de hele zaak nep was. De onthullingen die Ferrero aan de journalist deed bevatten geen substantiële informatie, terwijl hijzelf niet in het vliegtuig zat dat ontplofte. De uitgelekte hints over de samenzweringen dienden om links in verwarring te brengen of te provoceren, terwijl het vermeende lot van Ferrero eventuele echte verraders in de organisatie angst aan zou jagen.'

'Maar wat had dat allemaal met Naldo te maken? Hij lijkt me nou toch niet iemand van wie je ook maar zou kunnen vermoeden dat hij een erg competente samenzweerder was.'

Marta lachte.

'Dat dacht de rest van ons ook, en Piero's voorstel werd weggestemd. Ik denk eerlijk gezegd dat hij zich vanaf dat moment van het project begon te distantiëren. Hij was gewend om zijn zin te krijgen in een streng gedisciplineerd en hiërarchisch partijapparaat. We gebruikten nog steeds het taaltje en hielden de schijn op, maar we waren in feite een hippiecommune. Hij vond ons een stelletje amateurs.'

En kwam buiten een auto aangereden, waarvan de koplampen door de ramen schenen. De claxon loeide drie keer.

'Wie was de journalist met wie Leonardo Ferrero zou hebben gesproken?' vroeg Zen terwijl hij zijn sigaret uitdrukte.

'Dat ben ik vergeten. Maar hij was kennelijk een bekende naam in de jaren zeventig. Alom gerespecteerd door links en alom gehaat door rechts. Hij werkte veel voor *l'Unità*, zei Piero. Brandoni? Brandini? Piero had hem natuurlijk gekend. Iedereen kende iedereen in die tijd. Het was een partij en een party tegelijk. Dat was voor de helft het aantrekkelijke ervan, iets wat iedereen nu geneigd is te vergeten.'

'Heeft iemand dit ooit tegen Naldo gezegd?'

'Natuurlijk niet! De enige vraag was of zijn aansluiting bij ons op de een of andere manier problemen zou veroorzaken. Toen er eenmaal een collectief besluit was genomen dat dat niet het geval was, lieten we de zaak rusten.'

'En hij is zelf nooit over de kwestie begonnen?'

'Ik twijfel ten zeerste of hij er zelfs van af weet.'

Zen knikte.

'Of dat het hem iets kan schelen. Hij leek er bepaald niet veel interesse in te hebben om met mij samen te werken.'

'*Naldo è quello che è.* Het is misschien wel niet mogelijk om hem te helpen, al zou ik graag willen dat ik dat kon. Maar sommige mensen zouden een reddingsboei weigeren als je hun die toegooide. Ze zouden liever verdrinken dan iets aan iemand verschuldigd zijn.'

De claxon klonk weer. Zen liep naar het raam en zwaaide.

'Ik ben hier altijd geweest sinds hij erbij kwam,' ging Marta op dezelfde kalme toon verder. 'We hebben zelfs nog even iets met elkaar gehad. Maar ik weet eigenlijk helemaal niks van hem. Ik denk dat hij dat zelf ook niet weet. Kinderen die opgroeien zonder de ouder van hun eigen sekse hebben dat vaak, denk ik. Je moet gekend worden om te kennen, en als je jezelf niet kent, is het moeilijk voor anderen om je te kennen. Zit daar iets in?'

Zen sloeg zijn jas om zich heen.

'Goed, hartelijk dank, signora. Hoeveel krijgt u voor de grappa?'

Marta haalde afwerend haar schouders op en liep met hem naar de deur.

'Ik ben blij dat het u gesmaakt heeft. U moet nog eens terugkomen als het restaurant open is. Het kan heel levendig zijn in het seizoen.'

De toon waarop ze het zei weersprak haar woorden.

'Dat zal ik proberen,' loog Zen.

Op ruime afstand van de voordeur werd hij door de kracht van de wind bijna omvergeblazen. Hij klom in de wachtende taxi, die onmiddellijk in een cirkel ronddraaide en de zandweg op reed. Toen hij omkeek zag hij Marta nog steeds in de deuropening staan.

'Lekker gegeten?' vroeg de chauffeur.

'Ze waren gesloten.'

'Dat verbaast me niets. Als je bij je volle verstand bent, rijd je toch niet helemaal naar deze uithoek? Maar dat kun je die yuppen uit het noorden niet aan het verstand brengen. Ze komen hier omdat ze op zoek zijn naar het eenvoudige leven en authentieke waarden. Daar zou ik ze wel het een en ander over kunnen vertellen! Mijn vader heeft in deze omgeving geboerd. Niet als deelpachter – het land was van ons. Natuurlijk moesten alle kinderen ook meehelpen, maar na zijn dood hebben we het meteen verkocht. *Un lavoro massacrante, dottore.* Slopende arbeid, uur na uur, dag na dag. Al die nieuwkomers zijn op zich beste mensen, maar ze hebben eerlijk gezegd niet meer hersens dan God de kippen heeft gegeven. *Finti contadini*, dat zijn het. Het is allemaal nep. De mensen die hier echt vandaan komen stoppen ermee zodra ze maar de kans krijgen. Sommige van mijn vrienden hebben zich zelfs vrijwillig opgegeven voor de carabinieri of het leger, om hier weg te komen. Als tieners gingen we vaak op een zaterdagavond in de zomer naar zee om wat lol te maken. Alle meisjes lachten ons uit om onze boerenhuid, met alleen bruine armen, nek en knieën. Maar we waren de hele dag buiten in de zon aan het werk! Let wel, dat was voor de tijd dat je kanker kreeg van zonlicht.'

Hij zweeg even toen ze de splitsing met de verharde weg naderden.

'Hebt u een hotel geboekt, dottore?'

'Nee, ik...'

'Ik kan een heel goed hotel aanbevelen. Modern, schoon, rustig en zeer voordelig, vlak bij de...'

'Stoppen er ook nachttreinen in Pesaro?'

Een korte stilte. De man wist het duidelijk niet, maar het was even duidelijk dat hij dat niet zou toegeven.

'Eh...ja. Een paar. Gaat u naar het noorden of het zuiden?'

'Het noorden.'

'Milaan?'

'Zwitserland.'

Een veel langere stilte.

'O, maar in dat geval kunt u beter het vliegtuig vanuit Bologna nemen. Het is nu te laat natuurlijk, maar u kunt prima overnachten in dat hotel waar ik het over had. Het is trouwens van een vriend van me, dus het is geen enkel probleem als u zo laat aankomt, en dan kunt u morgen vroeg in de ochtend fris vertrekken.'

'Nee, ik denk dat ik kijk of er treinen gaan.'

'Maar dat duurt uren, dottore! Misschien zelfs dagen.'

'Dat geeft niet. Ik heb tijd nodig om na te denken.'

XII

IL PARADISO È ALL'OMBRA DELLE SPADE. Ja, dacht hij. 'Het paradijs ligt in de schaduw van de zwaarden.' Hij moest dit gedenkteken voor de Eerste Wereldoorlog in het hart van dit deel van Rome, de wijk die hij zijn 'dorp' noemde, meer dan twintig jaar lang minstens twee keer per dag gepasseerd zijn, maar de laatste zin van de eenvoudige, aangrijpende inscriptie ontroerde hem altijd weer.

De zon was reeds gezakt tot onder de rij daken in het westen, die schaduwen wierpen die over de brede boulevard reikten. Alberto bewoog zich als een tank voort tussen de groepen middagwinkelaars die even doelloos rondslenterden als de door de wind voortgeblazen bladeren van de lindebomen die langs de stoeprand stonden.

All'Ombra delle Spade. Hij had hier zijn hele leven gewoond, maar wat wisten ze van zulke dingen, deze infantiele volwassenen met hun gewatteerde jassen van acryl en tweekleurige sportschoenen van een duur merk? Hij deed zijn best om ze niet te verachten, hoewel hij wist dat zij hem zouden verachten. Je zou eerder medelijden met hen moeten hebben. Ja, koop kleren die nu helemaal in zijn, de nieuwste mobiele telefoon, de krachtigste motorfiets, de rashond die de laatste mode is. Koop alles, als je kunt! Je wordt er niet gelukkig door, maar het kan je uiteindelijk opleveren wat je het minst wenst maar het hardst nodig hebt: het inzicht dat geluk een illusie is.

Bijna een half miljoen Italianen waren tijdens de Grote Oorlog overgegaan naar die paradijselijke schaduwen en nog eens een miljoen waren voor het leven verminkt, maar het land was er snel bovenop gekomen. Nu waren de Italianen evenwel aan het uitsterven. Het geboortecijfer behoorde tot de laagste ter wereld en de prognose was dat de bevolking de komende vijftig jaar met eenderde zou verminderen. Dat betekende het einde van de familieverbanden die de natie eeuwenlang bijeen hadden gehouden. En als je naar die verwende snotneuzen keek die het eindresultaat waren van dit genetische experiment in zelfopoffering, kon je moeilijk staande houden dat dit een geval van *pochi ma buoni* was. Het was alsof de Italianen collectief de wil om te leven waren kwijtgeraakt. De enige reden dat de bevolkingsgrootte tot nog toe praktisch stabiel was gebleven, was de continue instroom van illegale immigranten, die natuurlijk fokten als konijnen. Italië had in de loop van zijn lange en rijkgeschakeerde geschiedenis talloze invasies meegemaakt, maar nooit eerder was het land voor zijn voortbestaan afhankelijk geweest van de vruchtbaarheid van de indringers. De ultieme invasie, de ultieme nederlaag.

Maar dat zou allemaal nog tientallen jaren duren, als hij dood en begraven zou zijn. Ondertussen had hij een tevreden gevoel over zichzelf. Hij had zijn plicht gedaan en meer kon een mens niet doen. Er waren zelfs nog steeds een paar genoegens in zijn leven, zoals een lunch. Alberto's tong verkende zijn grote achterste kiezen, worstelend met een plukje varkensvlees dat in een spleetje was blijven steken. Het was goed eten bij Da Dante. Solide, rijk Romeins voedsel, in een solide, rijk Romeins etablissement in de Via dei Gracchi, in het hart van het solide, rijke Romeinse Prati. Prettig publiek ook, het juiste soort mensen, hoewel de meesten van hen tegenwoordig niet wisten wie de gebroeders Gracchus waren. Ze konden de namen noemen van honderd personages uit recente films en tv-programma's, maar ze hadden geen flauw benul van de gebroeders Gracchus, vooral de jongeren niet. De helft kon zich 1975 niet eens herinneren, laat staan 175 v.Chr. Een paar dooie knakkers, lekker belangrijk. De arrogantie van jonge mensen.

Hij wist wel wie de gebroeders Gracchus waren geweest. Dienaren van het Latijnse volk die opkwamen voor hun rechten tegen de corrupte en indolente landeigenaren die zichzelf verrijkt hadden met oorlogsbuit, terwijl de soldaten die in deze oorlogen hadden gestreden te arm waren om hun gezinnen te onderhouden. Ja, de gebroeders Gracchus hadden de wet overtreden, maar alleen om een hogere wet te verdedigen, en een nobeler concept van het historische belang van hun stad en land. Ze hadden grif hun eigen belangen opgeofferd, en zelfs hun levens, voor het hogere belang van de gemeenschap en de natie als geheel. En dat was precies waarnaar hij ook altijd had gestreefd. Om op te komen voor het hogere belang van de mensen op lange termijn. Niets voor zichzelf. Niemand zou hem dat ook kunnen verwijten. En waar er wetten waren overtreden, was dit altijd en uitsluitend gedaan om een belangrijker wet intact te houden.

Een van zijn drie mobiele telefoons ging over. De gecodeerde lijn.

'Pronto.'

'Met Cazzola, capo.'

'Wacht even.'

Alberto liep tot het eind van het huizenblok en sloeg toen rechts af een rustige zijstraat in.

'Ja?'

'Ik ben bang dat we het contact kwijt zijn.'

'Wát?'

'Het doelwit zei gisteren tegen zijn vriendin dat hij naar Venetië moest om met de familieadvocaat een paar problemen te bespreken over het testament van zijn moeder.'

'Dat klinkt aannemelijk. Zijn familie komt uit Venetië en zijn moeder is onlangs gestorven.'

'Maar hij zei ook tegen haar dat de politie hem naar Padua stuurde om te rapporteren over de status van een lopend moordonderzoek. Ik heb het nagevraagd bij onze vrienden in Padua. Er zijn daar geen moordzaken waaraan wordt gewerkt.'

Alberto loosde een retorische zucht.

'Geweldig. Dus hij heeft door dat het appartement afgeluisterd wordt en gebruikt de apparatuur om een hoop leugens aan ons op te dissen.'

'Of het is een smoes die hij tegen zijn vriendin gebruikt zodat hij ergens zijn maîtresse kan opzoeken.'

'Hij heeft geen maîtresse.'

'O.'

'Gefeliciteerd, Cazzola. Dit is een zware tegenvaller. Nu zijn niet alleen de microfoontjes en de afgetapte telefoon zinloos, maar is hij ook op de hoogte van het belang van de operatie.'

'Het is niet mijn fout, capo! Ik zweer dat ik alles volgens het boekje heb gedaan.'

'Okay, okay. Het heeft geen zin ons daar nu druk over te maken. Je bent hem kwijt. Wanneer en hoe?'

'Nou, die vriendin was jarig en ze gingen lunchen in een restaurant ergens buiten de stad. Voordat ze weggingen vroeg hij haar om hem af te zetten bij het station in Lucca als ze terugkwamen, dus ik wachtte daar.'

'Maar in plaats daarvan bracht ze hem naar een onbekende bestemming.'

'Nee nee, ze kwamen naar het station en ik hoorde hem een kaartje naar Florence bestellen. Bij het afluisteren had ik hem al tegen zijn vriendin horen zeggen dat hij daar zou overstappen op de Eurostar naar Venetië.'

'Hou het een beetje kort, Cazzola! Ik heb over een kwartier een belangrijke afspraak.'

'Nou, ik volgde hem natuurlijk en ging in de volgende wagon zitten, om te voorkomen dat hij me later zou herkennen, terwijl ik door de tussendeur wel goed zicht had op het doelwit. Allemaal volgens het boekje.'

Een aarzeling.

'Maar toen de trein in Santa Maria Novella aankwam, zat hij er niet meer in,' merkte Alberto vermoeid op.

'Nee. Hij stond op om te gaan roken toen de trein op het station van Pistoia stond en kwam niet terug op zijn plek. Ik nam aan dat hij ergens anders was gaan zitten, in het deel van de wagon dat ik niet kon zien vanaf de plaats waar ik zat. Ik nam de volgende trein terug naar Pistoia, maar daar was hij ook niet te bekennen.'

Alberto keek op zijn horloge. Er was geen tijd om boos te worden en het had ook geen zin.

'Maak je geen zorgen, Cazzola. Vroeg of laat duikt hij wel weer op. Ga ondertussen verder met de andere dingen die we besproken hebben. Ga eerst maar op bezoek bij de zus van Passarini. De gewone procedure. Wie weet loop je daar zelfs ons verdwenen doelwit wel tegen het lijf. Ik heb zo'n gevoel dat onze wegen samenkomen. Als dat zo is, moet je ervoor zorgen dat je daar het eerst bent.'

Hij klapte de telefoon dicht, ging terug naar de boulevard en zette er stevig de pas in. Dat het zover moest komen, dacht hij. Hier was hij dan, een oude man in een hem steeds vreemder land die voor de grootste crisis van zijn carrière stond en afhankelijk was van een uilskuiken waar je nog geen kogel aan zou willen verspillen als het erop aankwam. Maar er was geen sprake van dat hij de goede mensen kon gebruiken, behalve dan voor het vergaren van informatie en voor logistieke steun. Voor het vuile werk moest hij het stellen met zichzelf en de trouwe maar incompetente Cazzola.

Zonde dat hij die Aurelio Zen niet aan zijn kant had staan. Hij had de man direct nageplozen in de database toen die kolonel van de carabinieri in Bolzano rapport had uitgebracht over Zens betrokkenheid bij de zaak. Hij leek een goede kracht. Iets jonger dan hij, maar in wezen van dezelfde generatie, het soort dat het begreep. Na '68 waren die niet meer gemaakt. Hij stond erom bekend dat hij zijn eigen gang ging en afwijkende methoden toepaste, maar daar was niks mis mee zolang het maar een goede zaak diende. Voor zover bekend geen politieke banden. Er was wat opschudding geweest toen een zekere agent Lessi probeerde te suggereren dat Zen iets te maken had gehad met de dood van een van zijn collega's op Sicilië, maar dat was met een sisser afgelopen. Naar verluidt had men Lessi altijd een beetje als een ongeleid projectiel beschouwd en was hij uit het zicht verdwenen nadat hij met gedwongen pensioen was gestuurd, tot grote opluchting van iedereen.

Maar goed, Zen deed er niet echt heel veel toe, herinnerde Alberto zichzelf. De sleutel in de hele affaire bleef Gabriele Passarini, naast hem het enige overgebleven lid van de oorspronkelijke Medusa-cel. Als hij eenmaal was afgehandeld, mocht de politie zoveel rondsnuffelen en uitvlooien als ze wilden. Hij zou zich dan terugtrekken in zijn huis hier in Prati, de luiken dichtdoen, het nieuws negeren en er zijn gemak van nemen, wetend dat hij zijn werk goed had gedaan en zijn leven goed had besteed.

Hij richtte zijn gedachten op zijn komende bespreking met een paar mensen van het ministerie van Defensie die hadden gevraagd, in bewoordingen die neerkwamen op een bevel, 'om de situatie op te helderen'. Met andere woorden, om te zorgen dat hun straatje was schoongeveegd als er iets mis zou gaan. Alberto had het niet raadzaam gevonden om te weigeren, maar had veiligheidsredenen aangevoerd om de ontmoeting niet te laten plaatsvinden op het ministerie zelf maar op Forte Boccea, het hoofdkantoor van de militaire inlichtingendienst.

Zij hadden op hun beurt dat alternatief afgewezen, omdat ze Alberto natuurlijk niet het thuisvoordeel gunden, net zomin als hij uit had willen spelen op hun terrein. Het resultaat was een compromis geweest in de vorm van een grotendeels ongebruikte kazerne annex trainingskamp in het hart van Prati, op een paar minuten van Alberto's huis. De omweg vanaf het restaurant waar hij de lunch had gebruikt had er tien minuten aan toegevoegd en het gesprek met Cazzola nog eens vijf, maar hij kon toch nog precies op tijd zijn.

Hij had uitvoerig zijn gedachten laten gaan over de vergadering en gedelibereerd over de vraag of hij al dan niet zijn uniform moest aantrekken. Uiteindelijk had hij besloten het niet te doen, met het argument dat een openlijke demonstratie van zijn status en gezag niet zou opwegen tegen de suggestie dat dit puur een militaire zaak was. Deze mannen zouden ofwel hoge ambtenaren zijn, ofwel aanstormende politici. In beide gevallen stelden ze zich ten doel om hogerop te komen in een politieke hiërarchie waar een militaire rang niets voorstelde. Zij zouden een pak dragen en dus droeg hij ook een pak.

Hij had zich ook lang beziggehouden met overwegen wat hij ze precies moest vertellen. Het was bijna onmogelijk om dit van tevoren te besluiten, omdat hij niet zeker kon weten hoeveel ze al wisten en in welke mate ze bereid zouden zijn hem de vrije hand te geven, als ze zich daarmee afzijdig konden houden van de hele affaire. Uiteindelijk had hij een menu met keuzemogelijkheden opgesteld waarvan hij hoopte dat het in de meeste eventualiteiten zou voorzien, maar dan moest hij nog wel ter plekke en zonder opvallende aarzelingen zijn reacties kiezen en volbrengen. Deze mensen mochten dan wel burgers zijn, maar het zou een vergissing zijn om aan te nemen dat het om die reden noodzakelijkerwijs stomkoppen waren.

De stadsvilla's rechts van hem hadden plaats gemaakt voor een stuk blinde muur met hoekig prikkeldraad op de bovenrand en met bordjes waarop ZONA MILITARE stond. Even later bereikte Alberto de ingang, liet zijn legitimatie zien aan de wachtpost bij de poort en beantwoordde vriendelijk zijn respectvolle militaire groet. De zaken waren onherkenbaar veranderd sinds de regering de dienstplicht had afgeschaft. Nu bestond de aanwas uit jonge mannen die persoonlijk waren geselecteerd vanwege hun militaire kwaliteiten, in plaats van een zootje wrokkig tuig dat was veroordeeld tot het treurige vooruitzicht van twee jaar onderworpenheid, de prijs die betaald moest worden om het leger democratisch te houden en het land te vrijwaren voor een mogelijke gewapende staatsgreep.

'Uw gasten zijn er al, kolonel,' zei de wachtpost, en hij wees naar een zwarte limousine die aan de andere kant van het binnenplein geparkeerd stond, waar een verveeld ogende chauffeur met een pet en een donkere bril tegen de rechtervoorvleugel leunde, een sigaret rokend en verdiept in een krant.

'Wanneer zijn ze aangekomen?'

'Zo'n tien minuten geleden. Ze zijn naar het vroegere kantoor van de plaatsvervangend commandant in de B-vleugel gebracht.'

Alberto keek op zijn horloge. Ze waren te vroeg gekomen, verdomme, in een poging een punt te scoren voordat de bespreking zelfs maar begonnen was. Nou, als ze stomme machtsspelletjes wilden spelen, had hij nog wel een paar trucjes achter de hand.

'Is de kolonel al terug van zijn lunch?' vroeg hij de wachtpost.

'Nog niet, kolonel.'

'Bel de eerste luitenant van dienst en zeg hem dat hij direct naar het kantoor van de commandant moet komen.'

'Tot uw orders, kolonel.'

Alberto stak het plein recht over, ging door een deur in de zuilengang die naar het exercitieterrein leidde en liep twee stenen trappen op. Hij keek steels door de gang bovenaan, liep toen naar rechts en ging de eerste deur binnen die hij tegenkwam.

Het was geen grootse kamer, maar hij wekte een bewoonde en zakelijke indruk. Er lagen papieren en dossiers op het bureau en er hingen grote kaarten en ingelijste certificaten van militaire onderscheidingen aan de muren. Het mooiste van alles was dat Alberto de man kende die in naam het commando voerde over dit zieltogende complex, omdat hij van tijd tot tijd was langsgekomen als hij nostalgische gevoelens over het verleden had. Hij wist ook dat de lunch van de kolonel steevast gevolgd werd door een siësta van twee uur in zijn privévertrekken aan de overzijde van het exercitieterrein.

De deur achter hem ging open. Het was de luitenant van dienst. Alberto gaf hem zijn instructies en ging toen achter het bureau zitten. De stoel was een ouderwets draaigeval van zeer donker eikenhout. Hij verstelde de hoogte van de stoel totdat zijn schoenen nauwelijks de grond raakten, pakte een pen en vel papier uit het bakje met schrijfbenodigdheden en begon zomaar wat te schrijven toen de deur opnieuw openging.

'Ah, daar zijn jullie!' merkte Alberto wellevend op terwijl de drie mannen, begeleid door de jonge officier, naar binnen stapten. 'Ik begon me al af te vragen waar jullie gebleven waren. Neem plaats. Luitenant, haal er nog een stoel bij.'

'Dat is niet nodig,' snauwde een van de ambtenaren van het ministerie. 'Ik blijf liever staan. Ik heb al bijna een kwartier in de kamer hiernaast gezeten!'

Alberto straalde gepaste bezorgdheid uit.

'Werkelijk? Mijn verontschuldigingen. U moet naar de verkeerde kamer gebracht zijn.'

De drie nieuwkomers keken onzeker naar elkaar terwijl de luitenant salueerde en wegging. Degene die gesproken had, dirigeerde de andere twee met een ongeduldig gebaar naar de stoelen aan hun kant van het enorme bureau. Hij was halverwege de dertig, prikkelbaar en drammerig, en deed geen moeite zijn afkeer te verbergen over de wijze van ontvangst die hem en zijn medewerkers ten deel was gevallen.

'Ik ben Francesco Belardinelli, de eerste privésecretaris van de onderminister,' deelde hij Alberto mede. 'U weet wat we hier te bespreken hebben. Er schijnt een aanzienlijk verschil te bestaan tussen onze kijk op de precieze feiten die zich hebben voorgedaan. Weest u zo goed ons het hele verhaal in uw eigen woorden te vertellen. Maar hou het wel kort. Ik heb maar een uur en dankzij deze vergissing hebben we daar al een kwartier van verspild.'

De jongste van de twee medewerkers schakelde een kleine taperecorder in, zette die op het bureau, pakte daarna een notitieblok en ging met de pen in de aanslag zitten. Zijn oudere collega verroerde geen vin en bestudeerde het plafond, als een aannemer die kijkt of het vochtplekken vertoont. De secretaris en de spindoctor, dacht Alberto. Hij voelde zich als een schooljongen die naar de hoofdmeester was meegesleurd om uit te leggen hoe het kwam dat het raam van het huis van die oude mevrouw op de hoek gebroken was. Gelukkig had hij zijn antwoord paraat.

'Ik vrees dat ik niet aan uw wensen kan voldoen,' zei hij.
Francesco Belardinelli keek hem met een withete ijzigheid aan.

'Wat heeft dat te betekenen?'

'Met deze affaire zijn nationale veiligheidskwesties die uiterst gevoelig liggen gemoeid,' antwoordde Alberto effen. 'Binnen het kader van mijn opdracht ben ik alleen gemachtigd om de volledige feiten rechtstreeks aan de minister te openbaren.'

'Ik ben een vertegenwoordiger van de minister,' bitste Belardinelli terug.

'Dat is de chauffeur die u hier gebracht heeft ook.'

'Hoe durft u?' schreeuwde de ander, nu openlijk woedend.

Alberto spreidde in een verzoenend gebaar zijn handen uit.

'Het is een kwestie van veiligheidsstatus, dottore. Het eerste dat ik gedaan heb toen de afspraak voor deze bespreking was gemaakt, was de uwe natrekken. Tot mijn spijt is de classificatie daarvan niet hoog genoeg om mij alle feiten uit de doeken te laten doen. Ik ben echter ten zeerste bereid om uw eventuele vragen te beantwoorden, voor zover de antwoorden niet in strijd zijn met de beperkingen die ik zojuist heb genoemd.'

'Dit is een grove onbeschaamdheid, Guerrazzi! Jullie van de SISMI dienen te rapporteren aan het ministerie.'

'Ik hoef alleen te rapporteren aan mijn directe meerderen, aan de minister van Defensie in eigen persoon en natuurlijk aan de minister-president en de president van de republiek als zij daarom vragen. Niet aan eerste privésecretarissen met een veiligheidsstatus B3.'

Belardinelli stootte theatraal met zijn rechtervuist tegen de palm van zijn linkerhand.

'Juist! Dus deze bespreking is één grote farce en pure tijdsverspilling.'

Hij wendde zich tot de twee anderen.

'We gaan.'

Alberto kwam overeind.

'Wacht even, dottore! We kunnen vast wel een compromis bedenken dat aan uw wensen voldoet zonder dat we de veiligheid op het spel zetten. Mag ik om te beginnen vragen waarom deze affaire eigenlijk zo sterk de belangstelling van het ministerie wekt? Het is echt niet meer dan een dubieus geheimpje van dertig jaar geleden, van geen enkel belang voor de huidige tijd, behalve dan dat openbaarmaking ervan de strijdkrachten in grote verlegenheid zou brengen, wat zou leiden tot vernietigende kritiek en flinke klappen voor het moreel. Er worden stappen ondernomen om ervoor te zorgen dat dit niet gebeurt en ik twijfel er niet aan dat de hele kwestie over een week of twee vergeten zal zijn. Eerlijk gezegd zou u er veel beter aan doen om de zaak aan de beroepskrachten over te laten en elke vorm van betrokkenheid te vermijden.'

Belardinelli keek hem vanaf de andere kant van de kamer aan.

'Ik begrijp dat het voor u lastig moet zijn om de kwestie in een wat breder perspectief te beschouwen, *colonnello*, opgesloten als u zit in uw geheime wereldje van codeboeken, vertrouwelijke dossiers en veiligheidsstatussen, maar zelfs u moet zich er toch van bewust zijn dat er een reorganisatie van het kabinet op stapel staat. Als dat verkeerd gaat, trekken zich misschien een of meer coalitiepartijen terug en komt de regering ten val. Onze rivalen bij het ministerie van Binnenlandse Zaken hebben hun eigen onderzoek al gestart...'

Alberto knikte. 'Een politieman die Aurelio Zen heet.'

'Bravo. Ik ben blij om te horen dat u in elk geval efficiënt bent. Niettemin is het duidelijk dat er hier sprake is van een geheim. U hebt geweigerd om de precieze aard daarvan te openbaren, maar u geeft toe dat het bestaat. Als die Zen erin slaagt om het te ontrafelen en het kletsverhaal dat we hebben verspreid over een ongeluk met zenuwgas tijdens een oefening als een leugen wordt ontmaskerd, dan hebben de mensen bij BiZa een grote slag geslagen. Dat zullen ze natuurlijk ten volle uitbuiten, en het resultaat zou heel goed het lot van de huidige regering kunnen bepalen. Is dat duidelijk genoeg of moet ik het voor u uittekenen?'

Alberto besloot hem deze overwinning te gunnen. Hij knikte nederig en ging weer zitten.

'Ik begrijp en deel uw zorgen volkomen, dottore, maar mag ik u eraan herinneren dat wat u terecht dat kletsverhaal over zenuwgas noemt, niet afkomstig is van de SISMI, maar van bepaalde elementen binnen het leger die wanhopig het feit probeerden te verklaren dat het slachtoffer dat in die tunnel in de Alpen was gevonden volgens eerdere verklaringen was omgekomen bij een explosie aan boord van een militair toestel boven de Adriatische Zee?'

'Dus ze wisten wie hij was?' pareerde Belardinelli.

'Ze wisten wie hij was.'

'Ondanks het feit dat het voor de carabinieri een onbekend lichaam was.'

'Ik heb ze kunnen helpen.'

'En hoe wist u het?'

Alberto zuchtte met een spijtige blik.

'Het antwoord op die vraag zou zo'n inbreuk op de veiligheid betekenen waar ik het eerder over had. Laten we maar zeggen dat ik via diverse kanalen en bronnen waarover mijn afdeling beschikt in staat was om het lichaam vooralsnog te identificeren als dat van een zekere luitenant Leonardo Ferrero.'

'Maar in plaats van deze informatie door te geven aan de carabinieri in Bolzano, beriep u zich op de noodclausule in verband met de nationale veiligheid en gaf u hun opdracht om het lichaam en de bezittingen mee te nemen uit het ziekenhuis en naar Rome over te brengen.'

Alberto haalde zijn schouders op.

'Het was wellicht wat onbezonnen, maar het leek op dat moment de beste handelwijze.'

Belardinelli schudde zijn hoofd van ongeloof.

'Nu ja,' zei hij. 'Dus het lichaam is van een luitenant uit het leger, Ferrero genaamd. Welk regiment?'

'De Alpini.'

'En hoe is hij gestorven?'

Dit was het moment waar Alberto naar toe had gewerkt. Hij stond op en keek de kamer rond, alsof hij bang was te worden afgeluisterd.

'Het was inderdaad het gevolg van een ongelukkig voorval, zij het niet in de tijd of op de manier zoals u is verteld door bronnen bij de strijdkrachten. De werkelijke feiten zijn totaal anders. U moet zich om te beginnen realiseren dat de militaire mores heel anders waren in de tijd waarvan we spreken dan nu het geval is. Bijvoorbeeld...'

'We hebben geen tijd voor een lezing over de militaire geschiedenis, colonnello. Beperkt u zich alstublieft tot de feiten.'

'Goed dan. Het blijkt dat luitenant Ferrero en een aantal collega-onderofficieren deelnamen aan een soort inwijdingsritueel dat in die tijd heel gebruikelijk was. De betrokken personen brachten tijdens hun verlof een weekend of zelfs langer door op de militaire slagvelden waar zoveel leden van hun regiment hun leven hadden gegeven tijdens de Grote Oorlog. Aangezien u me eraan hebt herinnerd dat uw tijd beperkt is, zal ik niet tot in detail ingaan op de verschillende beproevingen die ze moesten ondergaan om "bloedbroeders" te worden van onze roemrijke doden. Het volstaat om te zeggen dat ze buitengewoon zwaar en pijnlijk waren. Helaas moet luitenant Ferrero aan een of andere onbekende lichamelijke aandoening geleden hebben waardoor de inwijdingsrituelen voor hem fataal werden.'

'Waarom meldden degenen die bij hem waren niet gewoon wat er was gebeurd en lieten ze het lichaam toen niet meteen bergen?'

'De anderen hebben na hun terugkeer de tragedie natuurlijk gemeld aan de kolonel die het detachement van het regiment in Verona leidde. Terecht of ten onrechte besloot die de waarheid omtrent Ferrero's dood niet openbaar te maken, aangezien dat zou hebben betekend dat de aard van de verrichte activiteiten dan bekend zou worden. Gezien de instabiele politieke situatie van die tijd vreesde hij dat dit zou worden aangegrepen door linkse propagandisten om het leger nog verder in diskrediet te brengen. Aanvankelijk had hij het idee gehad om het lichaam te bergen en te zeggen dat Ferrero was omgekomen bij een ongeluk tijdens een oefening, maar het geval wilde dat enkele dagen later een militaire vlucht met alle inzittenden boven de Adriatische Zee neerstortte. De kolonel zorgde dat Ferrero's naam werd toegevoegd aan de lijst van vermisten.'

Belardinelli ving de blik op van de oudste medewerker, die nu de muur op scheuren controleerde.

'Hij is goed, hè?'

'Heel goed,' antwoordde de ander.

Het was onmogelijk om te zeggen of dit als compliment bedoeld was.

'En Ferrero's familie?' vroeg Belardinelli aan Alberto.

'Zijn vader is nu dood. Zijn moeder heeft alzheimer in een vergevorderd stadium en zit in een verpleeghuis. Er zijn twee zusters, maar die geloven natuurlijk dat hun broer dertig jaar geleden bij dat vliegtuigongeluk is omgekomen.'

'En waar bevindt het lijk zich momenteel?'

'In het mortuarium van een militair ziekenhuis hier in Rome.'

Alberto maakte een respectvol gebaar.

'Het leek me niet juist om verdere stappen te ondernemen voordat we elkaar hadden gesproken, dottore.'

Belardinelli beende naar het bureau, zette de taperecorder uit en gebaarde zijn twee medewerkers om in beweging te komen.

'Laat het cremeren,' zei hij tegen Alberto. 'Direct. Onder een valse naam. Werk de as zelf weg.'

Bij de deur draaide hij zich nog eens om.

'Die man van de Viminale.'

'Zen?'

'Ja. Als je de kans krijgt, begraaf hem dan ook. Begrijp je?'

Alberto knikte gedienstig. 'Natuurlijk, dottore. Natuurlijk.'

XIII

Nou zeg, dacht Claudia, dit is wel iets nieuws. Iets nieuws was juist hetgeen waarvoor je hiernaar toe kwam, maar toch.

'Zeker,' zei ze. 'Het zal me een groot genoegen zijn.'

De man glimlachte op een hoffelijke, respectvolle manier, maar er was een blik in zijn ogen... Een goeie tien jaar jonger dan ik, dacht ze terwijl hij wegliep in de richting van de trap. Net als Leonardo. Tien jaar betekende toen natuurlijk veel meer. Maar toch.

Claudia draaide zich om en probeerde zich weer met haar spel bezig te houden. Venetiaans, had hij gezegd toen ze naar de naam had gevraagd. *Venessiani gran signori.* Hij leek absoluut alle eigenschappen van een gentleman te hebben, maar het boeiende soort dat precies weet wanneer hij moet ophouden zich als zodanig te gedragen. *Veronesi tuti mati*, eindigde het rijmpje in dialect. De mensen uit Verona hadden de reputatie een beetje gek te zijn en Claudia voelde zich in de stemming om iets geks te doen.

Maar dat was nog een reden waarom je naar het buitenland ging. Campione was strikt gesproken natuurlijk geen buitenland, maar zijn ambigue status maakte het des te fascinerender. De stad was een uitzondering op elke regel, een geval apart. En naderhand nam je de veerboot terug naar Lugano, net voorbij het schiereiland en over het meer, en stapte je uit bij het station op een paar passen van het Grand Hotel Lugubre Magnifique, zoals ze het in gedachten altijd noemde, zo geruststellend Zwitsers, bezadigd en veilig.

Gaetano en zij waren hier in vroeger tijden minstens eens

per jaar geweest, en altijd, net als nu, buiten het seizoen. Ze zou nooit dat gevoel van opwinding en feestelijkheid vergeten, en vooral de manier waarop Gaetano veranderde als ze daar waren, als hij nog vuriger en nerveuzer werd, alsof hij een van de serieuze gokkers was die het casino toen had aangetrokken, mannen die er niet voor terugdeinsden om een miljoen lire – waar veel mensen in die tijd hun hele leven voor moesten werken – met één avond spelen op het spel te zetten.

In werkelijkheid had Gaetano echter maar weinig tijd aan de speeltafels doorgebracht.

'Waarom kom je hier eigenlijk als je niet gaat spelen?' had ze een keer gevraagd.

'Ik breng een bezoek aan mijn bankiers,' had hij met een ontwijkende glimlach geantwoord.

Hij was in Campione geweest voor en tijdens de oorlog, toen het volgens hem een beruchte basis was geweest voor spionage, witwassen van geld en schimmige niet-geaccrediteerde diplomaten op diverse ongeoorloofde missies.

Maar zolang zij en haar echtgenoot een paar keer voor de goede orde samen hun opwachting maakten in de *sala dei giocatori*, was het volkomen in orde geweest dat ze daar zonder hem terugkwam, en haar aanwezigheid werd zonder enig commentaar geaccepteerd door het personeel en de andere spelers. In zekere zin was het net zoiets als de kerkgang. Er waren bepaalde formules waar je je aan moest houden, maar het enige dat er echt toe deed, was dat ze allemaal dezelfde god aanbaden. In dit geval het geld.

Maar het geld was nooit belangrijk geweest voor Claudia. Net zomin als God trouwens. Het was de vrijheid waar ze van hield, de sexy lucht van zweet, risico en spanning. Ze had zichzelf altijd heel strenge beperkingen opgelegd aangaande de bedragen die ze mocht verliezen, en had zich daar ook strikt aan gehouden, zoals ze dat ook had gedaan in haar buitenechtelijke affaires. Er waren regels die niet mochten worden overtreden, hoewel ze met Leonardo de basisregel had overtreden: om nooit iets te beginnen met iemand die

177

tot de sociale kring van jou en je echtgenoot behoorde. Maar Leonardo was ook een geval apart geweest.

Een geratel van munten richtte haar aandacht weer op het spel dat ze de hele tijd mechanisch had gespeeld. Honderd franc, de maximale jackpot! Een goed voorteken, dacht ze terwijl ze een nieuw muntje in de gleuf duwde. Maar toch, de brutaliteit van die Zen om neer te ploffen voor haar machine toen ze even was weggeglipt voor een dringende persoonlijke behoefte. En daarna had hij zich zo charmant verontschuldigd en haar uitgenodigd om later die middag koffie met hem te drinken.

Het was vernederend dat ze zich ertoe moest verlagen om aan de gokautomaten te spelen, maar het zou nog veel vernederender zijn om 's avonds alleen te komen om te spelen in de stille, ruime zalen boven die gereserveerd waren voor de *giochi francesi*, waar de serieuze gokkers zich vanaf tien of elf uur verzamelden. Bovendien was de oude villa waar het casino zich in die tijd had bevonden gesloopt ten behoeve van dit misbaksel van vergane glorie, dat binnenkort ging plaats maken voor het supermoderne Las Vegas-bouwsel dat ze even verderop tegen de steile helling aan het bouwen waren. Alles veranderde. Het ging erom dat je moest proberen het je niet te veel aan te trekken.

Twintig franc verlies nu. Ze rangschikte de symbolen, drukte op Hold voor een paar kolommen en zette toen de raderen in beweging. Wat hád Gaetano eigenlijk gedaan al die keren dat ze hier vele jaren geleden waren gekomen? Zelfs toen, als leeghoofdig pasgetrouwd vrouwtje, had ze gemerkt dat hij altijd een paar lege koffers meenam, die niet meer leeg waren als ze bij Chiasso de grens weer over gingen. Dat was natuurlijk voordat ze de snelweg hadden aangelegd, en ze herinnerde zich het soms eindeloze oponthoud aan de grens maar al te goed.

Gaetano was dan gespannen geweest, zijn lichaam stijf van de stress op de achterbank naast haar, zijn stemming afwezig en bijna boos. Maar de stafauto, zijn passagiers en de geüniformeerde chauffeur waren altijd ongehinderd de douane gepasseerd, zonder vragen en al helemaal zonder dat de auto werd doorzocht. Vaak had Nestore achter het stuur gezeten. Ze had Nestore altijd graag gemogen, op een onschuldig flirterige manier. Hij kwam ook altijd graag in Campione. 'Als ik ooit nog eens rijk word, wil ik hier wonen!' had hij gekscherend gezegd.

Achteraf gezien leek het vreemd dat Nestore of een van de andere officieren uit de 'stal' van haar echtgenoot altijd was uitgenodigd om mee te gaan als chauffeur. In feite was het een beetje vreemd geweest om daar überhaupt heen te gaan, nu ze erover nadacht. Gaetano had haar nooit meegenomen naar een van de steden die ze echt graag wilde bezoeken, zoals Parijs, Wenen of Londen. Altijd en alleen naar Campione, een saai stadje aan een meer waar alles om het gokken draaide. En dat ondanks het feit dat Gaetano niet gokte. Maar daar had ze indertijd niets over gezegd. Jonge echtgenotes doen dat niet. Zolang hij maar gelukkig is. Zolang hij mij er maar niet de schuld van geeft dat hij ongelukkig is. Zolang hij maar niet een oogje heeft op een ander.

Het drong nu tot haar door dat je je heel makkelijk een scenario had kunnen voorstellen waarbij haar man écht een oogje op een ander had gehad en zijn vrouw in het casino in Campione had geparkeerd, met een loopjongen om haar in de gaten te houden, om hem de gelegenheid te geven zijn maîtresse te ontmoeten, misschien wel in dezelfde kamer waarnaar ze vanavond weer terug zou gaan en die ze bij die eerdere bezoeken altijd hadden gedeeld. Maar het was niet overtuigend. Gaetano was twintig jaar ouder geweest dan zij en nadat ze getrouwd waren, was hij al vrij snel niet meer serieus in seks geïnteresseerd geweest.

Anderzijds was hij buitengewoon geïnteresseerd geweest in de inhoud van de gehavende leren koffers die hij mee terug had genomen van die eerste reizen met zijn mooie jonge vrouw, waarvan er een was opengesprongen toen hij struikelde en hem liet vallen op de trap van hun villa – ongeveer net zoals hij zelf later zou vallen – en die een verbijsterende hoeveelheid biljetten van duizend lire bleek te bevatten, in dikke bundels die met elastiek bijeen waren gehouden. Toen ze gevraagd had waar het geld vandaan kwam, had hij haar met een besliste, scherpe stem die hij nooit eerder had gebruikt, gezegd dat dit een zakelijke kwestie was, waarna hij haar had laten zweren nooit tegen iemand over het incident te praten. Alsof ze dat ooit zou doen! Ze was Gaetano ontrouw geweest, maar nooit op die manier.

Maar ze wilde niet nadenken over het verleden. Het punt was alleen dat er tegenwoordig niet veel anders overbleef om over na te denken. En dus nam die Zen haar meer in beslag dan hij anders misschien zou hebben gedaan. Dat en een gevoel dat hij iets wilde. Claudia had even gespeeld met het idee dat hij misschien háár wilde, maar ze beschikte over genoeg gezond verstand om te weten dat de tijd dat onbekende mannen haar op die basis benaderden vrijwel zeker voorbij was, zelfs hier in het casino in Campione.

Op welke basis dan wel? Als het niet daarvoor was, waarvoor dan wel? Er was nooit veel anders waarvoor men naar haar toe kwam, behalve voor geld, in het geval van haar zoon, en om een goed woordje te doen bij Gaetano over een van de onderofficieren. Ze had aanvankelijk vermoed dat dat de reden zou kunnen zijn waarom Leonardo het met haar wilde aanleggen en was bij één gelegenheid fel tegen hem uitgevallen, een detail dat ze gemakshalve maar was vergeten tijdens haar dagdromerij op de plek van hun rendez-vous een tijdje geleden. Dat had minstens een maand vertraging opgeleverd in de hele verhouding terwijl ze toch al zo weinig tijd hadden gehad. Zo weinig tijd.

Genoeg. Signor Zen. Ja, hij had wel iets van een man die iets gedaan wilde krijgen; het leek erop dat zij iets had wat hij nodig had en dat hij bereid was haar onverdroten attenties te bewijzen om het voor elkaar te krijgen. Maar wat zou het in 's hemelsnaam kunnen zijn? De gedachte was natuurlijk bij haar opgekomen dat de man een avonturier was, een van die charmante, gewetenloze zwendelaars die zich ophielden in casino's, op zoek naar een willig slachtoffer.

En ondanks het feit dat ze aan een gokmachine speelde toen hij haar benaderde – en hij had haar met opzet benaderd, daar was ze nu zeker van – zouden haar gedrag, haar kleren en, helaas, haar leeftijd, haar als zodanig herkenbaar hebben gemaakt. Hij wilde absoluut iets, dat was wel duidelijk, maar wat dan wel?

Het enige dat ze zich kon herinneren dat er in de verte wel iets op leek, was Danilo geweest, in de weken direct na Gaetano's dood, toen hij begonnen was zo gluiperig bezorgd te doen. Aanvankelijk had ze gedacht dat dat gewoon zijn nichterige maniertje was om zijn medeleven te tonen met de treurende weduwe, maar na verloop van tijd waren zijn constante vragen, die altijd werden gesteld als was hij een rouwtherapeut die haar hielp de realiteit onder ogen te zien, toch net iets te gericht en aanhoudend gaan lijken.

Wat had ze precies gedaan toen Gaetano viel? In welke kamer was ze toen geweest? Had ze niets gehoord? Wanneer besefte ze wat er was gebeurd? Wat had ze toen gedaan? En ga zo maar door. En maar door en maar door, totdat ze hem op een dag recht had aangekeken en heel kalm had gezegd: 'Je denkt dat ik hem vermoord heb, nietwaar?'

En dat was ook zo. Het stond op zijn voorhoofd te lezen toen hij wanhopig probeerde om terug te krabbelen, om genoeg eerlijke verontwaardiging op te wekken om haar vraag te behandelen met de verachting die hij verdiend zou hebben. Alleen slaagde hij daar niet helemaal in. Claudia had hem zijn congé gegeven en toen ze elkaar weer begonnen te zien, een jaar of zo later, kwam de kwestie nooit ter sprake. Na die tijd had ze Danilo op een afstandje gehouden totdat ze besloot dat ze zich ofwel vergist had, ofwel dat hij van gedachten was veranderd. Hoe het ook zij, het was voorbij. Dat had ze in elk geval gedacht, tot aan de bedekte toespelingen die hij maakte toen hij het nieuws vertelde over de ontdekking van Leonardo's lichaam.

Over zijn lichaam gesproken, ze moest maar eens gauw Naldino bellen om te vragen hoe het ervoor stond met de gerechtelijke aanvraag. Claudia had geen illusies over haar zoon. Hij was goedhartig maar besluiteloos, net als zijn vader, en moest voortdurend achter zijn broek worden gezeten voordat hij iets tot stand bracht. Nu ze eraan dacht, zou een tijdje in het leger hem geen kwaad doen. Sommige mensen konden pas alles uit zichzelf halen als ze flink werden gecommandeerd. Een impopulaire waarheid, zoals er zoveel waren.

Om vier uur, op de minuut nauwkeurig, verscheen haar bewonderaar om haar te escorteren door de hoofduitgang van het casino, over de kronkelende helling naar de centrale piazza van het kleine dorp, naar de Bar Rouge et Noir op de hoek. Hier kwamen de croupiers en uitsmijters later op de avond om zich te ontspannen voordat hun dienst begon; de gelegenheid in Campione die het dichtst in de buurt kwam van een buurtcafé. Claudia was aanvankelijk verbaasd dat Zen dit gekozen had in plaats van een van de modieuzere toeristische gelegenheden iets verderop aan de lommerrijke promenade die uitkeek op het meer, maar misschien was zijn smaak iets ruiger en spannender. Net als Leonardo, nadat hij eenmaal zijn eerste remmingen had laten varen en het heft in handen had genomen. En, om eerlijk te zijn, net als zijzelf.

Ze bestelde een cappuccino, Zen een bier.

'Komt u hier vaak?' vroeg hij.

Het was zo'n klassiek slechte openingszin dat Claudia bijna moest lachen. Onder de omstandigheden besloot ze het echter letterlijk op te vatten.

'Al tientallen jaren.'

'Echt?'

'O ja! Ik bezocht Campione regelmatig met wijlen mijn man.'

Om hem te laten weten dat ze ongebonden was.

'Had u veel geluk aan de tafels destijds?'

'Ik speelde altijd quitte.'

'En uw man?'

Claudia begon zich op haar gemak te voelen in het gezelschap van deze man.

Ze besloot om een romantisch, glamourvol en ietwat mysterieus beeld van haar huwelijk te schetsen, hoewel de realiteit bepaald anders was geweest. Intrigeer hem.

'O, hij had veel meer succes dan ik. Hij kwam altijd met koffers vol geld thuis.'

'Had hij een systeem? Ik heb altijd al eens een heel goed systeem willen leren.'

'Nee, nee. Hij was geen gokker. Hij kwam hier om zijn bankiers te spreken.'

'Er zijn geen banken in Campione.'

'Nou ja, dat was wat hij mij vertelde.'

Zen knikte. 'Dus misschien was hij toch een gokker, maar deed hij alleen spelletjes die ze niet in het casino spelen.'

Claudia raakte in de war door dit antwoord, maar Zen veranderde onmiddellijk van onderwerp en begon een reeks 'vragen waarop het antwoord "ja" wordt verwacht'. Dit was een frase die ze zich van school herinnerde en een techniek die ze uit een recenter tijdperk herkende. Laat ze eraan wennen om 'ja' te zeggen, dan vinden ze het lastiger om 'nee' te zeggen als het moment daar is. Maar waarop wilde Zen haar 'ja' laten zeggen? Een etentje hier of in Lugano? Gevolgd door een nachtelijk bezoek aan de kamers boven in het casino waar roulette, chemin de fer, vingt-et-un en andere giochi francesi werden gespeeld? Gevolgd door wat! Giochi francesi!

Uiteindelijk bleek het nogal anders dan ze zich had voorgesteld.

'Misschien kan ik maar beter mijn kaarten op tafel leggen,' zei Zen tegen haar terwijl hij een plastic driehoekje uit zijn portefeuille pakte. 'Of liever gezegd: mijn kaartje.'

Polizia di Stato, las ze.

Dus ze was er toch in getrapt. En hij zou alles uit haar weten te trekken, dat wist ze. Hij zou haar verwoesten. Ondanks haar pogingen het te vergeten, had een deel van haar de afgelopen vijftien jaar op dit moment zitten te wachten. Nu was het gekomen, maar ze was er nog altijd niet klaar voor om het het hoofd te bieden.

'Hoe hebt u me gevonden?' vroeg ze, om tijd te rekken.

Zen probeerde het duidelijk nog steeds met charme, want hij glimlachte.

'Ik heb uw zoon opgezocht, signora. Naldo Ferrero. Ik heb hem gisteravond opgezocht in dat landelijke restaurant in de Marche. Hij zei me dat u in Lugano verbleef. Ik heb bij verschillende hotels navraag gedaan totdat ik het hotel vond waar u staat ingeschreven. De receptionist zei dat u een dagje naar Campione was gegaan. Iemand van het casinopersoneel heeft u vervolgens aangewezen.'

Ondanks het feit dat het geld en de nummerborden Zwitsers waren, maakte Campione deel uit van Italië, herinnerde ze zichzelf. Deze man kon haar hier arresteren, maar aan de andere kant van het meer zou hij die macht niet hebben. Ze keek heimelijk op haar horloge. De volgende veerboot zou over minder dan tien minuten vertrekken.

'Het gaat over de omstandigheden rond zijn dood,' ging Zen verder. 'En natuurlijk de identiteit van Naldo's vader.'

De tijd om in actie te komen was nog niet daar. Volkomen stilzitten was nu vereist.

'Ik heb destijds mijn verklaring tegen de politie afgelegd,' antwoordde ze, alsof hij een impertinente journalist was en zij een ster die op een indiscretie betrapt was. 'Ze hebben me verscheidene malen ondervraagd en ik heb toen alles gezegd wat ik te zeggen heb, toen het nog vers in mijn geheugen zat. Het rapport moet nog steeds ergens in een archief zitten. Ik zou werkelijk niet weten wat u denkt dat ik er nu nog aan kan toevoegen.'

Het was een gedurfde uitval, maar blijkbaar werkte hij. Die Zen leek plotseling in de war, slecht op zijn gemak. Ze keek nogmaals op haar horloge en toen door het raam naar het donker wordende meer.

'Naldo Ferrero zei tegen me dat hij de buitenechtelijke zoon van u en Leonardo Ferrero was en dat u hem gevraagd had juridische aanspraak te maken op een lichaam dat onlangs in de Dolomieten is gevonden, op grond van het feit dat het zijn vader is.'

Heel even voelde Claudia zich volkomen in de war. Probeer niet achter zijn strategie te komen, zei ze tegen zichzelf. Een brutale reactie had al een keer gewerkt. Misschien zou het weer lukken.

'Dat is absurd!'

Ze zuchtte en maakte een gebaar dat aangaf hoe pijnlijk het voor haar was om dit toe te geven.

'De kwestie is dat Naldo nogal een fantast is. Dat was hij altijd als kind, maar daar is niets vreemds mee. Maar nu... Mijn man, Gaetano, was in veel opzichten een harde man. De kazerne en thuis waren voor hem hetzelfde. Bevel was bevel, en de kleinste ongehoorzaamheid werd bestraft. Naldino had meer van mijn kant van de familie dan de zijne, wat het voor hen beiden natuurlijk nog erger maakte. Gaetano werd steeds onbuigzamer en repressiever, en zijn zoon werd almaar opstandiger. En het was een tijd waarin rebellie in de lucht hing, moet u weten. Maar goed, nadat Gaetano gestorven was door dat betreurenswaardige ongeluk, maakte Naldino zichzelf wijs dat hij helemaal niet zijn zoon was, dat zijn vader heel iemand anders was geweest. Hij veranderde zelfs zijn naam, alsof hij het probeerde te bewijzen. Het is een heel bekend psychologisch fenomeen. Ik geloof dat het zelfs een naam heeft, maar die is me nu even ontschoten.'

Zen knikte begrijpend.

'Maar hoe kon hij geweten hebben waarin hij zijn naam moest veranderen? Hoe kon hij op idee komen dat zijn echte vader iemand was die overleden was voordat hij geboren was? Iemand die hij nooit had ontmoet en van wie hij zelfs nooit had gehoord?'

Dit was een lastiger vraag, die haar bij haar eerdere verhoren nooit gesteld was.

'O, hij had wel van Leonardo gehoord,' hoorde ze zichzelf antwoorden.

'Hoe?'

'Van vrienden.'

'Vrienden van hem?'

'Nee, nee. Vrienden van ons.'

'Van u en Leonardo?'

'Van mijn man en mij natuurlijk.'

Zen haalde een pakje sigaretten te voorschijn en bood het haar aan. Claudia schudde haar hoofd.

'Mag ik?' vroeg hij.

Ze knikte afwezig. Wanneer ging de boot? Er was iets in de beleefde manieren van de man, zijn lange stiltes en schijnbaar vernuftige vragen, waardoor ze absoluut zeker wist dat hij alle antwoorden al wist en alleen maar met haar speelde om te zien wat hij haar nog meer kon laten toegeven voordat hij zijn laatste dodelijke aanval zou plegen. Had hij het Boek gevonden? Het was dom van haar geweest om het te houden, maar het was nooit bij haar opgekomen dat er iemand belangstelling zou hebben voor gebeurtenissen die nu zelfs voor haar lang vervlogen geschiedenis leken.

'Het spijt me signora, ik begrijp het niet helemaal. Uw zoon is geboren in 1974, is dat juist?'

'Ja.'

'Terwijl uw man is overleden in 1987?'

Ze knikte.

'Dus Naldo was dertien toen hij stierf.'

Opeens zag ze heel duidelijk wat haar te doen stond.

'Ja. Een heel gevoelige leeftijd, heel lastig. En dat is waarschijnlijk de reden dat hij de tragedie probeerde te verwerken door te beweren dat hij helemaal nooit zijn vader geweest was.'

Zens voorhoofd bleef grappige rimpels houden.

'Maar ik herhaal: waarom koos hij iemand als zijn surrogaatvader die ook dood was, die kort voor zijn eigen geboorte was overleden?'

Claudia maakte een weids gebaar.

'Nou, je moet wel een freudiaanse dokter zijn om dat te kunnen verklaren! Het enige dat ik weet is dat hij op een gegeven moment besloot dat zijn biologische vader, zoals ze dat tegenwoordig noemen, een jongeman was die behoorde tot wat we schertsend wel "de stal" noemden, de groep onderofficieren die Gaetano om zich heen verzameld had in het regiment en die allemaal regelmatig bij ons thuis kwamen.'

'En in die groep zat ook Leonardo Ferrero?'

'Ja.'

'En Nestore Soldani?'

Ze keek hem verbaasd aan.

'Ja, hij ook.'

'Wie nog meer?'

'Ik weet al hun namen niet meer. Het is al zo lang geleden.'

Een klein wit vlekje in de avondgloed kondigde de spoedige komst van de veerboot aan.

'Maar ik herhaal: hoe kon uw zoon eigenlijk gehoord hebben van Leonardo Ferrero, die in het jaar voordat hij geboren was, was omgekomen bij een ongeluk met een militair toestel?'

Hij keek haar over de tafel heen aan met een dreigend gezicht waaruit nu alle charme uit verdwenen was.

'Tenzij Naldo natuurlijk echt uw buitenechtelijke kind van Leonardo Ferrero is, zoals hij beweert dat u hebt gezegd. Dat zou ook uw mans vijandigheid ten opzichte van hem verklaren, aangenomen dat – en ik denk dat we dat onder de omstandigheden wel mogen doen – hij de waarheid ontdekt dan wel geraden had.'

Claudia pakte haar tas op en stond op, waarbij ze zoiets zei dat ze even het toilet moest opzoeken. Ze liep om de tafel heen en duwde daarbij tegen de rug van Zen. Even later was ze de deur door en liep ze zo hard als ze kon naar de aanlegplaats van de boot zo'n dertig meter verderop. De boot lag al aan de kant, de touwen waren vastgemaakt. Ze zwaaide woest, biddend dat dekknecht haar zou zien en de loopplank nog even zou laten liggen zodat ze aan boord kon komen.

Dat deed hij. Ze kloste buiten adem het trapje af naar de ruimte vooraan en zeeg neer op een van de beklede plastic stoeltjes. De motoren van de boot gromden en gingen toen over op een gelijkmatig snorrend ritme voor de tien minuten durende oversteek naar Paradiso, het zuidelijke deel van Lugano waar haar hotel stond. Ze had het gehaald!

Maar hij ook, besefte ze toen er een gestalte verscheen aan het andere einde van de lege zaal. Even was ze doodsbang dat hij haar zou aanvallen, zoals Gaetano toen ze hem de waarheid over haar zwangerschap had verteld, die haar in het gezicht en tegen haar borsten had geslagen en gestompt en 'Puttana!' had geschreeuwd.

Niets van dat alles. Hij ging gewoon tegenover haar zitten, heel rustig, een medepassagier op weg naar Lugano. De dekknecht kwam langs en knipte haar retourtje, verkocht Zen een enkele reis en ging toen terug naar zijn collega in de stuurhut, hen alleen achterlatend.

'Had hij een tatoeage?'

Niks zeggen.

'Het lichaam dat ze gevonden hebben, dat uw zoon probeert op te eisen, had een tatoeage. Een vrouwengezicht.'

Niks zeggen.

'Hetzelfde gold voor Nestori Soldani, ook iemand uit de "stal" van uw man. Ik heb eerder vanmiddag zijn weduwe gesproken.'

'Zijn weduwe?'

'Soldani, alias Nestor Machado Solorzano, is hier een paar dagen geleden vermoord.'

'Hier?'

'In Campione. Opgeblazen in zijn auto toen hij terugkeerde van een ontmoeting met een of meer onbekende personen.'

Claudia stond op. Ze waren nu een goede honderd meter uit de oostkust van het meer en absoluut weer terug in Zwitserse wateren. Ze kon het zich eindelijk veroorloven om boos te worden.

'Ik heb nu schoon genoeg van deze onzin! Ik ben al uw trucs en getreiter zat, hoort u me? Hij is van de trap gevallen! Dat is er gebeurd, en u hebt geen bewijs van het tegendeel. Hij was toen al kreupel, in godsnaam! Hij is van de trap gevallen. Dat was destijds de conclusie van de onderzoeksrechter en die is nooit in twijfel getrokken, in al die jaren niet! Hoe durft u er nu uw neus in te steken, in een buitenlandse stad waar ik op vakantie ben, op zoek naar wat rust en geluk na al die pijn, en die hele vreselijke geschiedenis weer op te rakelen? Hoe durft u? U hebt geen bevoegdheid hier. U zou van de Zwitsers nog niet eens de toiletten in hun land mogen schoonmaken!'

De veerboot naderde de aanlegplaats. Claudia liep de trap op naar het dek. Zen volgde haar en haalde haar in terwijl de boot aanmeerde.

'Signora...' begon hij, maar verder kwam hij niet.

'Hou uw mond! Laat me met rust! U bent een akelige man, zoals alle politiemannen. Nou, mij maakt u niet bang, hoort u me? Ik heb m'n leven geleid en er is niets waarover ik me hoef te schamen. Loop naar de hel! *Dio boia, Dio can, vaffanculo!* U kunt me niets maken!'

De dekknecht keek met groeiende ontsteltenis naar hen, terwijl hij erachter probeerde te komen wat er aan de hand was. Claudia bedacht dat Zen en zij voor hem heel goed op de twee minnaars konden lijken over wie ze eerder had gefantaseerd, die de klassieke ruzie hadden die een eind maakt aan de relatie. Ze beende de loopplank af en verdween onder de bomen. Zen deed geen poging haar te volgen, maar zijn stem zweefde haar achterna vanaf het dek van de veerboot, die alweer afvoer voor zijn laatste traject naar het stadscentrum.

'Ik zal jou niks doen.'

De woorden waren geruststellend, maar ze hadden een verontrustende ondertoon. Het duurde even voordat ze erachter was wat het was. *Non ti faccio niente, io.* Hij had haar aangesproken met die familiaire vorm die je alleen gebruikt tegen familie, goede vrienden, ondergeschikten en mensen die je neerbuigend behandelt. De brutaliteit. Het benadrukkende persoonlijk voornaamwoord aan het eind voegde nog een dimensie toe aan haar gevoel van ongemak. 'Ik zal jou niks doen.' Wie dan wel? Het idee was bespottelijk. De Zwitsers waren uiterst onafhankelijk en notoir bureaucratisch. Die Zen zou elk juridisch document nodig hebben dat je maar kon bedenken, vertaald in drie talen, voordat ze er zelfs maar over zouden denken om een buitenlandse toerist te arresteren die vrolijk haar geld uitgaf en geen enkele last veroorzaakte op hun grondgebied.

De receptionist achter de balie overhandigde haar haar sleutel met die subtiel gereserveerde en toch vriendelijke beleefdheid die al het personeel bij de geboorte leek te hebben meegekregen. Claudia was natuurlijk een vaste gast en was gul met haar fooien. Ze kon het zich veroorloven. Toen Gaetano's testament werd voorgelezen had de omvang van haar vermogen haar gewoonweg verbijsterd. Waar was al dat geld vandaan gekomen? Niet van zijn salaris als legerofficier, dat was wel zeker. Ze had het Danilo gevraagd, die had gemompeld dat dit een van die dingen was – en daar waren er zoveel van in dit leven! – waar je maar beter niet te veel naar kon vragen.

In haar kamer, smetteloos opgeruimd in haar afwezigheid, opende ze de ramen en vervolgens de luiken voor het balkon dat uitkeek over het meer. Daarna belde ze de roomservice. Een bord Schotse wilde gerookte zalm, een groene salade en een fles champagne. Het trieste souper van een rijke oudere weduwe. Nou ja, het was niet anders. Ze dronk normaal gesproken niet alleen, ondanks Danilo's hatelijke commentaar, maar vanavond had ze zin om een beetje teut te worden. Ze verdiende het na wat ze allemaal had meegemaakt.

De dampen van het meer stegen naar haar op toen ze het balkon op stapte, als de stank van een goudvissenkom die hoognodig moet worden schoongemaakt. Aan de overkant van het meer weerkaatste het licht van het casino in Campione in het sluimerende water. Wat had die Zen bedoeld toen hij zei dat haar man gokte in spelletjes die niet in het casino gespeeld werden? Gaetano had het gokken nooit begrepen, maar zij had het onmiddellijk begrepen. Het gaf zin aan je leven, ook al was het maar voor even en tegen een potentieel hoge prijs. Maar er was geen prijs te hoog die je voor zingeving betaalde, niets kon die vervangen en niets was ermee te vergelijken. Wat betekende geld naast dat oneindige geschenk? En afgezien van het geld, het maakte niet uit of je won of verloor. Er was iets gebeurd, je leven had een paar uur structuur gekregen, je huilde of je was dol van vreugde. Het was net als seks. Ja, dat was het enige waarmee het te vergelijken was.

Er werd discreet op de deur geklopt en er kwam een kelner binnen met een serveerwagentje waarop haar maaltijd stond. Ze gaf hem een overvloedige fooi en toen hij weg was viel ze meteen op de zalm aan en rukte ze de wijn open met iets wat aan wanhoop grensde, zoals Leonardo met haar de liefde bedreef voordat zijn vuur geblust was en hij haar liet vallen, in een heftig verlangen om het gedaan te hebben voordat zijn honger was verdwenen.

Nadat de hare was gestild, inspecteerde ze de ravage op het etensblad. Het was allemaal zo schoon geweest en zo netjes uitgestald, en zij had er een puinhoop van gemaakt. Maar goed, het was weer een maaltijd, dacht ze terwijl ze een kleine oprisping had. En meer maaltijden morgen en de dag daarna, en meer oprispingen. Maar niet meer gokken. Geen illusics meer van zingeving, hoe vluchtig ook. Ze liep weer terug het balkon op met haar glas en de fles champagne. In de diep te beneden haar leek het waaiervormige patroon van de straatstenen zachtjes te slaan als vleugels. Ze was een beetje dronken, besefte ze. En ze had zich op grote hoogtes nooit zo op haar gemak gevoeld. Of misschien was ze juist wel graag tot grote hoogtes gegaan, en dan bovenmatig.

Uit een kamer kwamen de klanken van een vioolsolo uit boven de walmen van het meer, waarschijnlijk de muziek bij een film of tv-programma waar iemand naar keek. De ontmoeting met die politieman leek al even ver weg als haar kindertijd. Onwillekeurig begon ze het Duitse slaapliedje te mompelen dat haar moeder had gebruikt om haar in slaap te krijgen. Haar ouders hadden elkaar kort voor de oorlog in de Alto Adige ontmoet. Haar moeder sprak bijna perfect Italiaans, maar haar moedertaal was Duits. Claudia's vader had echter verboden om die taal in huis te gebruiken. Het was een geheim tussen moeder en dochter gebleven en het had daardoor des te krachtiger en dierbaarder geleken.

Hoe ging het rijmpje? Haar moeder had later gezegd dat het een gedicht van een beroemd schrijver was, maar ze had altijd intellectuele pretenties gehad en de versjes waren te natuurlijk en ongekunsteld om ooit te zijn opgeschreven. Ondanks de talloze malen dat haar moeder het voor haar had opgezegd, kon ze zich nu alleen flarden herinneren, en ze besefte dat ze niet precies wist wat ze betekenden. *Nun der Tag mich müd gemacht... wie ein müdes Kind... Stirn, vergiss du alles Denken...* Iets over kinderen die moe waren aan het eind van de dag en dat het tijd was om op te houden met dingen te doen en te denken, tijd om alles los te laten.

Als ze dat eens zou kunnen! Maar ze wist maar al te goed wat de komst van Zen beduidde. Hij dacht dat hij reuze slim was geweest door schijnbaar te praten over Leonardo en Naldino en Nestore, maar zij had hem volledig doorzien. De ontdekking van Leonardo's lijk had duidelijk een hernieuwd onderzoek in gang gezet naar alle omstandigheden rond de dood van Gaetano. Er was een nieuwe man verschenen, ongevoelig voor de druk die was uitgeoefend op inspecteur Boito en veel beter geïnformeerd over de verhouding met Leonardo, en hij had de waarheid direct doorzien. Het mocht dan waar zijn dat hij niets kon doen zolang ze in Zwitserland bleef, maar ze kon niet eeuwig in dit hotel blijven. En zodra ze weer naar huis ging, zou hij kijken en wachten, het juiste moment afwachtend. Ze zouden haar misschien zelfs aan de grens arresteren. Wat zou ze krijgen? Vijfentwintig jaar? Levenslang. Ze zou sterven in de gevangenis.

Vanuit de kamer beneden zwol de muziek weer aan, hetzelfde thema maar nu door het hele orkest gespeeld. Beneden glommen de afgeschuinde straatstenen van de binnenplaats haar tegemoet. *Und die Seele unbewacht will in freien Flügen schweben...* Ze had begrepen dat *die Seele* het woord voor *l'anima* was, de ziel, en dan was er iets over vliegen, maar ze had *unbewacht* nooit begrepen. En toen ze het haar moeder had gevraagd, was die gaan huilen en had ze gezegd, 'Het betekent "onbewaakt, zonder toezicht, zonder dat er iemand vertelt wat je moet doen of zeggen of voelen, of hoe je je moet gedragen of wat dan ook". Het betekent "in volkomen vrijheid leven, eindelijk vrij zijn".'

Destijds had deze uitbarsting het idee alleen maar problematischer gemaakt, zo niet op een bepaalde manier bedreigend, alsof er een taboe doorbroken was. En ook had ze niet helemaal begrepen wat *die Seele* betekende, behalve dan een ideale versie van haarzelf, met mooier haar en geen puistjes en menstruatiepijnen en vet, wat toen een groot probleem was geweest, maar later allemaal toch nog goed was gekomen. En wat ze al helemaal niet had begrepen was *unbewacht*. Dat er iemand over haar waakte was nou juist iets wat ze zo vreselijk graag wilde en vooral als ze sliep, maar haar ouders waren niet opgewassen tegen die taak. Haar moeders tranen waren het definitieve bewijs daarvan geweest.

Het drong voor het eerst tot haar door dat ze in haar huwelijk met Gaetano en misschien zelfs in haar verhouding met Leonardo alleen maar dezelfde kaarten had uitgespeeld die aan haar ouders waren uitgedeeld, alsof ze postuum aan hen wilde bewijzen dat je met die kaarten uiteindelijk toch wel je slag had kunnen slaan.

Ze leunde over het balkon en staarde omlaag naar de straatstenen die uitgespreid lagen als in elkaar grijpende engelenvleugels. *Unbewacht.* Ze begreep het woord nu helemaal en ze begreep *Seele* en ze begreep haar moeder. Ze begreep ook – en dit was misschien haar beslissende moment – dat dit inzicht te laat was gekomen, niet als openbaring maar als grafschrift.

XIV

De deur werd opengedaan door een man met een baard die Aurelio Zens legitimatie negeerde en hem meewenkte naar een grote kamer die van de grauwe buitenwereld van de Milanese voorsteden was afgeschermd door een zwevende laag muziek van snaarinstrumenten en door boekenkasten van de vloer tot het plafond die langs elke muur stonden, zodat er slechts een minieme ontsnappingsroute overbleef in de vorm van de deur waardoor Zen was binnengekomen.

'Wel even iets anders dan de vorige keer dat de politie bij me langskwam,' zei Luca Brandelli. 'Dat was toen in de jaren van het terrorisme. Om de een of andere reden hadden ze het in hun hoofd gehaald dat ik wist waar Toni Negri en de leiders van de Rode Brigade ondergedoken zaten, en dus hebben ze m'n huis toen zowat platgewalst. Ruim eenderde van mijn onderzoeksmappen is toen verdwenen.'

'Zijn die niet teruggegeven?'

'De mappen wel. Jammer van de inhoud. Maar goed, je kunt niet alles hebben.'

Brandelli was een stevig gebouwde, krachtige man van gemiddelde lengte, met een grote bos witte krullen en een bijpassende baard. Hij slofte door het appartement in een gebleekte spijkerbroek, een flodderige trui en mocassins, alsof hij bij voorbaat wilde verklaren dat als hij ergens voor stond, dit niet aan zijn uiterlijk af te meten was. Nee, hij was uit de journalistiek gestapt, zei hij tegen Zen terwijl hij in het minuscule keukentje een pot Chinese groene thee zette.

'Ik heb genoeg aan mijn pensioen, min of meer, en dus

heb ik besloten om mijn resterende jaren te wijden aan het schrijven van een boek.'

'Waarover?

'Een definitieve beschrijving, toelichting en analyse van alle misteri d'Italia.'

'Een dun werkje dus,' was het commentaar van Zen.

'Vrijwel onzichtbaar.'

Ze gingen terug naar de woonkamer, tijdelijk met elkaar verbonden door dit gedeelde moment van ironie. Brandelli liep naar de radio en zette die uit.

'Nee,' zei hij. 'Schubert na Mozart, dat is niks. Toen begon alles mis te gaan. Ondanks al zijn luchtige, melodieuze uitbundigheid was Schubert neurotisch. Zelfs Beethoven, hoewel zijn geestelijke gesteldheid uitstekend was, ontsnapte niet aan twijfel over zichzelf. Terwijl Mozart helemaal geen eigen wezen had – in zijn muziek bedoel ik. En we moeten ook niet vergeten dat Karl Marx in 1918 geboren werd, en in Trier, een ingedut provinciestadje aan de Moezel met een glorierijk verleden als Romeinse kolonie, een bezadigd heden waarin men minstens dertig jaar achterloopt, en geen noemenswaardige toekomst. Sommige mensen stellen dat hij juist tegen die jeugd in opstand kwam of die in elk geval was vergeten. Daar ben ik het niet mee eens. Je kunt misschien je jeugd vergeten, maar je jeugd vergeet jou niet. Marx is eigenlijk rond 1780 opgegroeid, een kind van de Verlichting, een preromanticus. Pas toen hij halverwege de twintig was en naar Parijs ging, formuleerde hij zijn doctrine van "meedogenloze kritiek op alles wat bestaat".'

De twee mannen gingen zitten, Zen op een sponsachtige bank, zijn gastheer op de krakende rieten stoel tegenover hem.

'Marx keek op de vroege jaren van productie – en dus natuurlijk ook op de sociale organisatie en persoonlijke psychologie – altijd met een groot gevoel van warmte en nostalgie terug, net zoals ik terugkijk op de strijd van de arbeidersklasse in Genua en Turijn in de jaren vijftig. Wat die mensen ook deden en wat voor fouten ze achteraf gezien misschien gemaakt hebben, ze deden het niet voor zichzelf. Ze waren net zo onzelfzuchtig in hun werk als Mozart, net zoals Marx' visie op een socialistische toekomst gebaseerd was op het gemeenschapsgevoel, hoe verkeerd dat ook was georganiseerd, waarvan nog steeds iets was overgebleven in het Trier van zijn jeugd, maar dat sindsdien was weggevaagd door het romantische egotisme. In Parijs was het alleen maar "Ik, ik, ik! Mijn gevoelens, mijn behoeften!". Hij zag het gevaar en probeerde het af te wenden met zijn openlijke vijandigheid jegens de populairste revolutionaire bewegingen van zijn tijd, of vooral met zijn levenslange worsteling om een veelomvattende dialectische oplossing te formuleren die zou uitreiken boven het individu met de bedoeling het te herscheppen. Het was een nobele poging, maar uiteindelijk is die mislukt. Het neurotische ego heeft gewonnen. Schubert heeft Mozart uitgebannen en tweehonderd jaar later leven we nog steeds met de gevolgen daarvan.'

Aurelio Zen nipte van zijn thee en zei niets. De kamer was erg warm, verstikkend bijna. Hij wenste dat hij zijn jas had uitgedaan, maar als hij dat nu deed zou dat wat te nadrukkelijk lijken, was hij bang. Luca Brandelli schraapte gemaakt zijn keel.

'Maar ik denk dat ik het gevaar loop dat ik mijn diagnose laat lijken op een symptoom van de ziekte,' zei hij. 'Ik heb genoeg gezegd, laten we over mij praten. Op welke manier kan ik de autoriteiten dit keer precies van dienst zijn?'

Zen nam de tijd voor zijn antwoord en nipte aan zijn thee terwijl hij nadacht over de beste manier waarop hij te werk kon gaan.

'Ik kan misschien bijdragen aan een hoofdstuk voor het boek dat u aan het schrijven bent,' zei hij ten slotte. 'Of misschien een episode, een anekdote. In het slechtste geval een voetnoot.'

'Met betrekking tot wat?'

'Iets wat dertig jaar geleden is gebeurd.'

'Tja, zoals ik al zei: mijn archief van die periode is on-
volledig en mijn geheugen is niet meer wat het geweest is.'

Zen knikte begrijpend.

'Zegt de naam Ferrero u iets?' vroeg hij.

'Nu was het Brandelli's beurt om zijn toevlucht te nemen
tot de theeceremonie.

'Leonardo Ferrero,' voegde Zen eraan toe.

'Mogelijk.'

'Bedoelt u daarmee "ja" of bedoelt u "nee"?'

Ze keken elkaar even aan.

'Met "mogelijk" bedoel ik dat ik graag iets meer wil weten over de aard van uw belangstelling voor deze kwestie
voordat ik tot een antwoord besluit. Als brave burger moet
je natuurlijk willen meewerken met de autoriteiten, hoewel
het me opvalt dat ze in dit geval niet over de nodige documenten beschikken om een antwoord te kunnen afdwingen.
Niettemin heb ik nog steeds een gerafeld en verbleekt gevoel voor journalistieke eer en verantwoordelijkheid. Dus
voordat ik verder iets zeg, en gezien het ontbreken van de
eerder genoemde officiële documenten, zou ik graag iets
meer over de omstandigheden willen weten voordat ik antwoord geef.'

Spraakzaam, maar wel een beetje een zeur, dacht Zen.
Maar de man was duidelijk intelligent en de combinatie van
zijn vlotte, professorale spreektrant en zijn uiterlijk van een
teddybeer maakte het eenvoudig om te begrijpen waarom
hij ooit zo populair was geweest in linkse kringen.

'Ik zal u in hoofdlijnen vertellen waar het om gaat. Er is
een lijk ontdekt. Het is tot op heden niet officieel geïdentificeerd, maar er heeft zich iemand gemeld die beweert dat
de dode een zekere Leonardo Ferrero is. Ik heb opdracht gekregen om het voorlopige onderzoek te verrichten. In de
loop daarvan is uw naam genoemd als iemand die deze Ferrero gekend heeft.'

Hij had in feite op zijn hotelkamer in Lugano bijna een
uur aan de telefoon gezeten met de bureauredactie van *l'U-
nità* en de questura in Milaan voordat hij de naam en het

volledige adres had achterhaald van de journalist die Marta zich had herinnerd als Brandoni of Brandini. Een telefoontje naar het ministerie zou de tijd tot een paar minuten hebben beperkt, maar het risico dat zijn verblijfplaats dan getraceerd en gerapporteerd zou worden was te groot.

Luca keek Zen met enige verbazing aan.

'Leonardo Ferrero, hè? Nou, ik had niet verwacht die naam ooit nog te horen.'

'Dus u hebt hem gekend?'

Brandelli maakte een preciserend gebaar.

'We hebben elkaar ontmoet. Ooit. Lang geleden.'

'Onder welke omstandigheden?'

'Wacht even. Vraagt u me om het lichaam te identificeren?'

Zen zweeg even en haalde toen zijn schouders op.

'Waarom niet? Het kan geen kwaad.'

Hij haalde een envelop uit zijn jaszak en overhandigde de foto's die waren genomen door de Oostenrijkse speleoloog die in de mijnschacht was afgedaald. Brandelli keek ze door en fronste zijn wenkbrauwen.

'Waar is dit genomen?'

'Foto's van het lichaam *in situ*, op de plek waar het is gevonden. Ze zijn niet erg scherp, vrees ik, en het gezicht is niet zichtbaar. Niet dat er erg veel van over was volgens het ziekenhuis in Bolzano.'

'Bolzano?'

'Waar het lijk naar toe werd gebracht. Het was ontdekt in een verlaten militaire tunnel in de Dolomieten. U hebt er misschien in het nieuws over gehoord, al lijkt het verhaal inmiddels een zachte dood gestorven. Of het is de nek omgedraaid.'

Brandelli gaf de foto's terug.

'Dit kan volgens mij niet kloppen,' zei hij op besliste toon. 'Ik weet niet beter of luitenant Leonardo Ferrero is omgekomen toen een militair toestel waarmee hij naar Triëst ging boven de Adriatische Zee explodeerde.'

Zen knikte.

'Volgens de officiële gegevens is Ferrero inderdaad bij een vliegtuigongeluk omgekomen.'

'Nou, ik geloof niet per se dat het een ongeluk was, maar dat is een andere zaak.'

'Hoe dan ook, iemand met een puur persoonlijk belang in de zaak, zonder politieke bijbedoelingen, heeft beweerd dat het lijk dat onlangs is ontdekt onder de omstandigheden die ik heb genoemd dat van luitenant Ferrero is. De Dolomieten zijn een heel eind van de Adriatische Zee vandaan en het lijk werd zo'n tweehonderd meter onder de grond ontdekt.'

'Dan heeft hij het mis. Of is hij gek. Een aandachttrekker. Wat voor bewijs levert hij?'

'Hij zegt dat hij een bloedverwant van Ferrero is en dat DNA-tests zijn beweringen kunnen staven.'

'Laat die dat dan doen.'

Zen zette zijn kopje terug op het schoteltje en leunde achterover in de bank, die hem meteen probeerde op te slokken. Hij bevrijdde zich uit zijn muil en balanceerde op de rand.

'Helaas is dat niet mogelijk. Ongeveer een week geleden hebben de carabinieri het ziekenhuis om vier uur 's ochtends bestormd en alle gegevens van het voorlopige sectie-onderzoek meegenomen naar een onbekende plek. Het ministerie van Defensie zegt dat het slachtoffer een militair was die is gestorven tijdens een oefening waarbij een nieuw zenuwgas werd getest en dat het lijk om veiligheidsredenen was achtergelaten en de lokatie verzegeld was met explosieven. Die was alleen niet verzegeld. Enkele speleologen wisten daar binnen te komen en ik ben met een van hen teruggegaan en heb de omgeving zelf bekeken. Kort gezegd heeft het er alle schijn van dat met deze zaak alweer een van die vele Italiaanse mysteries in de doofpot is gestopt. Ik vroeg me af of u er enig licht op zou kunnen laten schijnen.'

Zen ging verzitten op de rand van de bank in een poging een wat comfortabeler houding te vinden. Er stond een asbak op de salontafel van glas en staal. Hij pakte zijn sigaretten en maakte een vragend gebaar. De rechterhand van zijn gastheer maakte op een welsprekende manier duidelijk dat hij het niet had hoeven vragen.

'Welnu, het was allemaal heel lang geleden...'

'Dat hoor ik nou iedereen zeggen.'

Brandelli kwam overeind.

'Ik wilde eraan toevoegen: dus ik kan maar beter even mijn dossier over het onderwerp opzoeken.'

Hij was binnen een mum van tijd terug, met in zijn hand een heel dunne bruingele dossiermap.

'De politie-inval waar ik het eerder over had, kwam niet als een volslagen verrassing,' zei hij terwijl hij weer ging zitten. 'Ik had daarom voor alle zekerheid een paar van de gevoeligste dossiers verplaatst naar een bankkluis.'

Zen rookte zijn sigaret op en drukte deze uit terwijl Brandelli snel de inhoud van het dossier doornam.

'Goed!' zei de journalist. 'Mijn geheugen is weer opgefrist en ik zal u een korte rondleiding geven langs de saillante feiten. Onofficieel, natuurlijk, gezien het ontbreken van een huiszoekingsbevel.'

'Dat is in orde. Ik opereer zelf ook op onofficiële basis.'

'Interessant. Ik weet dat de politie dat bij talloze gelegenheden heeft gedaan, dat zal u niet verbazen, maar ze hebben daarbij nog nooit eerder geprobeerd om mijn hulp in te roepen. In feite hebben ze me altijd als vijand beschouwd.'

Zen knikte. 'De tijden veranderen,' zei hij. In deze zaak is het heel goed mogelijk dat onze belangen uiteindelijk zullen samenvallen.'

Brandelli schonk voor hen beiden meer thee in.

'U doet me versteld staan, dottore. En op mijn leeftijd is het heel ongebruikelijk om versteld te staan. Maar goed, het zat als volgt. Het was in 1973. Ik werkte toen voor *l'Unità* en had al een zekere reputatie als onderzoeksjournalist opgebouwd dankzij verschillende stukken die me de hoogste onderscheiding in het vak hadden opgeleverd, namelijk een aantal doodsbedreigingen. Op een dag kreeg ik weer een anoniem telefoontje. Dit keer zei de beller dat hij informatie kon doorgeven over een kwestie van het hoogste nationale belang en wilde hij een geschikte plaats en tijd afspreken waar we elkaar konden ontmoeten. Het moest in Verona zijn, in het weekend en 's avonds. Daar drong hij heel erg op aan.'

'En u nam aan dat dit de val was die gezet werd voor een echte moord, in tegenstelling tot de gebruikelijke reeks vage dreigingen en bedekte dreigementen?'

'Precies. Verona was toen een berucht broeinest van het neofascisme, en is dat trouwens sindsdien gebleven, dus het enige dat me verbaasde was dat de huurmoordenaar of zijn opdrachtgevers dit niet beseften. Niettemin kon ik niet het risico nemen om de beller zonder meer te negeren en daarmee mogelijk een scoop mis te lopen, dus ik sprak een ontmoeting af in een pizzeria op de Piazza Bra. Ik ging er natuurlijk niet zelf heen, maar riep de hulp in van een paar *compagni* uit Verona om die plek in de gaten te houden en me te laten weten wat er gebeurde. Ze meldden dat er een jonge man keurig op de afgesproken tijd was verschenen. Hij had er bijzonder nerveus en nadenkend uitgezien, had ongeveer een halfuur gewacht en had steeds opgekeken als er iemand binnenkwam. Toen hij vertrok, volgden een paar van hen hem heimelijk. Zijn doel bleek een plaatselijke legerkazerne te zijn.'

Zen zette zijn theekopje neer en stak nog een sigaret op.

'En op dat punt moest u ongetwijfeld denken aan de methode die ze gebruiken om mensetende tijgers te vangen in India,' zei hij. 'Ze binden een geit vast aan een paal en als de tijger komt op de geit op te eten, duiken de jagers uit het struikgewas op en schieten ze hem dood.'

Brandelli straalde.

'We denken duidelijk op dezelfde manier, dottore Zen. Mijn contactpersoon was de geit, ik was de tijger, en omdat ik die avond niet in het aas had gehapt, hadden de jagers zich niet laten zien. Maar een paar dagen later belde de man opnieuw. Ik verontschuldigde me voor het feit dat ik onze eerste afspraak had gemist en we maakten een nieuwe afspraak. Het was een zaak van de hoogste urgentie, zei hij, een vitale en schokkende onthulling waarvan het publiek zou gruwen.'

Brandelli haalde zijn schouders op.

'Er bestond natuurlijk nog steeds een risico, maar de manier waarop de man het zei overtuigde me ervan dat hij ofwel een ervaren acteur was, ofwel de waarheid vertelde. Bovendien hoort risico nou eenmaal bij het vak dat ik had gekozen. Hoe dan ook, we ontmoetten elkaar. En het eerste dat hij zei, nadat we de afgesproken codewoorden hadden uitgewisseld, was dat hij een legerofficier was die in opdracht handelde.'

Zen keek abrupt op.

'En u geloofde hem?'

'Ik geloofde hem. Hij gedroeg zich als een plichtsgetrouwe ondergeschikte die een taak uitvoert zonder rekening te houden met zijn persoonlijke gevoelens of meningen. Er was bij hem geen enkele politieke drijfveer of betrokkenheid te bespeuren. Integendeel, hij bleef de hele tijd volstrekt afstandelijk. Zijn rol was simpelweg die van bemiddelaar, de boodschapper die de orders uitvoerde die hij had gekregen.'

Zen trok zijn wenkbrauwen op.

'Vervolgens begon hij het bestaan te onthullen van een parallelle organisatie binnen de strijdkrachten die bestond uit geselecteerde officieren die waren georganiseerd in groepjes van vier. Slechts één man in elke groep had toegang tot het volgende commandoniveau en geen van hen had contact met een van de andere groepen.'

'De klassieke celstructuur, met andere woorden.'

'Inderdaad. Een uitvinding van de bolsjewieken. Mijn informant zei dat de hogere officier die hem had gestuurd lid was van een van deze cellen, maar sinds enige tijd gedesillusioneerd was geraakt en nu vond dat het zijn taak was om het ware doel van de samenzwering openbaar te maken aan het publiek voordat die zou worden uitgevoerd. Aangezien hij voortdurend nauwlettend in de gaten werd gehouden, deed hij dit via een tussenpersoon.'

'En het doel was?'

'Niets minder dan het omverwerpen van de gekozen regering en het opleggen van een militaire dictatuur.'

Zen lachte.

'U moet hebben gedacht dat u de loterij had gewonnen!'

'Het is makkelijk om nu te lachen,' antwoordde Brandelli korzelig. 'Het kwam trouwens toen ook al behoorlijk vergezocht op me over. Maar er was toen zoveel waar we niks van wisten. We wisten bijvoorbeeld niks van de door de CIA gefinancierde slapende terroristische organisatie Gladio, die moest worden geactiveerd indien de communisten aan de macht zouden komen. En ook niet van Licio Gelli's organisatie P2, die speciaal was opgezet om steun en mankracht te leveren in het geval van een rechtse coup. En waarin, laten we dat niet vergeten, de onorevole Silvio Berlusconi was geregistreerd met het lidmaatschapsnummer 1168.'

Zen gaf een nederig knikje.

'U hebt gelijk. Mijn excuses.'

'Dat waren allemaal dingen die we toen niet wisten, maar wat we wel wisten was dat het bestuur van dit land gedurende dat hele decennium op de rand van instorten stond. Het leek toen – en dat lijkt het nu nog steeds – volkomen geloofwaardig dat bepaalde mensen een plan hadden uitgewerkt om het democratische proces opzij te schuiven en de macht te grijpen in naam van "normalisering" en "stabiliteit". Volgens mijn informant bestond er zo'n plan. De codenaam daarvan was operatie Medusa.'

Op dat moment deed Aurelio Zen iets wat iemand die hem goed kende zou hebben beschouwd als zeer onkarakteristiek voor hem. Wat zijn fouten ook waren, Zen was fysiek niet onhandig, maar nu schopte hij zo hard tegen de lage tafel voor hem dat de theepot omviel.

Luca Brandelli ging naar de kitchenette en kwam terug met een spons om de gemorste thee op te deppen, onderwijl Zens verontschuldigingen wegwuivend.

'En tot welke verdere acties besloot u toen?' vroeg Zen toen de orde was hersteld.

Brandelli zuchtte.

'Ik was er nog steeds niet helemaal van overtuigd dat het geen opzetje was,' zei hij na een tijdje. 'Niet om me te vermoorden maar om informatie door te geven waarvan later aangetoond zou worden dat die vals was, wat de goede naam zou schaden van mij en de krant waarvoor ik werkte, en daarmee ook de hele progressieve beweging van die tijd. Kortom, iedereen die nadien zou proberen om een samenzwering van extreem-rechts te ontmaskeren – en daar waren er heel veel van, zoals we nu weten – zou weggehoond worden en het advies krijgen z'n zuster in de maling te nemen. Maar toch kon ik er niet helemaal zeker van zijn. Daarom maakte ik mijn voorzichtige belangstelling kenbaar en maakte een nieuwe afspraak voor een paar weken later, met het excuus dat ik naar Cuba moest om research te doen voor een lang artikel over de politieke organisatie onder Castro. Dat was ook wel waar, maar de ware reden dat ik de reis niet afzegde was om de andere partij, wie dat ook waren, een afkoelingsperiode te gunnen om de situatie nog eens te overdenken. Als ze het meenden, redeneerde ik, dan zouden ze na mijn terugkeer het contact voortzetten. Als het doorgestoken kaart was, dan zouden ze vermoedelijk denken dat hun plannetjes doorzien waren en met het hele geval stoppen.'

'En wat gebeurde er?'

'Toen ik terugkwam van Cuba, hoorde ik over het vliegtuig dat was neergestort boven de Adriatische Zee. In de kranten stonden foto's van de twee slachtoffers, de piloot en de enige passagier. Laatstgenoemde werd geïdentificeerd als luitenant Leonardo Ferrero van het Alpenregiment, die verbonden was aan een in Verona gelegerde eenheid. Ik herkende hem meteen als mijn informant in de Medusa-affaire.'

'Wat u waarschijnlijk overtuigde van de echtheid daarvan.'

'Het liet de balans van waarschijnlijkheid beslist naar die kant uitslaan.'

Er volgde een lange stilte.

'Ik deed wat ik kon,' merkte Brandelli op met nog een zucht. 'Via enkele pci-aanhangers op de kazerne waar Ferrero gelegerd was, wist ik achter de namen te komen van een paar mannen met wie hij naar verluidt veel was omgegaan. Ik schreef ze allebei, onder het voorwendsel dat ik research deed voor een algemeen achtergrondartikel over "Het leger in deze tijd". Ze antwoordden geen van beiden.'

'En die hogere officier in wiens opdracht Ferrero zei te handelen?'

Brandelli wierp zijn handen in de lucht.

'Dat had iedereen kunnen zijn! Ferrero was luitenant. Er waren heel veel officieren die boven hem stonden in de hiërarchie. Ik nam aan dat als die persoon nog steeds contact met me wilde opnemen, hij dat wel zou doen. Maar ik hoorde niets.'

'U merkte eerder op dat u er niet van overtuigd was dat Ferrero's dood een ongeluk was. Misschien kwam zijn superieur tot dezelfde conclusie en besloot hij lering te trekken uit het voorbeeld.'

'Dat is precies wat ik toen tegen mezelf zei. Dus ik liet het daarbij, maar hield het dossier open voor het geval ik nog meer geruchten zou horen over die operatie Medusa. Dat is nooit gebeurd, en natuurlijk had ik urgentere en actuelere zaken om me mee bezig te houden.'

'Dus aangenomen dat die organisatie bestond, dan waren de betrokken personen ofwel volslagen amateurs '

'Ofwel volleerde beroeps. Ja.'

Zen knikte langzaam, alsof hij dit alles grondig wilde overdenken.

'En de twee vrienden van Ferrero?'

'Wat is daarmee?'

'Die moeten nu inmiddels uit het leger zijn. Hebt u geprobeerd om contact met hen op te nemen? Misschien zouden zij u kunnen helpen dat dossier te sluiten. En wat materiaal voor uw boek te leveren.'

Luca Brandelli haalde zijn schouders op.

'De een was een zekere Gabriele Passarini. Hij heeft nu

een winkel in tweedehands boeken hier in Milaan. Daardoor heb ik hem voor het eerst ontmoet, misschien vijf jaar geleden. Ik liep door het centrum van de stad toen mijn oog viel op een titel waar ik tijdenlang vergeefs naar op zoek was geweest. Ik ging het boek kopen en de eigenaar gaf me zijn kaartje. Ik herkende de naam en vroeg of hij ooit bij de Alpini had gezeten. Hij zei dat dat zo was. Toen vroeg ik of hij iemand gekend had die Leonardo Ferrero heette.'

'En?'

Brandelli glimlachte.

'Hij gooide me zowat de winkel uit. Nee, hij gooide zichzelf zowat eruit. Hij was volkomen in paniek. Amateurs, dacht ik, geen beroeps. Maar hij wilde me niks vertellen. Ik geloof dat zelfs u, dottore, met het volledige apparaat van de wet achter u, niets uit hem zou hebben kunnen krijgen.'

'Was het zo'n harde?'

'Niet hard. Doodsbang.'

Zen nam even tijd om dit te verwerken.

'Weet u de naam en het adres van de boekwinkel nog?'

Brandelli pakte een visitekaartje uit de dossiermap op zijn knieën en overhandigde het aan Zen.

'U mag het houden. Ik geloof niet dat ik daar nog welkom ben als klant.'

'En die andere vriend van Ferrero? Hebt u geprobeerd om contact met hem op te nemen?'

Luca Brandelli produceerde een nog bredere glimlach.

'Ik vond dat niet de moeite waard, om maar niet te spreken van de last die het me zou veroorzaken. Hij heet Alberto Guerrazzi en is nu kolonel en divisiecommandant bij de militaire inlichtingendienst.'

Zen gaf blijk van gepaste geïmponeerdheid.

'Waardoor ze eerder weer beroeps lijken te zijn en geen amateurs,' merkte hij op.

Brandelli klapte zijn handen tegen elkaar.

'Precies! Het spreekt elkaar allemaal tegen. Eerlijk gezegd heb ik alle hoop opgegeven om ooit nog achter de waarheid in deze kwestie te komen.'

Zen stond stijfjes op van zijn stek op de rand van de bank.

'Hebt u de journalistiek helemaal afgezworen?' vroeg hij.

'Hoe bedoelt u?'

'Nou, aangenomen dat ik meer informatie boven tafel krijg die het bestaan van de Medusa-samenzwering lijkt te bevestigen, zou u er dan voor voelen om er een stuk over te schrijven?'

Brandelli maakte een vrijblijvend gebaar.

Dat zou volledig afhangen van de aard en betrouwbaarheid van de informatie.'

'Natuurlijk. Maar in principe?'

'In principe wel.'

'En zou u het gepubliceerd kunnen krijgen?'

Brandelli leek nu zichtbaar te twijfelen.

'Waarom zou u willen dat ik dat deed? U bent politieman. U wordt geacht alleen rapport uit te brengen aan uw meerderen.'

'Zoals ik al eerder zei, opereer ik niet op officiële basis. Hoe dan ook, daar hoeft u zich niet druk over te maken. Al het materiaal waarmee ik kom zal echt zijn. Wat ik moet weten is of u het gepubliceerd zou kunnen krijgen.'

Brandelli richtte zich met een zekere hooghartigheid op.

'Mijn naam is tegenwoordig niet meer zo gangbaar, maar ik heb in bepaalde kringen nog steeds mijn contacten en een zekere reputatie. Als hier een verhaal in zit, zal ik het zeker op papier zetten. Ik kan het zonder meer geplaatst krijgen in *Il Manifesto*. Misschien lukt het me zelfs om het geplaatst te krijgen in *La Repubblica*. Op voorwaarde dat er in de eerste plaats sprake is van een gedocumenteerd verhaal. Maar denkt u echt dat dat zo is?'

'Wat denkt u?'

Brandelli maakte een vermoeide, verslagen grimas.

'Ik zou uiteraard graag willen dat het zo was. Maar nee, ik geloof het niet echt. Het is allemaal te lang geleden. Iedereen die wist wat er echt gebeurd is, aangenomen dat er iets is gebeurd, is ofwel dood, ofwel heeft zijn sporen uitgewist. Die mensen zullen niets loslaten. En nu het nieu-

we regime de rechterlijke macht met succes heeft terugge-
drongen in een staat van comateuze inertie, verkeert niemand meer in de positie dat hij hen daartoe kan dwingen.
Dus eerlijk gezegd geloof ik niet dat er nog een kans is dat
we er ooit achter zullen komen wat er is gebeurd met Leonardo Ferrero, en of er in de jaren zeventig ooit echt een
rechtse samenzwering is geweest om het land over te nemen. Hoe dan ook, dat is allemaal geschiedenis. En zelfs als
we erachter komen, zal het niemand nog iets kunnen schelen. Tegenwoordig denken mensen dat geschiedenis iets is
wat er gisteren op tv was.'

Zen knoopte zijn jas dicht tegen de kou op straat.

'Dit is niet alleen een kwestie van een bijdrage aan de ge-
schiedschrijving. Bepaalde hooggeplaatste personen in de regering hebben in het openbaar een standpunt ingenomen
over deze kwestie. Als dat onjuist blijkt en u ervoor kunt
zorgen dat de waarheid gepubliceerd wordt, dan komt de hele affaire niet alleen vanavond op tv, maar ook morgenavond
en elke avond in de komende tijd. Zou het volk daar niet
in geïnteresseerd zijn? En u?'

Brandelli dacht hierover na.

'Natuurlijk wel,' antwoordde hij ten slotte. 'En het volk
misschien ook wel.'

'Onderschat nooit de macht van het volk,' was Zens uitsmijter.

XV

Uit de verschillende vervoersmogelijkheden die beschikbaar waren vanaf het in mist gehulde appartementengebouw van Luca Brandelli koos Zen voor de metrolijn M3, die door de politieke commotie rond de aanleg ervan in de jaren negentig had geleid tot de val van het socialistische bestuur van de stad. De lijn bleek efficiënt, goedkoop en schoon, een ironisch feit dat hij wel kon waarderen.

In het centrum was de mist dicht en alomtegenwoordig, een aanwezigheid die troostend en smorend tegelijk was. De rijen vastgelopen verkeer leken even vast en blijvend als de rijen huizen van vijf verdiepingen aan beide kanten. Op de trottoirs varieerde het zicht van een paar meter tot nul. Zen moest vertrouwen op geluk, intuïtie en een paar aanwijzingen van passanten, van wie er een hem helemaal de verkeerde kant op stuurde. Pas toen hij voor een winkel met gesloten luiken bleef staan om een sigaret aan te steken, besefte hij dat hij zijn doel had bereikt. CHIUSO PER LUTTO, stond er op een nogal verschoten handgeschreven kaartje op het raam achter een stalen hekwerk dat bedoeld was om dieven tegen te houden terwijl het potentiële klanten wel in staat stelde een keuze uit de boeken te bekijken die gekocht konden worden als de eigenaar terugkwam en na het afsluiten van zijn rouwperiode weer aan het werk ging.

Even verderop in de straat gloeide een nimbus van verstrooid licht in het omringende duister. Bij nadere inspectie bleek het een bar te zijn. De meeste klanten bestelden koffie met een glaasje grappa of zoete likeur als hartversterking. Zen volgde hun voorbeeld. Het café was een sjofele, rumoerige tent, maar voelde na de straten warm en vertroostend aan. De bezoekers leken een mengeling te zijn van middenstanders, ambtenaren, winkelbedienden en laaggeplaatste functionarissen die de onvermijdelijke ellende van hun reis naar huis zo lang mogelijk uitstelden.

Zen schoof een bankbiljet over de bar om de aandacht van de barman te trekken.

'Hebt u een hamer die ik vijf minuutjes mag lenen?' vroeg hij.

'Een hamer?'

'M'n auto heeft een lekke band, maar de wieldop is gedeukt en ik krijg hem er niet met m'n blote handen af. En het is natuurlijk onmogelijk om een takelwagen te laten komen in deze mist...'

De man knikte begrijpend.

'Er moet er achter nog wel een liggen.'

Hij ging hem voor naar de achterzijde van het pand, een woestenij vol ongebruikt meubilair, kratten mineraalwater en ongeregelde rommel die daar kennelijk was opgeslagen onder het motto 'je weet nooit wanneer het van pas komt'. Er was ook een munttelefoon, nu een historisch overblijfsel uit de tijd voor de mobiele revolutie, en een ingelijste luchtfoto waarop een van de kleine stadjes van de Valpadana te zien was, vermoedelijk het plaatsje waar de eigenaar van de bar was opgegroeid; een kleine, cirkelvormige bebouwde vlek die omgeven was door een enorme uitgestrektheid van bouwland, bezaaid met de grote cascine-boerencomplexen die typerend zijn voor dat gebied.

'Alsjeblieft,' zei de barman die uit een of ander verborgen heiligdom terugkwam met een hamer. 'Ik wil hem wel terughebben, hoor.'

'Vijf minuutjes.'

Zen stak de hamer bij zich en begaf zich door het klamme duister terug naar de boekwinkel. De voordeur en het grote raam waren te ver om erbij te kunnen, maar de overige ruiten liepen aan beide kanten schuin naar voren en eindigden op armlengte. Een potentiële dief zou nog steeds de boeken in de etalage niet hebben kunnen pakken, maar daar was Zen niet in geïnteresseerd. Er waren geen voetstappen of auto's in de straat te horen. Hij pakte de hamer uit zijn zak, stak zijn arm zo ver als hij kon door een van de rechthoekige openingen in het hek en sloeg toen herhaaldelijk op het raam. De ruit vertoonde eerst barsten en brak toen spectaculair. Tegelijkertijd knipperde er een gele lamp boven hem en begon er een doordringende sirene te janken. Zen ging terug naar de bar en gaf de hamer terug.

'Hartelijk dank, dat is voor mekaar. Nu ga ik de band verwisselen.'

'Wat is dat voor herrie op straat?' vroeg de barman met een zorgelijke blik.

'Geen idee. Waarschijnlijk een defect inbrekersalarm. Die dingen gaan altijd op het verkeerde moment af. Je hebt er vaker last dan gemak van.'

Niet lang daarna klonk er een andere sirene in de straten, maar door de mist en het vastgelopen verkeer duurde het nog eens tien minuten voordat de surveillancewagen eindelijk bij de boekwinkel arriveerde. Zen liet zijn legitimatiebewijs aan de agenten zien, die hun houding van agressieve achterdocht onmiddellijk inwisselden voor respectvol ontzag.

'Ik heb alles gezien,' zei Zen tegen hen. 'Puur toeval. Ik liep langs aan de overkant van de straat. Ik hoorde het geluid van brekend glas en ging kijken wat er aan de hand was. De inbreker rende weg voordat hij iets kon stelen. Ik zette de achtervolging in, maar hij ontglipte me in de mist.'

Op dit moment kwam een man die Fulvio heette tussenbeide. Hij was de conciërge van het gebouw. Nee, de eigenaar was weg en kon niet ingelicht worden. Een familietragedie. Langdurige kwestie. Iets dergelijks. Maar hij, Fulvio, kon ervoor zorgen dat het raam werd gerepareerd en dat in de tussentijd de winkel werd dichtgetimmerd. Andere familieleden? Een formaliteit, om de zaken ordelijk en officieel te laten verlopen. Nou, hij dacht dat er een zuster was. Paola Passarini. Die woonde niet ver van de snelweg naar Varese, in Busto Arsizio, in de richting van de luchthaven Malpensa. Het adres wist hij niet.

Maar de politiecomputer wel. De agenten boden aan om Zen een lift te geven, maar zeiden erbij dat hij gezien de weersomstandigheden beter de trein kon nemen. Bovendien lag het adres strikt genomen buiten hun district, omdat het net binnen de Provincia di Varese lag.

Ze zetten hem af bij het nabijgelegen station Porta Garibaldi en Zen vervolgde de reis per trein en daarna per taxi door een lugubere strook 'geïndustrialiseerd landschap'. Busto Arsizio was ooit een marktplaatsje geweest aan de rand van de vlakte langs de rivier de Ticino, maar de landelijke omgeving die het ooit een bescheiden vorm van identiteit had verschaft was nu opgeslokt door de steeds verder oprukkende wildgroei van de voorsteden van Milaan.

De woning bevond zich op de bovenste verdieping van een neostalinistische steenmassa op de kruising van twee straten waarvan het oppervlak vol hobbels en putten suggereerde dat het asfalt rechtstreeks over een slordig geëgaliseerde geploegde akker was gegoten. Zen ging omhoog met een lift die wemelde van raadselachtige graffiti, drukte op de bel en liet zijn legitimatie zien.

'Gaat dit over Gabriele?' vroeg de vrouw.

'Dat is juist.'

Ze begon de deur dicht te doen.

'Ik heb u alles al verteld.'

'We hebben elkaar nog niet eerder ontmoet, signora.'

'Ik bedoel uw mensen. De politie.'

'Ah, dus ze hebben al contact opgenomen, nietwaar?' vervolgde Zen innemend.

'Iemand van de carabinieri. Ik zei hem dat ik hem niet kon helpen.'

'Wanneer was dat?'

'Gisteren.'

Zen knikte geruststellend.

'Ja, natuurlijk. Dat was het voorlopige onderzoek op lokaal niveau. Ik ben uit Rome gekomen om het over te nemen. Als u een paar minuten voor me hebt, dan zou ik daar zeer mee geholpen zijn.'

Met tegenzin opende Paola Passarini de deur weer en Zen volgde haar naar het woongedeelte zonder tussenmuren. Ze was achter in de veertig, met een kinderlijk elfengezicht en een lichaam met een breed onderstel, waarvan de precieze verhoudingen verscholen gingen onder een ruime, tot op de enkels vallende jurk. Haar algehele voorkomen deed vermoeden dat ze op een bepaald moment had besloten geen moeite meer te doen omdat het haar geen donder kon schelen. Maar er was eigenlijk ook niet veel in Busto Arsizio waarvoor je de schijn zou moeten ophouden.

'Wilt u koffie, thee...?'

Haar stem stierf weg.

'Nee, dank u.'

'Gaat u zitten. Dus u denkt dat Gabriele is ontvoerd?'

'Ontvoerd?'

'Dat zei die andere man.'

Zen dwong zichzelf tot een glimlach.

'Ah juist, mijn collega van de carabinieri. Hij was een laaggeplaatste functionaris en was niet volledig op de hoogte gebracht. Ik betreur de fout, signora. Nee, er is niets gebeurd dat zou kunnen wijzen op een ontvoering. Maar toch hebben we redenen om aan te nemen dat het leven van uw broer gevaar kan lopen. Een van de mannen met wie hij jaren geleden in het leger heeft gezeten, is onlangs in Campione d'Italia omgekomen. Een zekere Nestore Soldani. Er was een bom in zijn auto geplaatst. Wellicht hebt u er iets van op het nieuws gezien.'

Paola Passarini maakte een vaag gebaar.

'Maar wat heeft die Soldani met Gabriele te maken? Ik heb hem die naam nooit horen noemen.'

'De jacht op de moordenaars heeft geleid tot de ontdekking van bepaalde feiten die ik in dit stadium niet kan prijsgeven, omdat het onderzoek nog aan de gang is. Ruwweg gezegd beschikken we over aanwijzingen dat uw broer mogelijk ongewild betrokken is geweest bij de affaire achter de moord op Soldani. Ik moet benadrukken dat er geen enkele aanwijzing bestaat dat signor Passarini op welke manier dan ook bij de moord betrokken was. Integendeel, we vrezen dat hij het volgende slachtoffer kan worden. Het feit dat hij de dag na de moord op Soldani verdwenen is uit zijn huis en de plek waar hij werkt lijkt deze theorie te onderbouwen. Het is daarom van het allergrootste belang dat we hem zo snel mogelijk opsporen.'

Een mechanische reeks ijzingwekkende basakkoorden deed de flat trillen.

'Kan het wat zachter, Siro!' riep Paola.

De aanslag op het gehoor ging onverminderd voort. Ze kwam overeind en waggelde naar een gang aan de andere kant van het woongedeelte, deed een deur open en verdween. Even later was de rust weergekeerd. Paola Passarini kwam terug en ging zonder iets te zeggen weer zitten.

'Hebt u nog iets van uw broer gehoord na zijn verdwijning?' vroeg Zen haar.

'Nee, dat heb ik u al gezegd. Ik bedoel tegen die andere man. Helemaal niets.'

'Is dat niet vreemd?'

'Helemaal niet. We gaan nooit veel met elkaar om. Er gaan maanden voorbij zonder dat ik iets van hem hoor. Gabriele is alleen geïnteresseerd in zijn boeken. Hij heeft altijd in zijn eigen hoofd geleefd.'

'Toch is hij vrijwillig in het leger gegaan.'

'Dat was alleen om te proberen de goedkeuring van papa te krijgen. Toen we jong waren was Primo altijd de ster van de familie. Goed in atletiek, al heel vroeg een voetbalster, groot en fysiek en vol energie. Mijn vader adoreerde hem en negeerde ons tweeën. Dat was voor mij niet zo'n probleem omdat ik meer aan mijn moeder hing, maar Gabriele leed er erg onder en trok zich in zichzelf terug.'

'Toch is hij vrijwillig in het leger gegaan,' hield Zen vol.

'Nadat Primo was gestorven. Een auto-ongeluk. Mijn vader was min of meer een held geweest in de oorlog en had altijd gewild dat Primo in het leger zou gaan. Dat had hij altijd geweigerd. Nu hij er niet meer was, probeerde Gabriele zijn plaats in te nemen door te voldoen aan de wensen van mijn vader.'

'Leven uw ouders nog? Misschien weten zij waar uw broer is.'

'Mijn vader is twaalf jaar geleden aan een beroerte overleden en mijn moeder is toen naar Australië gegaan. Ze woont met onze oom op een ranch. Ze gaan duidelijk beter met elkaar om dan mijn broer en ik. Let wel, aan het testament had ik weinig. De helft van de bezittingen werd nagelaten aan mijn moeder en het grootste deel van de rest ging naar Gabriele. Zijn idee was dat een getrouwde dochter door haar echtgenoot diende te worden onderhouden. Dat verklaart hoe mijn broer het zich heeft kunnen veroorloven om dat elegante boekwinkeltje te beginnen, om nog maar te zwijgen van een alleraardigst juweel van een appartement vlak bij het centrum.'

Zens gezicht drukte medeleven uit.

'Dat moet heel pijnlijk voor u zijn geweest.'

'Dat was het zeker. Een dolkstoot in de rug vanuit het graf. Misschien begrijpt u nu waarom Gabriele en ik elkaar nog maar zelden zien.'

Er kwam een jongeman binnen door de open deur aan het eind van de kamer.

'Paracetamol,' zei hij.

'Ben je ziek, schat?' reageerde Paola met een bezorgde stem terwijl ze overeind kwam.

'Gewoon een kater. Maar ik heb er flink last van.'

'Het flesje staat op de tweede plank in het kastje achter de deur in de badkamer. Moet ik het voor je pakken?'

'Nee.'

'Vergeet niet om de tabletten met een glas melk in te nemen. Die medicijnen zijn allemaal zuurvormend. Ze branden in je maagwand als je er geen melk bij neemt.'

'Zeur niet zo.'

De man wendde zich geïrriteerd af.

'Dus u hebt geen idee waar uw broer zou kunnen zijn?'

vroeg Zen met een vaag gevoel van gêne omdat hij getuige was geweest van deze scène.

'Absoluut niet. Hij zou in het buitenland kunnen zitten. Hij gaat vaak naar Parijs of Londen of Amsterdam, of waar dan ook, om nieuw materiaal voor de winkel te zoeken.'

'Zou hij zijn moeder in Australië kunnen zijn gaan opzoeken?'

Paola Passarini schudde beslist haar hoofd.

'Ik zou van haar gehoord hebben als hij dat had gedaan. "Waarom ben je ook niet gekomen? Het is minstens een jaar geleden dat je hier was!" Enzovoort, enzovoort.'

De telefoon ging, maar werd opgenomen voordat Paola Passarini erbij was. Ze bleef staan in de boog naar het volgende deel van de kamer en luisterde ingespannen. Ze hoorden de jongeman praten met een opzettelijk zachte stem.

'En ik ben bang dat dat alles is wat ik u kan vertellen,' zei ze tegen Zen terwijl ze terugkwam.

Zen knikte en stond op.

'En uw man?' vroeg hij.

Paola Passarini keek geschrokken.

'Mijn man? Wat heeft die ermee te maken?'

'Ik dacht dat hij misschien een idee kon hebben waar uw broer is.'

'Nou, het staat u vrij om hem dat te vragen.'

Ze keek nu zo indringend dat hij het eindelijk begreep.

'Het spijt me, ik bedoelde...'

Hij gebaarde met zijn hoofd naar het geluid van de zachte, mompelende stem in de verte.

'Dat is mijn zoon Siro,' was het antwoord.

'O, juist.'

'Hij schrijft code.'

'Code?'

'Voor computers. Hij stuurt al zijn werk on line door, dus hij hoeft niet elke dag naar kantoor. En hij helpt me met de rekeningen voor het huishouden. Deze regeling komt ons allebei van pas.'

Deze mededeling had een agressieve ondertoon, die alleen

maar ondermijnend werkte. Ze was jong getrouwd, vermoedde Zen, misschien wel na een zwangerschap die net als de vrijwillige toetreding tot het leger door haar broer bedoeld was om iets te bewijzen. Maar het huwelijk was stukgelopen en nu klampte ze zich wanhopig vast aan de enige overgebleven man in haar leven, bang om helemaal alleen achter te blijven. Hij had met Paola Passarini te doen, maar er was ook iets ongezonds aan haar, als groen geplukt fruit dat gaat rotten voordat het rijp wordt.

'Dank u voor de moeite, signora en mijn excuses voor de storing.'

Er werd met een deur geslagen en de jonge man stapte weer het woongedeelte binnen.

'Ik ga een tijdje uit met Costanzo, mama.'

'Wanneer ben je weer terug?'

'Weet ik niet. Misschien blijf ik bij hem slapen.'

'Als je me dan maar belt om het te zeggen. Je weet hoe ik me anders zorgen maak.'

Uiteindelijk verlieten de twee mannen bijna tegelijk de flat en stonden ze samen op de lift te wachten. Het moeizame stilzwijgen dat dat tot gevolg had, werd verbroken door Siro.

'Ik denk dat ik weet waar mijn oom zou kunnen zitten.'

Zen, wiens gedachten zich alleen hadden beziggehouden met de vraag waar hij de nacht moest doorbrengen, keek hem verbijsterd aan, maar Siro zei verder niets.

Buiten was de mist nog dichter geworden. Zen ervoer dit als een barmhartig lijkkleed dat de gruwelen van de omgeving verhulde. Omdat hij was opgegroeid in Venetië, kon hij zich moeilijk aanpassen aan de meeste andere stedelijke landschappen en al helemaal niet aan deze psychotische collage van betonnen grofheden die door geen enkel gevoel van orde werden verzacht, laat staan door schoonheid. De jonge man wees naar een punt verderop in de straat, waar neonlicht bloeide in de dikke walmen.

'Daar heb ik met mijn vriend afgesproken. Als u meeloopt, vertel ik u mijn idee.'

Ze liepen de ongeveer twintig meter naar een grauw café dat iets ingebouwd was in de gevel van het flatgebouw. Het café was leeg en de barman wekte de indruk dat hij op het punt had gestaan om te gaan sluiten. Een spelprogramma blèrde op een televisietoestel dat aan een stang boven de bar hing. Zen bestelde een koffie, Siro een cola.

'Ik dacht eraan nadat die andere man vertrokken was,' zei hij.

'Die carabinieri-officier die gisteren kwam?'

'Als hij dat al was.'

'Hoe bedoel je dat?'

'Mama was in de badkamer toen de bel ging, dus ik deed open. Hij stelde zichzelf voor als iemand van de carabinieri. Ik vroeg hem om zijn legitimatie en hij liet inderdaad een kaartje zien. Maar in het venstertje aan de andere kant van zijn portefeuille zat een ander kaartje met een andere naam, waarop stond dat hij werkte bij de militaire inlichtingendienst. Ik las het ondersteboven.'

Zen keek de jonge man lange tijd in de ogen.

'Jou ontgaat niet veel,' zei hij ten slotte.

Siro haalde zijn schouders op.

'Misschien ben ik daarom uiteindelijk computerprogramma's gaan schrijven. Het gaat allemaal om de details. Daar ben ik goed in, schijnt het.'

Hij keek Zen met een scherpzinnige blik aan.

'U wist niet dat de geheime politie achter mijn oom aan zat?'

'Daar was ik zeker niet van op de hoogte gebracht,' zei Zen effen. 'En de sismi staat er niet bekend om dat die samenwerkt met andere organisaties. Maar er worden vaak parallelle onderzoeken in gang gezet. De rechterhand weet vaak niet wat de linker doet.'

Siro leek even in de verleiding te komen om een geestige opmerking te maken, mogelijk van politieke aard, maar hij zag ervan af.

'Hoe zag hij eruit?' vroeg Zen.

Siro haalde zijn schouders op.

'Als een crimineel, eigenlijk. Gebroken neus, geschoren hoofd, gespierde schouders. Hij joeg me eerlijk gezegd de stuipen op het lijf. Hij vroeg mama de hele tijd maar naar een "huis op het platteland". Ze zei hem dat Gabriele geen ander huis heeft dan zijn appartement in Milaan. Maar het zette me aan het denken. Pas toen u kwam besefte ik dat ik het antwoord op zijn vraag de hele tijd al had geweten.'

Zen dronk zijn koffie op en bestelde voor hen beiden nog wat.

'Het lijkt erop dat uw oom weleens een cruciale getuige zou kunnen zijn in een ingewikkelde zaak die we onderzoeken,' zei hij. We willen hem natuurlijk zo snel mogelijk ondervragen, maar eerlijk gezegd maken we ons ook zorgen over zijn veiligheid.'

'Denkt u dat hij gevaar kan lopen?'

'Daar ben ik van overtuigd.'

'En de geheime dienst? Dragen zij bij aan de bescherming of aan de bedreiging?'

Zen staarde een hele tijd naar de grond zonder antwoord te geven.

'Daarop weet ik het antwoord niet,' zei hij ten slotte.

Siro knikte.

'Ik zou gewoon niet willen dat oom Gabriele iets ergs zou overkomen. Ik zie hem tegenwoordig niet veel meer, maar hij was altijd heel aardig tegen me toen ik nog jong was. En mijn idee is misschien wel onzin. Maar ik wil hem niet verraden als hij niet gevonden wil worden.'

Zen pakte de arm van de jonge man nadrukkelijk vast.

'Als de servizi achter hem aan zitten, wordt hij hoe dan ook gevonden. Dus dat is niet meer aan de orde. De enige vraag is wie hem als eerste vindt. Zou je liever willen dat zij dat waren of ik?'

Siro goot nog wat meer cola naar binnen.

'In het verleden waren mama's familieleden landeigenaren,' zei hij. 'Het is allemaal ongeveer honderdvijftig jaar geleden begonnen, toen ze rijk waren geworden van een steenfabriek die ze hier in Milaan bezaten. Van de opbrengst kochten ze een agrarisch landgoed op het platteland en dat breidden ze in de loop der jaren uit. En een eeuw later, toen Gabriele een jongen was, bracht de familie daar regelmatig de zomermaanden door. Mijn grootvader heeft de bezittingen eind jaren zestig verkocht. Het was al geruime tijd verliesgevend geweest. De contadini trokken allemaal hierheen om werk in de bouw of in fabrieken te zoeken, en degenen die achterbleven eisten hogere lonen en betere omstandigheden. Die tijd was voorbij. Dus hij verkocht de boel, maar de gebouwen bleven staan. Ze hadden geen nut voor de moderne gemechaniseerde landbouw, maar het zou veel te duur zijn geweest om ze te slopen.'

'Je ziet ze overal op de Po-vlakte,' merkte Zen op, 'maar ik heb er nog nooit een vanbinnen gezien.'

'Ik wel. Mijn oom nam me er een keertje naar toe op een dagtripje uit Milaan. Ik moet toen acht of negen zijn geweest. Eerlijk gezegd begreep ik niet wat hij eraan vond. Die enorme uitgestrektheid van akkers, plat als een pannenkoek, en drainagegreppels en irrigatiekanalen en rijen bomen, en dan de cascina zelf, die al tot een ruïne begon te vervallen. Het enige dat ik toen begreep was dat het vreselijk belangrijk voor hem was, en omdat ik hem een plezier wilde doen deed ik alsof het me interesseerde toen hij me de stallen liet zien en de koeienschuur, de hooizolder, de dorsvloer en wat er verder nog meer was. Het licht, zei hij steeds, die parelachtige kwaliteit die je alleen hier in de Valdapana ziet. En toen liet hij me het kamertje zien dat hij als kind had gebruikt, in de oude duiventil boven het familiehuis, met al zijn boeken en een uitzicht tot kilometers in de omtrek. "Dat was de enige tijd in mijn leven dat ik waarachtig gelukkig ben geweest," zei hij tegen me. En ik geloofde hem, ook al was het voor mij niet meer dan een vervallen, stinkende ruïne.'

Een man in een spijkerbroek en een leren jack opende de deur.

'Ciao, Siro!' riep hij. 'Sorry dat ik zo laat ben, maar die mist...'

Siro gebaarde naar Costanzo dat hij moest wachten.

'Denk je dat hij daar nu is?' vroeg Zen.

'Dat zou heel goed kunnen. Hij zou zich daar veilig voelen, dat weet ik wel.'

'En waar is het?'

'Ah, dat kan ik u niet zeggen. We kwamen aan bij een of ander plaatselijk stationnetje, de naam ben ik vergeten, en fietsten daarna over die vlakke landweggetjes, urenlang zo leek het wel. Ergens ten noorden van Cremona, denk ik. En nu moet ik gaan.'

De twee jonge mannen vertrokken. De barman pakte de afstandsbediening om de televisie uit te zetten.

'Wacht!' zei Zen tegen hem.

Het spelprogramma op de televisie had plaats gemaakt voor het nieuws terwijl Siro en hij in gesprek waren. De presentator nam nu de kleine berichten aan het einde van het bulletin door, de restanten van de gebeurtenissen van die dag. Het waren de beelden van het hotel die Zens aandacht hadden getrokken. Een wezenloze commentaarstem verklaarde dat er een Italiaanse toeriste overleden was na een val van het balkon van haar kamer in Lugano. De Zwitserse politie beschouwde het als een ongeval. De naam van de vrouw in kwestie was Claudia Giovanna Comai, een voormalig inwoonster van Verona.

'Bel een taxi voor me,' zei Zen abrupt tegen de barman.

'Waarheen?'

'Het station.'

De barman haalde zijn schouders op.

'Eerlijk gezegd zou het met dit weer sneller zijn om te gaan lopen.'

Dat deed Zen dan ook. Vanaf de Porta Garibaldi nam hij de *metropolitana* naar het centraalstation, waar hij nog twintig minuten over had om de laatste trein naar Verona te kunnen nemen.

XVI

Het ergste van het geheel was dat hij de metro moest nemen. Dit vervoerssysteem had op een agressieve manier iets plats en herinnerde Alberto steevast aan alles wat er mis was met het land. Vanuit veiligheidsoogpunt had het echter het voordeel van bijna volledige anonimiteit.

Lepanto heette zijn lokale station, naar de straat waar het station zich bevond. Onder de grond, naast de sporen, waren de muren beplakt met enorme advertenties in het Frans die de horden zwarten die vanuit Noord-Afrika binnenstroomden informeerden hoe ze het geld dat ze illegaal in Italië hadden verdiend konden overmaken naar hun hongerende gebroed in de woestijn, zodat ook zij een *scafista* in de arm konden nemen die hen het land in zou smokkelen om de rijkdom van Europa te plunderen.

De perrons stonden stampvol dringende, ordeloze, heethoofdige leerlingen van de middelbare school in de Viale delle Milizie. Wie van hen had ook maar een flauw idee wat Lepanto inhield? De 7e oktober 1571. De beslissende maritieme overwinning van het christendom op de islam, waardoor die kwestie voor een periode van vier eeuwen was beslecht. Nieuws dat net zo actueel was als de hoofdpunten van het nieuws van vandaag, maar waar waren de Sebastiano Veniers en de Augustino Barbarigo's van vandaag? Cervantes had bij dat treffen meegestreden aan Spaanse zijde en had verwondingen opgelopen waardoor zijn linkerhand blijvend verminkt was geraakt, maar hij beschouwde Lepanto nadien voor altijd als de meest glorieuze dag van zijn leven, in vergelijking waarmee het schrijven van *Don Quichot* niet meer dan een bagatel was.

De brief van Gabriele was twee dagen eerder gekomen. Alberto had meteen de envelop, maar natuurlijk niet de inhoud, doorgestuurd naar de *Scientifica*-afdeling van de dienst. Hun forensisch experts hadden minuscule sporen van maïs, kunstmest, schimmel en vogelpoep gevonden. Dat wees overduidelijk op een agrarische omgeving, maar dat en het poststempel van Crema was het enige waar ze op af konden gaan. Enig discreet onderzoek op het provinciale kadaster had echter uitgewezen dat de familie Passarini vroeger een agrarisch landgoed had bezeten in de Valpadana. Cazzola, die Gabrieles zuster Paola al zonder resultaat had ondervraagd, was daar op vrijdag naar toe gestuurd om enig verkennend onderzoek te doen. Hij had die ochtend gebeld.

'Ik heb het terrein bezocht, capo. Ik heb wat foto's gemaakt en ik heb een uitvoerige beschrijving, maar volgens uw orders heb ik geen verder onderzoek gedaan.'

'Heel goed. Hoe snel kun je terug zijn in Rome?'

'In een paar uur. Op z'n laatst vanmiddag.'

'We moeten elkaar persoonlijk treffen, zodat ik je volledig kan debriefen. Lokatie zeven, tijd D.'

'*D'accordo, capo.*'

De tunnel braakte eindelijk de oranje trein uit, bijna onherkenbaar achter de graffiti die zelfs de ramen uitwiste, enorme, gebogen, opzichtige, krankzinnige hoofdletters die god weet wat betekenden, maar zeker niet iets zinnigs of goeds. Alsof dat nog niet genoeg was, werd op station Spagna de wagon bestormd door een massa voetbalvandalen uit Verona, die de ruimte volledig in beslag namen, *limoncello* dronken uit een gemeenschappelijke fles, de wet aan hun laars lapten door te roken, en '*Roma, Roma, vaffanculo!*' scandeerden in een obsceen, heidens ritme. Alberto kwam sterk in de verleiding om een van zijn vele valse pasjes te voorschijn te halen en het hele zootje ter plekke in te rekenen, maar de operatie in uitvoering maakte dat natuurlijk onmogelijk.

Het bleek dat de voetbalfans twee stations later bij Termini weer uitstapten, waarschijnlijk om een trein terug naar het noorden te pakken. Helaas vertrokken ook de weinige gewone, degelijke Italianen die in de metro hadden gezeten, en ze maakten plaats voor een bende zwarten, zigeuners en asielzoekers die de hele dag voor het centrale spoorstation gebedeld, zakken gerold en namaakrommel verkocht hadden en nu teruggingen naar hun illegale woonkampen aan de randen van de stad. Met een lichte huivering besefte Alberto opeens dat hij de enige Italiaan in de wagon was.

Er gebeurde niets. De sfeer werd eerder warmer en meer ontspannen terwijl de stations voorbijgingen. Alle buitenlanders kletsten erop los met elkaar, lachend en verhalen vertellend in hun barbaarse tongen. Alberto wilde het voor zichzelf niet graag toegeven, maar het gevoel dat het om heel eerlijk te zijn gaf, leek heel veel op de maatschappij waarin hijzelf in de jaren vijftig was opgegroeid. Ook hier had je dat gevoel van gemeenschap en gedeelde ervaringen dat tijdens zijn leven zo goed als verdwenen was op het schiereiland. Hij kon zich natuurlijk nooit thuis voelen bij deze mensen, maar zij schenen zich thuis te voelen bij elkaar, ieder in zijn eigen clan en met zijn eigen taal en tradities. Wat had het Italië van nu daartegenover te stellen? Die troep dronken voetbalschooiers of poenerige yuppenstellen met één verwend designerkindje dat ze aan de leiband hielden als een rashond. We zijn iets kwijtgeraakt, dacht hij. We zijn in een heleboel kleine opzichten sterker dan zij, maar zij zijn in één groot opzicht sterker.

Niettemin bleef hij op zijn hoede. Toen hij de trein uit stapte op station Cinecittà, één halte voor het eindpunt, volgde een groep van vier Marokkanen of Senegalezen hem op de roltrap. Ze waren diepzwart en allemaal gekleed in ruimvallende katoenen gewaden met een kleurig patroon en hun huid glansde als een of ander edelmetaal. Toen hij boven de grond kwam, blies een vlaag koude lucht de hal binnen die naar de straat leidde. Ze vriezen dood in die woestijnoutfit, dacht hij met een mengeling van bewondering en verachting terwijl hij zijn zware overjas dichtknoopte en een sigaret opstak.

Opeens stonden ze allemaal om hem heen en sloten hem in als een troep wilde honden, terwijl een van hen iets riep in kreupel Italiaans. Alberto had geen idee wat hij zei. Hij wist alleen dat het op luide, dringende, dreigende toon werd gezegd en dat hij helemaal alleen was. Instinctief pakte hij zijn mes en haalde uit naar de dichtstbijzijnde van de vier, maar de man was daar al niet meer. Alberto draaide zich snel om en hakte links en rechts in de lucht, totdat een meedogenloze greep zijn pols tot stilstand bracht en het mes uitschakelde. Twee bruine ogen, oneindig breed en diep, keken in de zijne.

'Wat voor beest ben jij?' zei een van de mannen.

En toen was het voorbij en waren ze weg, voortschrijdend als goden en lachend en met elkaar pratend, zonder zelfs nog maar om te kijken of hij achter hen aan kwam. Ze hadden hem zelfs het mes laten houden omdat hij voor hen niet telde. Hij was maar een zielige oude man, die in paniek was geraakt omdat een paar onbekenden hem om een vuurtje hadden gevraagd bij de ingang van een metrostation.

Ma che razza di animale sei? Nou, hij zou ze snel het antwoord daarop laten zien. Niet aan die illegale immigranten, die er niet over zouden peinzen om het incident onder de aandacht van de autoriteiten te brengen, goddank, maar aan de enige twee mensen die er nog toe deden. Die zouden er snel achter komen wat voor beest hij precies was! Hij keek op zijn horloge, maar er was geen reden om zich zorgen te maken. 'Tijd D' was nog steeds een goede twintig minuten verwijderd en hij zou niet meer dan een halve minuut nodig hebben om de plek te bereiken. Hij had de route zorgvuldig getimed, zoals hij dat altijd deed, hoewel hij 'lokatie 7' nog nooit had gebruikt. Het was een plek die hij lange tijd had bewaard als 'eenmalige' lokatie, ongeveer op dezelfde manier als hij Cazzola vele jaren had gekoesterd als potentiële eenmalige bron, mocht de noodzaak zich voordoen.

Hij had Cazzola ontdekt kort nadat hij zijn functie had gekregen als divisiecommandant op het hoofdkantoor van de SISMI. Hij had zich al een duidelijk beeld gevormd van het soort man naar wie hij op zoek was – jong, onzeker, ambitieus, ijverig, kneedbaar maar niet te slim – en Cazzola voldeed volledig aan deze compositietekening. Alberto had hem onder zijn hoede genomen, hem gevleid en gestimuleerd, en had ervoor gezorgd dat hij werd gepromoveerd naar een nietszeggende maar mooi klinkende rol als zijn adjudant. Binnen een jaar had hij Cazzola volledig ingepakt. 'U bent als een vader voor me,' had de jonge man er op een keer uitgeflapt.

Toen Alberto's gezag eenmaal ondubbelzinnig vaststond, had hij zijn beschermeling uitgetest met een paar kleine maar volstrekt illegale missies, die op zich van geen enkel belang waren. Het doel hiervan was geweest om vast te stellen dat Cazzola bereid was elke taak uit te voeren op aanwijzing en op gezag van Alberto, dat hij alleen aan hem rapport uitbracht en er zowel op het moment zelf als nadien over zweeg. Hij was voor deze tests met vlag en wimpel geslaagd.

Dus toen de lang gevreesde eventualiteit zich eindelijk voordeed, had Alberto de benodigde instrumenten bij de hand. In de loop der jaren had hij de bronnen van de servizi benut om de andere twee vroegere leden van zijn cel in het oog te houden. Door Nestores vertrek naar Venezuela en zijn nieuwe naam en nationaliteit was hij het spoor bijster geraakt, maar Soldani had dat probleem zelf opgelost door Alberto's hulp in te roepen bij het opzetten van diverse illegale maar lucratieve zaakjes op het gebied van olie en wapens. Met zijn antiquariaat, dat bij de gemeente Milaan onder zijn eigen naam stond ingeschreven, had Gabriele hem niet voor zo'n probleem gesteld. In beide gevallen had Alberto een indirecte en heimelijke methode gevolgd. Elk jaar op Leonardo's sterfdag had hij hun beiden een onbeschreven ansichtkaart gestuurd van Cellini's bronzen beeld van Perseus die het afgehakte hoofd van Medusa vasthield, als herinnering aan de gebeurtenis die hen voor de rest van hun leven met elkaar zou verbinden, en ook aan het feit dat hij wist waar ze woonden.

Zodra de storm losbarstte had hij echter voor de aanval gekozen door gebruik te maken van de aanzienlijke macht die zijn positie hem verschafte om informatie te verzamelen en logistieke steun in te zetten, en vervolgens had hij Cazzola erbij gehaald om zijn orders uit te voeren. Nestor Machado Solorzano, zoals Nestore nu door het leven ging, was zijn eerste doelwit geweest. Cazzola had hem geobserveerd en rapport uitgebracht over het prettig regelmatige leven van het doelwit, had toen ingebroken in de auto van zijn vrouw en vastgesteld welk type telccomando het echtpaar gebruikte om de automatische hekken van hun villa te openen. Daarna was het simpelweg een kwestie van naar winkels gaan voor wat semtex en een radiografische ontsteker voor een fictieve terroristische operatie, waarna Cazzola zijn training op het gebied van bommen maken in praktijk kon brengen, de twee in een onopvallend pakketje samenvoegen en de ontsteker afstemmen op de golflengte van het zendertje met afstandbediening.

Terwijl Nestore en hij hun nietszeggende gesprek hadden bij het afgelegen stationnetje halverwege Monte Generoso, had Cazzola nog meer technische vaardigheden toegepast bij de parkeerplaats van het station bij het meer. Zijn instructeur, een voormalige professionele autodief wiens straf met de helft was verminderd door toedoen van een van Alberto's contacten, ging er prat op dat hij elke auto binnen twintig seconden open kon krijgen zonder aandacht te trekken of het alarm te laten afgaan. Cazzola was een uitstekend leerling gebleken en de bom was al onder de bestuurdersstoel van Nestores Mini Cooper S geplaatst voordat de eigenaar in de trein was gestapt die terugging van de berg naar beneden.

Eén uitgeschakeld, nog één te gaan. De tweede operatie was altijd veel lastiger, omdat het doelwit door de eerste voor het gevaar was gewaarschuwd. Vandaar Alberto's besluit om Gabriele na Nestore aan te pakken, gezien het feit dat hij altijd trager van begrip was geweest, bedeesder en over het geheel genomen een veel minder lastige kluif. Alberto was dertig jaar geleden tot deze mening gekomen toen ze onderofficieren waren en had geen reden gezien om daar nu op terug te komen. Waar hij geen rekening mee had gehouden was dat Gabriele simpelweg zou verdwijnen.

Maar hij was wel verdwenen en als hij niet die stomme fout had gemaakt – heel typerend voor een zwakke, angstige man – om Alberto die brief vol bluf en gebral te sturen, was hij misschien nooit gevonden totdat Gabriele ten slotte weer zijn normale leven zou oppakken, wat hij vroeg of laat toch een keer moest doen. Alberto was erop voorbereid geweest om desnoods maar te wachten, maar hij was er allerminst gelukkig mee geweest. De situatie was te labiel en onvoorspelbaar, en er stond gewoon te veel op het spel. Voor Alberto persoonlijk natuurlijk, maar ook voor de natie, en vooral voor de eer en reputatie van de strijdkrachten die hadden gezworen die te verdedigen. Maar goed, het had uiteindelijk allemaal toch goed uitgepakt. Als hij zich van dit klusje had gekweten, zou hij in eigen persoon naar het noorden gaan en de laatst overgebleven bedreiging wegwerken voor de pure geheimhouding die operatie Medusa altijd had omgeven.

Hij knoopte zijn jas open en verplaatste zijn mes van zijn jas naar zijn rechterbroekzak. De straat waardoor hij gelopen had werd links van hem begrensd door een hoge muur. Er waren geen auto's in de buurt en het was te koud voor voetgangers om zich buiten te wagen. Alberto opende de metalen deur zonder opschrift, stapte naar binnen en deed de deur dicht zonder die op slot te doen.

De sleutel was bijna tien jaar eerder in zijn bezit gekomen, nadat hij een van de directeuren van Cinecittà bij een receptie had ontmoet. De volgende dag had hij de man gebeld en gezegd dat een vriend van een vriend een getrouwde vrouw probeerde te verleiden, tot dan toe zonder succes, en dat hij het krankzinnige idee had gehad haar op een zwoele augustusavond mee te nemen naar een van die beroemde openluchtsets van de filmstudio in de hoop dat hij daar succes had. Om voor de hand liggende redenen konden ze niet door de hoofdingang. Die vriend van een vriend was een prominent politicus, terwijl de echtgenoot van de vrouw niemand minder was dan – Was er misschien een manier om het complex ongezien binnen te komen? Het zou een kwestie van zo'n twee uur zijn, en hij kon er natuurlijk op rekenen dat de betrokken personen discreet zouden zijn en dankbaar bovendien.

Er was toen prompt een sleutel van een van de dienstingangen verstrekt, die kort daarna werd teruggegeven, met een uitvoerig en prikkelend verslag over hoe het denkbeeldige rendez-vous verlopen was, maar niet voordat Alberto een kopie had gemaakt. Hij had deze vervolgens opgeborgen op een veilige plek waar hij nog veel andere potentieel nuttige voorwerpen bewaarde, totdat de directeur in kwestie met pensioen ging en zijn eigen rol in de zaak volledig vergeten was. Alberto was niet iemand die zijn plannen overhaast uitvoerde en liet evenmin iets aan het toeval over.

Om dertien minuten over tien precies, de 'tijd D' waarnaar op hun beider schema verwezen werd, ging de deur in de muur open en kwam Cazzola binnen. Alberto, moeilijk waarneembaar in het halfduister, dat alleen verlicht werd door de vage stralen van een lantaarnpaal in de verte, zwaaide naar hem. Zijn ondergeschikte liep in zijn richting en overhandigde hem een manilla envelop.

'Alles zit hierin, capo. De exacte lokatie, foto's, een kaart en een uitvoerig schriftelijk rapport.'

'Heb je iets gezien wat erop wijst dat het bewoond is?'

'Ik heb niks kunnen ontdekken. Het complex ligt een eind van de weg verwijderd. Dat is trouwens niet meer dan een verharde laan. Het landschap is volkomen vlak en er is bijna geen beschutting. Het leek erop alsof er verse bandensporen van een fiets over de oprijlaan naar het huis liepen, maar als ik had geprobeerd om er te posten en de boel grondig te observeren, bestond de kans dat ik gezien zou worden. Ik wil met alle plezier teruggaan en inbreken, als u dat wilt. Het is een oude, verlaten cascina in het niemandsland. Als onze man daar is, kan ik makkelijk binnen komen en hem te grazen nemen.'

Alberto stopte de envelop in zijn jaszak en klopte de ander op de arm.

'Nee, nee. Dat is niet nodig.'

Hij liep een pad af tussen de enorme blinde muren waartegen steigers stonden. Een bouwterrein, zou je zo denken.

'Weet je zeker dat niemand je heeft gezien?' mompelde Alberto.

'Nou, de zus heeft me natuurlijk gezien, maar die is alweer vergeten dat ik besta. Afgezien daarvan is elke stap van de hele zaak helemaal volgens het boekje gedaan. Valse identiteitspapieren, geen persoonlijk contact, geen spoor van documenten. Ik ben gekomen en gegaan als een schim.'

'Goed werk, Cazzola.'

Ze hadden een opening bereikt tussen de bouwsels aan beide kanten. Links van hen lag een van de piazza's van Assisi. Middeleeuwse gebouwen in het warme, roze steen van Monte Subasio stonden tegen de achtergrond van de gevel van een grote kerk met een rond roosvenster boven het westelijke portaal. Rechts van hen stond een van de keizerlijke forums, met de basilieken met hun zuilen en de monumentale bogen die geen enkel verval vertoonden en waren hersteld in hun sobere, zij het ietwat vulgaire glorie. Alberto spreidde zijn handen beide richtingen uit.

'Welke kant?' vroeg hij.

Cazzola keek hem verward aan, maar zei niets.

'Nu we toch hier zijn, kunnen we ook wel optimaal gebruik maken van de faciliteiten,' merkte Alberto schertsend op terwijl hij voorging naar het forum van Rome.

'Dit is een van de sets die ze gebruikten voor al die epossen waar ze in de jaren vijftig zo dol op waren,' legde hij uit. 'Voor jouw tijd natuurlijk, maar ze brachten een hoop buitenlands geld binnen in een tijd dat we dat hard nodig hadden.'

Hij deed zijn overjas uit en legde die over een laag muurtje, dat hol klonk toen hij er met zijn voet tegen stootte. Het volgende wat uitging was zijn colbertje.

'Wat doet u, capo?'vroeg Cazzola met een stem die enige onrust verried.

'Ik wil je iets laten zien.'

Alberto stroopte de rechtermouw van zijn overhemd op. Hij stak zijn arm uit naar de andere man en wees met de wijsvinger van zijn linkerhand op een kleine tatoeage. Cazzola kwam ongemakkelijk dichterbij staan, alsof een te grote fysieke nabijheid op een gebrek aan respect zou kunnen duiden.

'Wat is het?' vroeg hij zachtjes.

'Het hoofd van Medusa. Een van de Gorgonen. Mythische monsters.'

Hij stroopte zijn mouw weer omlaag en maakte de manchet vast.

'Ik wilde je dit laten zien, Cazzola, omdat dit nou was waar het allemaal om ging. Een clandestiene militaire operatie in de jaren zeventig met de codenaam Medusa. Die zou geactiveerd moeten worden in het geval dat de revolutionairen en anarchisten die er in die tijd een grote chaos van maakten, er ooit in zouden slagen aan de macht te komen. De leden van onze organisatie hadden zich eraan gebonden om gereed te staan alle stappen te ondernemen die nodig zouden zijn om de orde en het gezag te herstellen. Begrijp je dat?'

Cazzola knikte woordeloos.

'Mooi,' zei Alberto. 'Ik moest het alleen zeker weten, snap je?'

'Wat zeker weten?'

'Dat je het had begrepen.'

Hij boog plotseling zijn hoofd.

'Verdomme!'

'Wat is er, capo?'

'Een van mijn contactlenzen is eruit gevallen. Kijk eens of je hem kunt vinden, als je zo goed wilt zijn. Ik ben halfblind zonder dat ding...'

Maar Cazzola zat al op handen en knieën en zocht de straatstenen van glaswol minutieus af. Alberto deed een paar stappen om achter hem te gaan staan en tastte in zijn broekzak.

'Wie is dat?' hijgde hij.

Toen Cazzola zijn hoofd oprichtte om te kijken, pakte Alberto zijn kin van achteren beet, duwde die met een ruk omhoog en sneed zijn keel door.

Zoveel bloed, dacht hij. Maar niets op zijn kleren, hoewel de jas alle vlekken zou hebben verborgen. Hij veegde zijn vingers af aan een stuk toiletpapier, trok toen zijn colbert en overjas aan en liet het mes, de handschoenen en de prop papier in de zelfdichtende plastic zak vallen die hij speciaal voor dat doel had meegenomen. Als hij weer thuis was zou hij het mes zorgvuldig wassen en drogen. Hij had er in het verleden veel baat bij gehad en in de toekomst zou dat ook heel goed het geval kunnen zijn.

Zoveel bloed. Ongeveer twintigduizend Turken waren gedood bij Lepanto, samen met de helft van dat aantal christenen. Het menselijk lichaam bevat ongeveer zes liter bloed. Zeg maar zo'n honderdtachtigduizend liter bij elkaar. Het moet door de spuigaten van de galeien zijn gestroomd, de Golf van Patras moet een nieuwe Rode Zee zijn geweest.

Nadat de eerste golf als gevolg van de druk was afgenomen, fouilleerde Alberto het lichaam nauwgezet, maar Cazzola had inderdaad alles volgens het boekje gedaan en er was niets dat zijn identiteit had kunnen verraden. Zelfs als dat zo was geweest, had het onderzoek nooit veel kunnen opleveren. Net als elke andere agent van de SISMI, inclusief Alberto zelf, waren alle bewijzen van zijn bestaan verwijderd uit de handen van de burgerlijke autoriteiten en vernietigd. In praktisch opzicht had Cazzola nooit bestaan.

Als een schim, dacht Alberto met voldoening terwijl hij de metalen deur achter zich dichtdeed en op slot draaide.

XVII

Zens trein zou volgens de dienstregeling kort na twee uur in de ochtend in Verona aankomen, maar vertragingen als gevolg van de mist in de hele regio maakten de reistijd aanzienlijk langer. Hij dommelde direct na het vertrek uit Milaan weg, maar werd weer wakker toen ze Brescia hadden bereikt, en toen wist hij dat hij niet meer zou kunnen slapen. In veel zaken waaraan hij had gewerkt was er een moment als dit geweest, waarin de gebeurtenissen het ritme gingen bepalen en zich opdrongen als een danspartner die opeens besloten had om te gaan leiden. Maar nog nooit had hij die verandering zo acuut gevoeld als nu.

Vanaf het station nam hij een van de twee overgebleven taxi's in de rij naar de questura op de oostelijke oever van de Adige, liet zijn legitimatie aan de brigadier achter de balie zien en vroeg om de officier van dienst en een dubbele espresso. Eerstgenoemde bleek een slungelige, suf ogende jongeman die waarschijnlijk halverwege de twintig was maar die op Zen de indruk van een tiener wekte. Hij was kennelijk uit een diepe slaap gewekt, maar zijn voorkomen veranderde razendsnel van wrevelig in gealarmeerd toen deze nachtelijke indringer zijn papieren liet zien en de reden van zijn bezoek uiteenzette.

'Een inwoonster van deze stad, een zekere Claudia Giovanna Comai, is zo'n zesendertig uur geleden gestorven als gevolg van een val uit haar hotelkamer in Lugano. De Zwitsers beschouwen het als een ongeval, maar mijn superieuren bij Criminalpol hebben redenen om aan te nemen dat dit in feite niet het geval is. Ze hebben me derhalve hierheen gestuurd om de archieven na te pluizen op diverse documenten die deze hypothese zouden kunnen staven of ont-krachten. Het is een zaak van de allerhoogste urgentie, zoals de tijd van mijn komst hier, voor ons beiden heel vervelend, maar al te duidelijk maakt.'

Terwijl de jonge officier nog versuft was door deze klap, ging Zen door en vroeg om het gebruik van een veilige binnenlandse vaste telefoonlijn om Rome te bellen en rapport uit te brengen over de voortgang. Hij werd naar een kamer op de begane grond gebracht, waar zijn begeleider hem achterliet, waarna die zelf op zoek ging naar de sleutel van het archief. Zen belde de telefoniste bij het ministerie van Binnenlandse Zaken en vroeg haar hem door te verbinden met de politieautoriteiten van de provinciehoofdstad in Cremona.

Het onthaal daar, dankzij de bron die zijn telefoontje doorgaf, was veel hartelijker dan hetgeen hem persoonlijk ten deel was gevallen in Verona. Zen zette de schaarse informatie uiteen die hij had gekregen van Paola Passarini's zoon met betrekking tot het landgoed dat vroeger in bezit was geweest van de familie en dat ze in de jaren zestig verkocht hadden, en deed het verzoek om de volledige details op te vragen bij de lokale *comune* zodra die opening. Hij zou later op de dag terugbellen om het resultaat te vernemen.

Zodra de officier van dienst de deur opende die naar de enorme opslagruimte in de kelder leidde, voelde Zen zich thuis. Archieven waren in het hele land zo ongeveer hetzelfde en hij had de meeste daarvan tijdens zijn loopbaan weleens bezocht. Voor hem waren het droevige maar rustgevende plekken, beschutte kerkhoven voor vergeten intriges, mysteries en wreedheden waar niemand zich meer druk over maakte. En boven alles waren ze compleet. Italiaanse bureaucraten mochten dan hun fouten hebben, maar net als de middeleeuwse monniken op wie ze in zoveel opzichten leken, gooiden ze nooit iets weg, hoewel het natuurlijk weleens gebeurd was dat ze in opdracht van hogerhand een document vernietigden of dat ze bepaalde personen met goe-

234

de relaties in staat stelden dat te doen terwijl ze zelf zogenaamd even niet opletten.

Dit aspect van de officiële archieven had Zen wel enige zorgen gebaard, gezien de situatie in kwestie. Zijn andere zorg was het computerscherm dat op een bureau naast de deur stond opgesteld, maar de jonge officier verzekerde hem dat de catalogus weliswaar geleidelijk aan werd gedigitaliseerd, maar dat dit proces ietwat achterliep op schema vanwege technische problemen en personeelstekorten, en dat tot nog toe alleen de zaken vanaf 1991 waren verwerkt. De toegang tot het eerdere materiaal werd verkregen via een reeks archiefkasten met cataloguskaarten, een systeem dat Zen als zijn broekzak kende. Hij stuurde zijn begeleider weg met de weinig subtiele opmerking dat hij ongetwijfeld graag nog wat meer zou willen slapen en ging toen aan de slag. Kort daarna verscheen de brigadier met een plastic beker met een dubbele hoeveelheid espresso. Zen was zo diep verzonken in de archieven dat hij bijna de vergissing maakte om hem een fooi te geven.

De documenten in het archief die te vinden waren onder de namen van Claudia en Gaetano Comai waren niet al te uitvoerig, en afgezien van de onvermijdelijke papieren die gewijd waren aan louter formaliteiten, hadden ze uitsluitend betrekking op de dood van laatstgenoemde. Zen ging zitten om ze te lezen, waarbij hij verschillende details uit de rapporten van destijds opschreef, en ook de naam van de politieman die de verhoren in het onderzoek had gedaan. Toen hij alles had wat hij moest hebben, legde hij de dossiers weer op hun plaats en ging naar boven.

De brigadier aan de balie had nooit van ene Armando Boito gehoord en het leek hem zeer onwaarschijnlijk dat zijn superieur die naam wel kende.

'We zijn te jong,' verklaarde hij op een kruiperig verontschuldigende toon die Zen nooit eerder had gehoord in combinatie met die woorden. 'De mensen van Personeelszaken hebben natuurlijk alle dossiers van ex-collega's nog in het archief zitten, maar zij beginnen pas om acht uur.'

235

Zen ging buiten in het portiek van de questura staan voor een sigaret. Er viel een regen zo serieus en intens als hagel. Voorbij de overkant van de straat gleed de enorme massa van de Adige voorbij als het collectieve onderbewustzijn van de slapende stad, een stroperige colloïde met de kleur van oud bloed, vol drab en afval, amorfe vormen en van water verzadigde gevaartes, vervlogen illusies en uiteengespatte dromen. De dichte keten van de Alpen erachter had een noodweer ontketend dat de brede bedding tegen de avond zou vullen tot aan het niveau van de hoge oevers. De mensen zouden het hoofd schudden en hun tegenwoordig vaak geuite zorgen uiten over het veranderende klimaat, maar in werkelijkheid was het altijd al zo geweest. Er waren geen landschappen in Italië. De natuur was altijd al de vijand geweest.

Al zijn instincten zeiden Zen om nu door te zetten. Met zijn slaaptekort, maar high van de adrenaline en cafeïne, voelde hij zich rusteloos en klaarwakker, maar hij kon niets nuttigs doen totdat de dagploeg op het werk arriveerde, zowel hier als in Cremona. Toen bedacht hij dat hij een auto zou moeten huren en dat de bedrijven die het vroegst opengingen zich op de luchthaven bevonden. Hij ging weer naar binnen en vroeg de brigadier aan de balie om het nummer van het plaatselijke taxibedrijf. Omdat hij met zoveel succes zijn gezag had doen gelden, had hij in dit stadium waarschijnlijk wel een surveillancewagen los kunnen praten om hem weg te brengen, maar hij voelde al aan dat de ontwikkelingen snel een punt naderden waarop officiële bemoeienissen het best zoveel mogelijk vermeden konden worden.

Toen de taxi hem bij de luchthaven afzette was het enige teken van leven in de glinsterende vertrekhal een rij voor de incheckbalie voor een of andere chartervlucht in de vroege ochtend naar Ibiza. De autoverhuurbalies waren helemaal aan de andere kant, vlak bij de aankomsthal, een wandeling die wel bijna een kilometer lang leek, en geen van die balies was al open. Zen ging op een van de rijen stalen banken vlakbij zitten en verdreef het verlangen om te gaan liggen en toe te geven aan de slaap door na te denken over zijn gesprek met Claudia Comai. Hij besefte nu dat ze alles wat hij had gezegd *alla rovescia* had opgevat, binnenstebuiten. 'Ik heb destijds mijn verklaring tegen de politie afgelegd,' had ze gezegd. 'Ze hebben me verscheidene malen ondervraagd en ik heb toen alles gezegd wat ik te zeggen heb, toen het nog vers in mijn geheugen zat. Het rapport moet nog steeds ergens in een archief zitten.'

Hij draaide onrustig heen en weer op de zitting, die erop leek te zijn gemaakt, zoals in bepaalde fastfoodrestaurants, om de tijd die iemand erop zou willen zitten tot een absoluut minimum te beperken.

'Ik ben al uw trucs en getreiter zat, hoort u me? Hij is van de trap gevallen! Dat is er gebeurd, en u hebt geen bewijs van het tegendeel. Hij was toen al kreupel, in godsnaam! Hij is van de trap gevallen. Dat was destijds de conclusie van de onderzoeksrechter en die is nooit in twijfel getrokken, in al die jaren niet!'

En dan die vreselijke vulgaire vloeken en obsceniteiten waarvan een dame als Claudia zich natuurlijk had voorgenomen om die nooit in het openbaar te uiten. 'Dio boia, Dio can, vaffanculo!' Zen mompelde de woorden nu hardop. Ze waren aan hemzelf gericht, zoals zij dat toen had gedaan, maar waren vervuld van een heel ander soort walging.

Toen de mensen van het autoverhuurbedrijf eindelijk kwamen, huurde Zen een kleine Fiat met de bepaling dat hij die kon inleveren bij elk kantoor van het bedrijf in Italië. Toen hij weer terug was bij de questura vormde zich al de gebruikelijke ochtendrij immigranten en asielzoekers die op zoek waren naar onderdak en een werkvergunning. Gezien de stemming waarin hij verkeerde verspilde Zen geen tijd aan de gevoeligheden van de medewerkers van Personeelszaken. Binnen vijf minuten had hij het laatst bekende adres en telefoonnummer van inspecteur Armando Boito, die in 1991 met pensioen was gegaan en inmiddels best al dood zou kunnen zijn.

Zen had de Fiat recht voor het gebouw illegaal geparkeerd

en daarmee een rijstrook geblokkeerd die zich nu als een belangrijke verkeersader openbaarde. Het eerste dat hij zag toen hij instapte was een witte parkeerbon die onder de ruitenwissers wapperde. Hij stapte weer uit, scheurde de bon in tweeën en gooide die op straat, waarmee hij vervuilen aan zijn plaatselijke strafblad toevoegde. Je moest het de Veronesi nageven, dacht hij terwijl hij wegreed: wat ze tekortkwamen aan charme, compenseerden ze met efficiëntie, vooral als het ging om *schei* – poen.

Het kostte hem bijna een uur om de stad uit te komen, deels omdat hij een bedeesde en onervaren autorijder was en deels omdat hij geen idee had waar hij heen ging, maar vooral omdat hij gevangenzat in een contra-Adige van bumper aan bumper rijdende forenzen die precies wisten waar ze naar toe gingen en geen geduld hadden met deze stuntelende amateur die het systeem in de war schopte. Hij wist uiteindelijk alleen te ontsnappen omdat hij toevallig een richtingbord met het woord VALPOLICELLA zag en subiet over twee rijbanen naar rechts zwenkte op een manier die een hoop kleurrijke commentaren uitlokte, die hij gelukkig niet kon verstaan omdat ze werden uitgesproken in een dialectvariant die niet kenmerkend was voor Veneto als geheel, maar alleen voor de stad Verona.

Daarna was het niet zo moeilijk meer. Hij stopte bij een benzinestation om de weg te vragen en belde Boito daarna op vanuit de telefooncel. De telefoon werd direct opgenomen, door de man zelf. Dit keer verspilde Zen geen tijd met een verzonnen verhaal. Hij vertelde Boito precies wie hij was en wat hij wilde en kreeg een onmiddellijk en positief antwoord.

San Giorgio di Valpolicella was te bereiken via een zijweg van de hoofdweg, die zich omhoogkronkelde door de in mist gehulde heuvels die boven het dal oprezen, en daarna een bochtig einde vond in de ingewanden van een dorp dat duidelijk veel ouder was dan alles wat Zen tijdens zijn autorit daar had gezien. Boito had gezegd dat hij hem zou ontmoeten in een bar in het centrum van het dorp, naast de kerk.

'U kunt het niet missen. Er is er maar één.'

Hij had gelijk. Zen parkeerde op de piazza en liep naar hun ontmoetingsplek, een typisch landelijk barretje zonder enige charme of pretentie.

Een man van in de zestig, met een bos kortgeknipt wit haar en het gedrongen, hoekige, ietwat Germaanse uiterlijk van de plaatselijke bevolking, kwam overeind en begroette hem. Zen bood naar behoren zijn verontschuldigingen aan omdat hij Boito zo vroeg stoorde, maar die werden vriendelijk weggewuifd. Ze bestelden beiden koffie en daarna vertelde de gepensioneerde inspecteur zijn verhaal.

Hij kon zich de zaak-Comai nog goed herinneren, zei hij, omdat het een van die gevallen was waarbij hij er vrij zeker van was dat er een misdrijf was begaan, maar dat niet had kunnen bewijzen.

'Daar kom je niet van los, van dat soort zaken! Ze is de dans ontsprongen, denk je, en het ontbrak mij aan voldoende intelligentie of macht of geluk om haar te laten boeten. Op het laatst voel je je dan zelf schuldig, bijna alsof jij de misdadiger bent. De hele kwestie laat een vieze smaak in je mond achter. Begrijpt u wat ik bedoel?'

'Zeker wel.'

'Gaetano Comai, het slachtoffer, was toen in de zeventig. Zijn vrouw Claudia was zo'n twintig jaar jonger. Hun zoon Naldo was op school en de huishoudster had een vrije dag. Gaetano was toen al uit het leger, na een lange en onberispelijke carrière. Hij had problemen met zijn bloedsomloop en kon alleen lopen met behulp van een metalen rekje. In hun huis in Verona was een lift, maar in de villa hier in de Valpolicella installeerden ze een traplift waarmee hij de trap op en af kon komen. Kent u die apparaten? Het is in feite een plankier met een stoel erop die wordt aangedreven door een elektrische motor en die de trap op en af glijdt over een stalen rail die onder de trapleuning is aangebracht.'

'Ik heb ervan gehoord.'

'We kregen het te horen toen signora Comai het politiebureau in Negrar belde met een onsamenhangend verhaal over een noodgeval, komt u alstublieft meteen. Geen verdere bijzonderheden. Dat was op zich wel wat eigenaardig, vindt u niet? Je man ligt zwaargewond op de grond na een vermeende val van de trap, maar in plaats van een ambulance te laten komen bel je de politie.'

'Hebt u haar ernaar gevraagd?'

'Ze zei dat ze in een shocktoestand had verkeerd. Hoe dan ook, de agenten komen en laten onmiddellijk een ambulance komen, maar als die er is, wordt vastgesteld dat signor Comai dood is. Ondertussen hebben de politiemannen een verklaring van zijn vrouw opgenomen over hoe het ongeluk is gebeurd.'

'Haar echtgenoot was boven geweest, waar hij zijn middagdutje had gedaan,' lepelde Zen op. 'Zij zat beneden in de grote *salone* te lezen. Ze hoorde het getik van zijn loopprekje toen hij over de overloop liep, daarna het gezoem van de traplift die in werking werd gezet, een luide kreet en een paar keer gebonk. Ze ging kijken wat er aan de hand was en zag zijn geknakte lichaam onder aan de trap terwijl de lift zich enkele treden hoger bevond.'

Armando Boito keek Zen argwanend aan.

'Hoe wist u dat?'

'Ik heb het dossier over de zaak gelezen, *ispettore*. Neemt u maar van mij aan dat ik mijn huiswerk heb gedaan. Wat ik van u wil weten zijn de dingen die niet in het officiële rapport zijn gezet.'

Boito knikte.

'We zijn bijna zover. Vergeef me, ik moet alles in de juiste volgorde doen, anders raak ik in de war. Signora Comai liet toen aan de agent zien, zoals later ook aan mij, dat de lift alleen bewoog zolang de bedieningsknop op de leuning werd ingedrukt. Hij moet daarom zijn gestopt toen haar man, om wat voor reden dan ook, zijn evenwicht verloor en naar voren viel, zijn dood tegemoet. De agent, die onmiddellijk had moeten worden bevorderd voor deze gedachte, liep de trap op en probeerde het zelf uit. Zoals de treurende weduwe had gezegd, kwam de lift in beweging zodra hij op de knop drukte. Alleen ging de lift omhoog.'

Zen en hij keken elkaar even aan.

'Die trapliften zijn heel simpele installaties,' ging Boito verder. 'Ze gaan ofwel helemaal naar boven, ofwel helemaal naar beneden en veranderen aan het eind van hun baan van richting. Dus toen hij viel, moet signor Comai omhoog zijn gegaan over de trap en niet omlaag, en in dat geval was de lezing van het gebeurde die zijn vrouw gaf duidelijk onwaar.'

'Wat zei ze daarop?' vroeg Zen.

'Ze hakkelde en stotterde eerst wat, gebruikte toen het argument van haar shocktoestand en herinnerde zich opeens dat ze de lift zelf had gebruikt om naar boven te gaan en medicijnen te halen in de badkamer. Ze voelde zich te zwak om te lopen, zei ze me. En te bang van de trap. Volgens haar had ze het gevoel gehad dat het een "kwaadaardige kracht" was.'

Zen keek op zijn horloge.

'Maar u dacht daar anders over?'

'Absoluut. Er waren geen medicijnen te zien in de buurt van het lijk en de patholoog vond geen aanwijzing dat er iets was toegediend. Wat hij wel vond, naast de te verwachten breuken en kneuzingen, was een diepe, bloedende breuk achter op de schedel.'

Boito haalde zijn schouders op.

'Zoals u weet kunnen er allerlei rare dingen gebeuren als mensen doodvallen. Signor Comai had met zijn hoofd op de rand van een van de treden kunnen vallen, of ook tegen het uiteinde van de trapleuning, een barok geval met veel scherpe randen. Het probleem waar ik mee zat was dat er geen sporen van bloed, weefsel, haar of wat dan ook te zien waren op een van deze plekken. Toen ik daar een opmerking over maakte, zei de weduwe dat ze de oppervlakken schoon had geveegd omdat ze er niet tegen kon om de bloedvlekken van haar man te moeten zien. Ik vroeg toen wat ze had gebruikt. Een doekje, antwoordde ze. Wat had ze ermee gedaan? "Ik heb het in de haard gegooid. Het gaf me een onrein gevoel."'

'De haard? Maar dit gebeurde in augustus.'

'Precies. Een drukkende, zwoele dag met temperaturen boven de dertig graden en onweer in de lucht. Niettemin smeulde er inderdaad een vuur in de salone. Ik onderzocht het kachelgereedschap, dat allemaal heel zwaar en van smeedijzer was. Alles was vuil behalve de pook, die leek te zijn schoongeveegd. Toen ik naar het vuur vroeg, bloosde signora Comai en zei dat ze plotseling een koude rilling had gevoeld. Misschien was het de overgang. Ze naderde die periode van haar leven. Soms voelde ze zich heel warm, soms voelde ze zich koud. Dit waren heel onbehoorlijke vragen. Er bestond toch geen wet tegen het aansteken van een vuur in je eigen huis, of wel soms?'

Zen vond Armando Boito sympathiek en onder normale omstandigheden zou hij het prima hebben gevonden om de hele dag door te brengen met het herkauwen van alle aspecten van deze lang geleden gesloten zaak, maar feit was dat nu elke minuut voor hem telde.

'Dus u had een zaak die *prima facie* veelbelovend was maar volledig steunde op indirecte bewijzen,' opperde hij.

'Helemaal juist. En wat ik natuurlijk graag zou hebben gedaan was signora Comai meenemen naar de questura in Verona en haar onderwerpen aan een verhoor in wisseldienst van vierentwintig uur per dag totdat ze zou doorslaan. Maar daar bestond geen kans op. De Comais behoorden net niet tot de beau monde van Verona, van het rijke en oerdomme soort, maar ze stelden toch nog wel iets voor. Er waren heel wat invloedrijke vrienden en kennissen die maar al te graag bereid waren om een publiek schandaal te maken van het feit dat een overijverige politieman niet alleen probeerde te verhinderen dat Gaetano's weduwe haar tragische verlies kon verwerken, maar haar er bovendien praktisch van beschuldigde dat ze hem vermoord had. Ik zou nooit een onderzoeksrechter hebben kunnen vinden die een arrestatiebevel zou willen tekenen. Integendeel, bij de enige poging daartoe die ik deed werd me in niet mis te verstane bewoordingen duidelijk gemaakt dat verdere initiatieven in die richting tot gevolg zouden hebben dat ik zou worden overgeplaatst naar een minder aantrekkelijke standplaats dan Verona.'

Hij spreidde zijn armen om de bar, het dorp en het omringende landschap te omvatten.

'Dit is mijn thuis, dottore! Ik was er niet op uit om mezelf tot martelaar te maken en me naar een of ander luizig gat in Calabrië of Sicilië te laten verbannen. Het zou ook geen zin hebben gehad. De zaak zou nog steeds tot niets hebben geleid. In dat soort dingen moet je realistisch zijn.'

Zen gaf aan dat hij dit volledig begreep.

'Maar u denkt nog steeds dat zij het heeft gedaan?' vroeg hij.

Boito keek hem met een bijna boze blik aan.

'Moet u dat nog vragen?'

'Hoe dan?'

Boito zuchtte diep.

'Ik vermoed dat ze wachtte totdat haar man naar boven ging voor zijn middagdutje, dat hij gewoonlijk deed rond de tijd waarop zijn dood plaatsvond. Met een of andere smoes liep ze met hem mee naast de traplift waarin hij zat. Vlak voor het einde van de trap zorgde ze op de een of andere manier dat hij ging staan, of misschien duwde ze hem gewoon uit de stoel en over de lange trap omlaag. Ze was veel jonger dan hij, moet u bedenken, en heel stevig gebouwd. Daarna rende ze naar beneden en pakte ze de pook uit de salone. Misschien was hij al dood, maar ze nam het zekere voor het onzekere. Ze sloeg hem tegen de achterkant van zijn hoofd, stak daarna het vuur aan dat ze eerder had voorbereid en veegde de pook schoon met een doekje, dat ze vervolgens verbrandde. Ik heb de as forensisch laten onderzoeken en er werden resten van het materiaal van een doek gevonden, maar dat klopte natuurlijk met haar verhaal.'

Zen knikte.

'Goed, laten we aannemen dat u gelijk hebt. Ze heeft hem vermoord. Waarom?'

Boito maakte een weids, berustend gebaar.

'Dat was het andere probleem dat ik had bij mijn pogingen om het onderzoek voort te zetten. Als er nu maar een duidelijk motief geweest was, of beter gezegd welk motief dan ook, had ik misschien een rechter kunnen vinden die zou willen vervolgen, ondanks de druk van de vrienden van de familie. Maar op het oog leek er niets te bedenken waardoor signora Comai zou kunnen profiteren van de dood van haar man. Ze streek natuurlijk de erfenis op, maar ze zat er hoe dan ook wel warmpjes bij. De Comais leken het redelijk goed met elkaar te kunnen vinden, zoals de meeste echtparen van middelbare leeftijd. Ze waren toen al wel voorbij de leeftijd waarop romantische passie een rol gespeeld zou kunnen hebben en er waren geen aanwijzingen dat ze psychotisch was. Dus als ik gelijk heb en ze hem inderdaad vermoord heeft, wat zou haar er dan toe gebracht hebben om zo'n ongelooflijk risico te nemen? Helaas heb ik het antwoord op die vraag nooit gevonden.'

Boito glimlachte zelfvoldaan.

'Maar misschien hebt u meer geluk, dottore. Wat is eigenlijk de reden voor uw belangstelling voor deze zaak, als ik vragen mag?'

'Ik onderzoek de dood van signora Comai.'

Boito's reactie was er een van schrik. Zen bedacht dat hij heel goed een van die gepensioneerden kon zijn die het begrijpelijke gevoel hebben dat ze genoeg tijd in hun leven hebben verspild aan nieuws over gebeurtenissen die hun ofwel niet aangingen of waar ze geen invloed op hadden, en die besloten hebben om de verslaving af te zweren en de jaren die hun nog resten daarvan af te zien.

'Net als haar echtgenoot is ze als gevolg van een val overleden,' zei hij terwijl hij opstond en een bankbiljet op de tafel legde om hun koffie te betalen. 'De officiële lezing is dat het een ongeluk was.'

Ze liepen naar buiten de sombere ochtend in.

'Wat is er met de villa gebeurd?' vroeg Zen terwijl hij naar de ongrijpbare nieuwe autosleutel zocht. 'Ik heb er op weg hierheen naar gezocht, maar kon hem niet vinden.'

'Hij is er niet meer. Signora Comai heeft hem na de dood van haar man verkocht, zoals ze zei vanwege pijnlijke herinneringen en dat soort zaken. Hij is gesloopt om plaats te maken voor een van die nieuwe appartementencomplexen langs de hoofdweg. Niet dat er in architectonisch opzicht veel aan verloren is gegaan. Het beste aspect is altijd het terrein geweest. Gek genoeg heeft ze een deel daarvan behouden.'

'Hoe bedoelt u?'

'Nou, de villa zelf was gewoon een negentiende-eeuws samenraapsel van thema's uit de gotiek en de renaissance, maar er was een grote ommuurde tuin, die doorliep tot aan een laan achter het landgoed. Het was een mooi ontwerp, dat destijds in de jaren vijftig tot volle wasdom was gekomen. En in een hoek helemaal achteraan stond een speelgoedhuis dat door de ouders van Claudia gebouwd was als verjaarscadeau voor haar. Ik ben ernaar toe gegaan om het te bekijken toen ik haar ondervroeg, maar het was duidelijk van geen belang voor ons onderzoek. Het was te klein voor een volwassen man om er rechtop in te staan. Maar goed, ze verkocht alles op een strook achteraan na waar het speelgoedhuis staat en liet daar een nieuwe muur bouwen om het af te schermen van de appartementen. Iedereen dacht dat ze gek was. Een sentimentele bevlieging, neem ik aan.'

Zen fronste zijn voorhoofd.

'En waar is het?'

'De villa stond waar nu het nieuwe complex staat, precies tegenover het AGIP-benzinestation aan de rechterkant als u terugrijdt naar Verona. Maar er is niets te zien.'

Zen was een tijdje in gedachten verzonken en haalde toen diep adem.

'Goeie lucht hier,' merkte hij op.

Boito knikte.

'In meer dan één opzicht, zou ik willen zeggen. San Giorgio is altijd een *paese rosso* in dit papengebied geweest. Vanwege de steengroeven, begrijpt u. Hier hebben ze dat fijne, gave steen gedolven dat wordt gebruikt voor de afwer-king van de deuren en ramen in deze streek, en de mijn-werkers hadden zich al snel georganiseerd in de PCI. Dus de geestelijke lucht is hier ook beter, naar mijn mening ten-minste.'

Hij glimlachte vol zelfspot.

'Maar natuurlijk ben ik hier geboren. U moet zelf maar oordelen. De kerk is zeker een bezoek waard. Delen ervan dateren uit 712, maar het dorp zelf is veel ouder, minimaal neolithisch en waarschijnlijk nog veel ouder. Ik wil u met genoegen rondleiden als u tijd hebt.'

Maar tijd was nou precies wat Aurelio Zen niet had.

In het kleine plaatsje Sant'Ambrogio aan de voet van de heuvel parkeerde hij de Fiat op de enorme piazza net ten noorden van het middeleeuwse centrum en ging daarna te voet verder. Na enige tijd vond hij een kruidenier en een tijdschriftenwinkel waar je faxen kon versturen en ontvan-gen. Bij de eerste kocht hij een broodje ham-kaas en bij de tweede vroeg hij het nummer van hun faxapparaat. Daarna liep hij terug naar de telefooncel op de piazza en belde hij zijn contactpersoon bij de questura in Cremona.

'Ja ja, we hebben de informatie waar u om gevraagd hebt, dottore. Het landgoed dat u beschreef bestaat inderdaad, al is het nu volkomen verlaten. Zal ik u de details nu geven? Naar uw hotel faxen? Vanzelfsprekend, dottore. Meteen. Er is alleen één ding, als ik zo vrij mag zijn...'

'Ja?' vroeg Zen, op zijn broodje kauwend.

'Toen ik het kadaster belde, had de vrouw daar het dos-sier dat we nodig hadden nog bij de hand. Ze zei dat het de tweede keer was in de afgelopen paar dagen dat er om in-lichtingen was gevraagd naar het voormalige landgoed van de Passarini's.'

'Wie was die andere beller?'

'Iemand van het ministerie van Defensie, zei ze. Dus ik vroeg me natuurlijk af of daar misschien iets gaande is waar we vanaf moeten weten. We kunnen er zo een paar man-netjes naar toe sturen om de boel te doorzoeken.'

Zen verslikte zich bijna in zijn broodje.

'Nee, nee, nee! Dat is niet nodig. De aandacht richt zich niet op het landgoed zelf. Dat moet nu trouwens toch volledig vervallen zijn. Het gaat alleen om de eigendomsakte.'

'Ah, juist. Maar waar heeft dit precies betrekking op?'

'Een lopend strafrechtelijk onderzoek van Rome, waar ik om begrijpelijke redenen niet nader op in kan gaan. Het ministerie van Defensie houdt zich ook bezig met de zaak. En om het allemaal nog moeilijker te maken loopt er ook nog een civiele rechtszaak, waarvan de bewijzen cruciaal zijn voor ons eigen onderzoek. Een van de kwesties had betrekking op het eigendomsrecht van dit landgoed in de jaren zestig. Dus het is puur een kwestie van achtergrondinformatie in verband met een affaire die voor de Provincia di Cremona van geen enkel belang is. Anders zou ik u natuurlijk hebben ingelicht.'

Tot zijn opluchting klonk de inspecteur in Cremona overtuigd.

'*Perfetto*, dottore. Vergeef me dat ik het ter sprake bracht, maar ik dacht dat ik het maar beter kon vragen. We willen natuurlijk alle belangrijke zaken die zich op ons grondgebied voordoen in de gaten houden.'

'Natuurlijk.'

'Uitstekend. Welnu, ik zal de informatie direct naar u faxen.'

Zen verliet de telefooncel en bleef buiten staan om een sigaret te roken, terwijl hij over de piazza staarde waarlangs ruw geknotte bomen stonden. Het plein had een enorme omvang in verhouding tot de grootte van het plaatsje, een exercitieterrein dat groot genoeg was om een heel regiment te laten paraderen. Er moest hier ooit een schapenmarkt geweest zijn, met kuddes die uit de omringende heuvels hierheen gebracht werden. Dat moest de verklaring zijn.

Hij ging de cel weer in en belde Gemma. Er werd niet opgenomen en hij sprak een kort bericht in op het antwoordapparaat, bijna zeker te kort voor de afluisteraars om het nummer te peilen waarvandaan hij belde. Terwijl hij terugliep naar de tijdschriftenwinkel herinnerde hij zich dat Gemma hem had gezegd dat ze van plan was een paar dagen bij haar zoon op bezoek te gaan.

Dat bracht hem op een ander idee. Nadat hij de fax van de questura in Cremona had opgehaald kocht hij een vel papier – niets was gratis in de Veneto – en faxte een bericht naar zijn vriend Giorgio De Angelis bij Criminalpol om hem te vragen een team van hun technische mensen te sturen naar het appartement in de Via del Fosso en alle elektronische afluisterapparatuur te verwijderen die ze daar vonden. Hij vond het niet nodig om iets te zeggen over de reservesleutel die buren op een verdieping lager hadden. De specialisten van het ministerie konden elke denkbare deur open krijgen in de tijd dat je je neus snoot.

Weer terug in de Fiat besloot hij even te gaan kijken bij het restant van het buitenhuis van Claudia en Gaetano Comai. Het was maar een paar kilometer weg en de dichtstbijzijnde verbindingsweg naar de autostrada was toch die kant op. Met behulp van de aanwijzingen van Armando Boito wist hij het benzinestation makkelijk te vinden en daarna sloeg hij links af een straat in die langs het appartementencomplex liep. Ongeveer op driekwart van de weg maakte het moderne smeedijzeren hek op een betonnen muurtje dat de bouwmaatschappij hier had geïnstalleerd plaats voor wat duidelijk de oorspronkelijke negentiende-eeuwse muur van het landgoed was. De oude stenen muur ging verder om de hoek van de eerstvolgende zijstraat en liep langs de achterkant van het terrein. Halverwege de muur was een groene houten deur. Stickers op de achterbumper van een gedeukte witte Toyota die ernaast stond geparkeerd, riepen de mensheid op om 'nee' te zeggen tegen de genocide door de NAVO in Servië, om de walvissen te redden en om mondiaal te denken maar lokaal in actie te komen.

Er was een vreemd, verontrustend geluid te horen, vermoedelijk een hond die hier was opgesloten om het terrein te bewaken, ver weg van de snuffelige intimiteit en geruststellende geuren van de meute. Solitaire honden waren tegenwoordig de norm, dacht Zen terwijl hij de achterklep van zijn auto openmaakte en zijn koffer openknipte. Enige kinderen ook. Hij was zelf natuurlijk ook enig kind geweest, maar de situatie was toen anders geweest. In de buurt in Venetië waar Zen was opgegroeid was er een gemeenschap van kinderen geweest, die samen speelden en leerden, vloekten en elkaar uitdaagden en ophitsten, streden om rang en status, vernuftige spelletjes bedachten waarvoor geen dure producten nodig waren, hun territorium verkenden en invallen en schijngevechten uitvoerden met hun rivalen op het territorium. Maar dat was nu allemaal verdwenen. Nu moesten zowel honden als kinderen het leven helemaal alleen ontdekken. Geen wonder dat ze zoveel jammerden.

Hij liep naar de deur in de muur, met in zijn hand de kleine gereedschapskist die hij uit zijn koffer had gepakt. Hij had dit nuttige hulpmiddel verkregen in zijn tijd als inspecteur in Napels, toen er per ongeluk een kruimeldief was binnengewandeld midden in een grote operatie waarmee Zen toen bezig was geweest. De inbreker had er grif in toegestemd om zijn vrijheid te kopen in ruil voor zijn stilzwijgen en een stel van zijn werkinstrumenten, plus een spoedcursus om die te leren gebruiken.

Ze waren Zen al bij veel gelegenheden van dienst geweest, maar één blik op het slot leerde hem dat ze hier geen nut hadden. Dit was een ouderwets, met de hand gemaakt ijzeren pijpslot, uit dezelfde tijd als de oorspronkelijke villa. Het zou misschien zelfs de technici van het ministerie voor een klein probleem hebben gesteld. Zens tas met trucs, bedoeld om moderne industriële producten te kraken, zou hier niets uithalen.

Het gejank klonk opnieuw, luider en langduriger dan eerst. Zen keek even naar de witte Toyota. Hij had de ouderwetse nummerplaten die beginnen met de code van twee letters van de provincie waar het voertuig is geregistreerd, in dit geval Pesaro. Hij pakte de kruk van de tuindeur vast en duwde met zijn schouder tegen de deur. Deze bleef even steken op de stenen rand onderaan en zwaaide daarna open.

Het overgebleven stuk tuin bestond uit dicht struikgewas tegen de muur aan beide kanten en tussen de dikke stammen van groenblijvende bomen die veel te groot waren voor deze ruimte. Een duidelijk betreden pad liep weg uit deze kleine open plek en Zen volgde het langs plukjes struiken en bodembedekkers naar een muur van gigantische cipressen, waar het pad een bocht terug maakte en uiteindelijk zicht bood op een miniatuurhuisje van baksteen in de hoek van de tuin.

Het gejank barstte weer los met hernieuwde kracht en volume, met wilde uithalen van verdriet waarin onverstaanbare woorden verwerkt waren. Zen bleef een paar meter voor het gebouwtje staan. Hij wist nu wat hij daar zou aantreffen en was niet genegen om gêne te veroorzaken door binnen te dringen. Hij had makkelijk ongezien kunnen wegglippen, maar in plaats daarvan liep hij door naar de lage voordeur en opende die.

Hij keek voorzichtig rond in de kleine kamer voor hij naar binnen ging, omdat hij uit ervaring wist hoe makkelijk verdriet zijn uitweg kon vinden in geweld, maar er was niemand te zien. Links van hem, tussen de ramen, hing een spiegel waarvoor een zwarte doek hing. Rechts stond een dressoir met in het midden een kast en veel kleine kastjes en laatjes aan beide kanten. Achteraan zag hij een tafel en stoelen, een fornuis, een haard en nog een deur. Daarachter kwamen de geluiden vandaan.

Zen bukte om de lage plafondbalken te ontwijken. De lucht was kil en rook bijzonder muf. Hij opende de deur aan het einde en kwam in een nog kleinere kamer. Er stond een ladekast van hetzelfde formaat als het dressoir in de hoofdkamer. De bovenste la was open. Op een laag bed onder het enige raam zat Naldo Ferrero voorovergebogen en onbedaarlijk te huilen. Op zijn knieën lag een geopend plakboek, van het soort waarin Zen ooit zijn verzameling treinkaartjes had bewaard die hij van zijn vader had gekregen.

'Neem me niet kwalijk,' zei Zen rustig.

Naldo Ferrero sprong op, veegde zijn tranen weg en gooide het plakboek op het bed.

'Hoe durf je hier te komen?' schreeuwde hij woedend. 'Jij hebt mijn moeder vermoord! Wat heb je tegen haar gezegd, schoft? Je hebt haar geïntimideerd, hè? Je hebt haar met god weet wat bedreigd en ze heeft zich uit doodsangst en wanhoop van het balkon laten vallen!'

'Beheers u, signor Ferrero. Uw moeder is gestorven in Lugano. Hoe had ik haar daar kunnen ondervragen? De Italiaanse politie heeft geen bevoegdheid in Zwitserland. Bovendien was haar dood het resultaat van een tragisch ongeval. Dat is in elk geval de mening van de Zwitserse autoriteiten, die beroemd zijn om hun efficiëntie en neutraliteit.'

Hij liet zich bijna verrassen toen Naldo opeens uithaalde met zijn vuist, maar de ruimte was te klein en de bedoelde klap was te laag en miste zijn doel. Zen deed eenvoudig een stap achteruit, zonder iets te doen of te zeggen. Alsof hij verbijsterd was door zijn eigen onbezonnenheid, wurmde Ferrero zich langs hem heen en rende het huis uit. Zen boog zich over het bed en pakte het plakboek op. Het viel vanzelf open op ongeveer eenvierde van het begin en het was meteen duidelijk waarom. Op dit punt waren tien foto's geplakt op de linker- en rechterpagina.

Ze waren allemaal in een grote tuin genomen. Op de eerste zes was een jonge man te zien, op de volgende twee een vrouw van rond de dertig. De man had heel goed niet ouder dan zestien of zeventien kunnen zijn, met het soepele, pezige lijf van een atleet, gemillimeterd zwart haar en een behoedzame blik die een bepaalde emotie bevatte die Zen niet goed kon thuisbrengen op de korrelige zwart-witfoto's van matige kwaliteit. Op twee van de opnamen droeg hij vrijetijdskleren die de merkwaardig komische indruk wekten van een stijl die uit de mode is maar nog niet klassiek. Op drie andere foto's droeg hij een zwembroek, op een daarvan was hij op zijn rug aan het zwemmen in een klein zwembad. Op de laatste foto lag hij languit op het bed dat Zen kon zien als hij omkeek, poedelnaakt en zo te zien slapend.

De foto's van de vrouw waren wat beter van compositie en vertoonden geen half afgebeelde lijven en onscherpe gedeelten zoals op de foto's van de man. Het onderwerp was echter problematischer, ondanks het feit dat Zen haar onmiddellijk herkende. De jongere Claudia was nooit mooi geweest, maar de blik waarmee ze in de camera keek – op haar eigen manier even ondoorgrondelijk als die van de jonge man – was verontrustend en verontrust tegelijk. Ze had een van die gezichten waarop een bepaalde combinatie van uitdaging, wanhoop en seksuele honger eenvoudige, mollige gelaatstrekken transformeert tot iets wat veel meer uitwerking heeft dan een gewoon 'mooi uiterlijk'.

Haar lichaam, ruimschoots zichtbaar in de gele bikini die ze aanhad, voorzag dit sirenenlied van een krachtige bas. Het feit dat ze iets te zwaar was en zich op de grens van de middelbare leeftijd bevond, voegde de laatste noot toe. Toen hij de foto's van Leonardo nog eens bekeek besefte Zen dat de blik in zijn ogen er een van angst was. Dit had misschien volkomen natuurlijk kunnen zijn onder de omstandigheden, maar de kwantiteit en diepte van de emotie van de jonge man stonden op de een of andere manier niet in verhouding tot het eenvoudige feit dat hij de vrouw van zijn commandant neukte. Leonardo was bang geweest voor hem, maar in zekere zin was hij voor haar nog banger geweest.

Toen de laatste twee foto's werden genomen, moest Claudia of Leonardo hebben uitgedokterd hoe de zelfontspanner van de camera werkte, want op deze beide foto's poseerden ze samen ongemakkelijk in hun zwemkleding bij het zwembad. Deze opnamen waren verreweg het suggestiefst van allemaal. Zen herinnerde zich vaag dat hij op school iets had geleerd over bepaalde atomen – of waren het moleculen? – die met andere 'samensmolten' omdat ze een deeltje bevatten dat de andere niet had. De mogelijkheden voor giechelige *doppi sensi* waren indertijd overduidelijk geweest, maar hij was zich tot nog toe nooit bewust geweest van de bredere implicaties. Deze foto's maakten duidelijk dat de vrouw van Gaetano Comai en luitenant Leonardo Ferrero gedoemd waren vanaf het moment dat ze elkaar ontmoetten.

Hoe ze besloten daarmee om te gaan was natuurlijk een andere kwestie, maar daarover hoefde weinig twijfel te bestaan vanaf het moment dat Zen terugbladerde naar het begin van het plakboek. Dit bestond uit een dicht opeen geschreven handschrift in donkergroene inkt, een dagboek van de verhouding dat duidelijk kort na het begin daarvan was begonnen. Het zou minstens een uur hebben gekost om het hele dagboek te lezen, want het bestond uit bijna vijfenzeventig grote bladzijden, en Claudia bleek een langdradige en vage prozastijl te hanteren, beknopt in de details maar bijzonder uitvoerig als het ging om gevoelens, speculaties, bedenkingen achteraf, commentaren en retorische vragen. In het besef dat hij geen uren de tijd had maar hooguit een paar minuten, koos Zen voor een heuristische methode door af en toe een duik te nemen en het verder vluchtig door te nemen, stukken over te slaan en hier en daar wat op te merken.

Zijn eerste onderzoek leverde hem weinig op, behalve dan, wat hij tussen de regels van het wijdlopige handschrift las, dat Leonardo aanvankelijk een passieve rol had gespeeld. Het was Claudia geweest die de affaire had uitgelokt toen de jonge luitenant op een middag in de zomer bij de villa verscheen om enkele boeken van zijn commandant terug te brengen. Het geval wilde dat Gaetano Comai onderweg was voor militaire zaken, maar al gauw vonden er andere dingen plaats. Luitenant Ferrero begon regelmatig naar de villa te komen, steeds op dagen waarop bekend was dat Gaetano en het personeel afwezig zouden zijn.

Hij wilde het boek net wegleggen toen hij opmerkte dat de beduimelde zachtheid aan de rand van de gebruikte pagina's nog een tijdje doorging voordat de scherpe rand van het oorspronkelijke boekwerk begon. Nadat hij nog twee lege bladen had omgeslagen zag hij dat de tekst verder ging, maar in wat aanvankelijk een ander handschrift leek. De pen was ook anders, een gewone blauwe balpen, en het handschrift kleiner, harder en schuiner. Het waren bij elkaar drie bladzijden en hij las ze zeer snel.

Naldo Ferrero stond vlak bij de voordeur, alsof hij wachtte totdat hij zou verschijnen.

'Het spijt me dat ik naar u uithaalde,' zei hij met berouwvolle stem.

'Hebt u die gerechtelijke aanvraag al ingediend om het lichaam van uw vader op te eisen?'

'Nog niet. Ik heb het druk gehad. Maar ik ben er nog mee bezig.'

Zen keek hem in de ogen.

'Signor Ferrero, toen we elkaar eerder ontmoetten beloofde ik u dat ik al mijn mogelijkheden zou aanwenden om u te helpen in ruil voor uw medewerking. Helaas moet ik zeggen dat ik daarin niet geslaagd ben, maar ik wil u een goede raad geven, en u zou er goed aan doen om die op te volgen. Neem hierover geen contact op met de gerechtelijke instanties. Vraag geen verdere inlichtingen, officieel of onofficieel. Ga terug naar La Stalla, trouw met Marta als ze u wil en probeer de hele kwestie te vergeten. Er is al één man vermoord vanwege zijn betrokkenheid bij deze affaire. Een tweede is ondergedoken en heeft in feite de doodstraf gekregen. Als u doorgaat met deze zaak, zou u weleens de derde kunnen worden. Er staan heel grote belangen op het spel en de betrokken mensen zijn machtig en meedogenloos. Er valt hoe dan ook niets mee te bereiken. Ik vrees dat het praktisch zeker is dat het lichaam van uw vader niet meer in een herkenbare vorm bestaat. Zet het allemaal van u af en ga door met uw leven.'

Weer terug achter het stuur leefde Zen al zijn onderdrukte emoties uit op de ongelukkige huurauto door die meedogenloos door de krappe bochten en over de weinige rechte stukken te jagen, het overige verkeer te bestoken met de claxon en de versnellingen bij het inhalen af te raggen. Eindelijk bereikte hij de autostrada, waar hij eerst in westelijke richting reed en daarna in zuidelijke richting naar Cremona. Toen hij bij een benzinestation in Ghedi kwam, parkeerde hij aan de achterkant van het gebouw, tussen twee enorme trucks met oplegger waarop TRANSPORT MIED-

ZYNARODOWY stond, met een adres in Polen. In het winkeltje kocht hij een kleine elektrische zaklamp, bestelde koffie en een grappa, en nam alles mee naar een van de hoge tafeltjes waaraan je kon staan. Zijn handen trilden zo erg dat hij het kopje en het glas maar met moeite aan zijn mond kreeg.

Een paar jaar eerder, toen hij een keer was teruggegaan naar zijn geboortestad Venetië, had Zen onopzettelijk de dood van een jeugdvriend veroorzaakt door op een gevoelig moment te veel druk op hem uit te oefenen. Nu leek dit weer te zijn gebeurd. Hij had de gevolgen van zijn daden op geen enkele manier kunnen voorzien, maar hij bleef een gevoel van zelfverachting houden. Hij hoopte alleen maar dat hem een kans zou worden geboden om het nog zoveel mogelijk goed te maken.

XVIII

De eerste keer dat de auto langsreed, was Gabriele een pakje gedroogde champignonsoep aan het opwarmen, waaraan hij wat verse porcini had toegevoegd, geplukt op een plek in een bosje vlakbij dat hij zich van lang geleden herinnerde. Als door een klein wonder dat de tussenliggende jaren leek te doen verdwijnen, bleek die plek er nog steeds te zijn. De tweede keer, toen de auto in de tegengestelde richting langsreed, was hij de soep aan het eten met wat brood dat hij drie dagen eerder in het naburige stadje had gekocht. Als het in de romige bruine bouillon werd gedoopt, was het nog net te eten.

Ondanks het povere licht was hij ook aan het lezen – in een heel mooie, netjes uitgevoerde zeventiende-eeuwse uitgave (Hachette, 1893) van Hyppolyte Taines *Voyage en Italie*. Er schoot hem een herinnering te binnen van een vriend die een van de jaarlijkse ansichtkaarten van Perseus met het hoofd van Medusa had gezien, natuurlijk zonder de betekenis daarvan te begrijpen, en hij had opgemerkt dat als wij terug konden gaan naar het Florence van Cellini en omgekeerd, wij ontzet zouden zijn door de stank en hij door de herrie.

Reizen in de tijd, het enige soort reizen waar Gabriele nog in geïnteresseerd was, was helaas nog niet mogelijk, maar zijn dagen hier op het platteland hadden zijn gehoor opgevoerd en het was nu even scherp als dat van een kat. In de cascina was de stilte intens en werd die alleen af en toe verbroken door het gebrom van een vliegtuig hoog in de lucht. De kleine *strada comunale* die langs het landgoed liep was eindelijk geplaveid, maar er was bijna niemand meer die er nog gebruik van wenste te maken. Dus toen de auto de eerste keer langsreed, was dat een ongebruikelijke gebeurtenis. Gabriele traceerde hem, waarbij hij lette op de specifieke kenmerken van het geluid van de motor. Toen hij weer terugkwam en zo'n honderd meter voorbij de oprijlaan stopte, waarschijnlijk in dat kreupelbosje waar de sinds lang niet meer gebruikte achteringang van een ernaast gelegen land op de weg uitkwam, legde hij zijn boek en zijn kom soep weg en pakte hij zijn pak met spullen dat hij had voorbereid.

Hij had lang aan zijn plannen gewerkt, die waren gebaseerd op een toevallige ontmoeting met een oude Chinese man in het Parco Sempione in Milaan. Temidden van het gebruikelijke stel junks, hoeren van beide seksen en behoeftige daklozen had deze kleine, gerimpelde figuur rustig iets staan uitvoeren wat op een soort kunst leek: een levend standbeeld dat langzaam maar heel zeker moduleerde tussen bepaalde ritualistische poses.

Gabriele was op de man af gelopen en had hem gevraagd wat hij aan het doen was. Toen hij antwoordde dat hij aan een vorm van zelfverdediging deed die tai-ji heette, had Gabriele bijna gelachen. Hij associeerde de oosterse vechtsporten met woeste trappen, bottenbrekende slagen met de hand en een hoop geschreeuw.

'Uw stille ballet is heel mooi, maar hoe zou het kunnen helpen als iemand u in elkaar wilde slaan?'

'Het zou voor iemand heel moeilijk zijn om me aan te vallen,' zei de man op een rustige, bijna verontschuldigende toon.

Dit keer moest Gabriele wel lachen.

'Maar wat zou u in vredesnaam doen als een of ander stuk tuig, waarvan er hier heel wat rondloopt, u te lijf zou gaan met zijn vuisten of zelfs met een mes?'

De Chinees keek hem aan met een blik die zo waardig was dat het een verwijt leek.

'Ik zou de zaken zo regelen dat ik niet op de plaats was waar de klap gegeven werd.'

257

Dit was nu Gabrieles strategie. Hij kon niet weten of zijn plechtige beloften aan Alberto over het geheimhouden van de waarheid omtrent de dood van Leonardo en natuurlijk ook operatie Medusa enig effect hadden gehad, maar zijn laatste telefoontje met Fulvio had de verontrustende informatie opgeleverd dat het raam van zijn winkel ingeslagen was en dat er een politieman was geweest die vragen had gesteld over zijn verblijfplaats en die van zijn zuster. Hij was bijna in de verleiding gekomen Paola te bellen om er meer over te horen, maar haar lijn zou vrijwel zeker worden afgeluisterd.

Hij had besloten nog een paar dagen te wachten voordat hij nogmaals een beroep op Alberto zou doen. En als er in de tussentijd mensen in slaagden hem op te sporen en hem kwamen opzoeken, zou het voor hen bijna onmogelijk zijn om het boerderijcomplex te naderen zonder dat hij hen zou zien, en als ze eenmaal binnengedrongen waren zou hij de zaken zo regelen dat hij niet op de plaats was waar ze toesloegen.

Het grote hek van de cascina was dicht en op slot, maar hij had met opzet de deur die daar ingebouwd was op een kier laten staan. Als je ertegen duwde, piepten altijd de scharnieren. Dat gebeurde nu ook. Gabriele rende snel naar beneden en door de achterdeur van het *casa padronale* de verwilderde tuin in waar de familie soms thee had gedronken in de toen populaire Engelse stijl, langs het huis van de rentmeester, de waskamer, de oude stallen en de *porcilaie* voor de varkens en kippen, daarna de hoek om naar de rij huisjes met twee kamers boven en twee beneden die vroeger werden bewoond door de arbeiders op het landgoed. Naar binnen door een achterraam dat hij open had laten staan en naar boven naar het slaapkamerraam op de eerste verdieping.

'Gabriele!'

Hij herkende de stem meteen, maar hij had ook de voetstappen geteld die weerklonken op de stenen van de echoënde binnenplaats. Het was maar één stel, dus Alberto was alleen gekomen. Het zou natuurlijk kunnen dat hij een extra man klaar had staan, maar dat was onwaarschijnlijk. Wie kon hij vertrouwen in een gevoelige kwestie als deze? Hoe dan ook, het was tijd om dat uit te zoeken. Hij deed het raam open, stak een van de stukken vuurwerk aan die hij eerder had gekocht en gooide het naar buiten.

Het antwoord was een pistoolschot. De kogel kwam absoluut niet in de buurt van Gabriele, maar de reactie was snel en zonder aarzeling geweest. Alberto moest al een pistool in zijn hand hebben. In zekere zin betekende dat een opluchting. De regels van de strijd stonden vast. Nu moest hij in beweging blijven, snel en steeds in dezelfde richting. Dit aspect van de zaak was hem duidelijk geworden na een verdere uitleg van de tai-ji-artiest. De kunst van het geheel was om je opponent te hypnotiseren met een schijnbaar onontkoombaar patroon van bewegingen, een proces met zijn eigen ritme en dynamiek, om er dan op het allerlaatste moment uit te verdwijnen.

Maar om dat te doen moest hij eerst verschijnen. Dat zou onvermijdelijk gevaarlijk zijn, maar Gabrieles ervaringen in het leger hadden bewezen dat hij, ondanks zijn schijnbaar eindeloze talent voor allerlei irrationele angsten, vrijwel ongevoelig was voor echte, gegronde, substantiële dreigingen. In feite verwelkomde hij die bijna. Ze leidden zijn aandacht af van al het andere. Niettemin had zijn ervaring in het leger ook uitvoerig aangetoond dat zijn onbevreesdheid zijn bekwaamheid ruimschoots overtrof. 'Als dit echt was geweest, was je nu dood,' was hem meer dan eens tijdens oefeningen verteld. Nu was het echt. Dit boezemde hem nog steeds geen angst in – als het kind dat hij blijkens zijn denkbeeldige angsten nog steeds was, geloofde hij nog steeds dat hij onsterfelijk was – maar het zorgde dat hij op zijn hoede was. Hij was niet bang om zijn leven op het spel te zetten, maar hij zou het vreselijk hebben gevonden om die schoften het genoegen te verschaffen hem te doden.

Naar beneden naar de gemeenschappelijke keuken aan de voorkant van het huis. Na een blik naar buiten ontdekte hij een figuur die doelloos door de aia liep in de opkomende mist, op het oog niet wetend wat hij nu moest doen. Nu kwam het lastige deel. Gabriele had de kruk en de scharnieren gesmeerd met olijfolie, net als bij de ramen boven, maar je kon er niet zeker van zijn. Vreemd genoeg herinnerde hij zich dat een van de speciale trainingen die zij vieren al die jaren geleden samen hadden gevolgd, een gevecht van man tot man en van huis tot huis was geweest. Nestore en Leonardo waren daar verreweg het best in geweest.

Hij opende de deur geleidelijk, glipte toen door de kier en rende zo snel hij kon naar links, zigzaggend en wegduikend zoals ze dat bij hun training hadden geleerd. Twee schoten kort na elkaar, die klonken als donderslagen in de put op de binnenplaats. Eén kogel trof het metselwerk rechts van hem. Gabriele vloog de trap van de porcilaie op, ging door het luik bovenaan en deed het achter zich dicht. Daarna ging hij naar buiten door de ventilatieopening – afgesloten met een traditioneel smeedijzeren raster, maar zijn broer Primo en hij hadden de schroeven doorgezaagd en alleen de koppen op hun plaats gelaten, om een andere geheime uitgang te creëren – en sprong op een tak van de enorme populier die daar net voor stond. Inmiddels was hij weer tien jaar oud. Langs de steile gebogen stam naar het punt waar die boven het dak hing, vanwaar hij zich makkelijk op de terracotta tegels kon laten vallen.

Toen hij de top van het dak bereikt had pakte hij nog een stuk knalvuurwerk uit zijn tas en vuurde dat af op de binnenplaats. De explosie was aangenaam luid, maar dit keer werd hij niet beantwoord door een schot. Hij zocht zijn weg over het dak naar de iets hogere dakrand van het rentmeestershuis en ging toen onderuit doordat een losse tegel onder zijn gewicht weggleed.

Door met zijn vingers te grijpen naar de overige tegels slaagde hij erin te voorkomen dat hij over de rand viel, maar het nettoresultaat was een verstuikte enkel die zijn oorspronkelijke strategie zo goed als nutteloos maakte. Grommend van de pijn zwoegde hij over het dak naar de kleine stenen toren met de klok, waarvan het gebeier, dat kilometers ver te horen was over het omringende vlakke land, ooit voor iedereen die op het landgoed werkte elk stadium van de werkdag had bepaald.

Er waren voetstappen te horen die de binnenplaats op gingen. Alberto had blijkbaar ofwel het valluik niet open kunnen krijgen, ofwel had het opgegeven om zijn weg te vinden in deze doolhof van gebouwen, een palimpsest dat dateerde uit de tijd tussen de vijftiende eeuw en het begin van de twintigste eeuw. In een van zijn weinige luchtige momenten had zijn vader een keer schertsend gezegd dat zelfs de ratten hier weleens verdwaalden.

'Hou op met die stomme spelletjes, Gabriele! We moeten praten. Ik wil je niets doen, echt niet. Je maakte me aan het schrikken met dat vuurwerk. Laat jezelf zien. We moeten gewoon bespreken wat er is gebeurd en een strategie met elkaar afspreken. Laten we dit nu eens en voor altijd doen. Dan kun je teruggaan naar Milaan en je leven weer oppakken.'

Gabrieles plan in dit stadium van de voorstelling was dat hij door de opening onder in de klokkentoren zou klimmen, naar beneden zou gaan door het rentmeestershuis en dan over het laatste open stuk van de binnenplaats naar de beschutting van de barchessale zou rennen. Als hij daar was, zou hij zich af en toe even laten zien en zich steeds naar links verplaatsen. Alberto zou intuïtief aannemen dat hij dan naar de enig overgebleven zijde van de rechthoekige structuur zou gaan, en zou die richting uit gaan om hem af te snijden. Intussen zou Gabriele zijn fiets pakken uit het hoekje waar hij die had verstopt en wegglippen door het hek aan de zuidoostkant van de cascina, waardoor vroeger de boerenwagens in en uit reden zonder de grondbezitters te storen, voor wie de hoofdingang was gereserveerd. Terwijl Alberto vruchteloos de hooizolder en de koestal doorzocht, kon hij 'm smeren zonder dat iemand binnen een idee had waar hij was. Hij had dit in het verleden vaak genoeg gedaan.

In die tijd was hij gewoon in de richting van de open schuren geslenterd en had hij een tijdje gekletst met de oude Giorgio, die verantwoordelijk was voor het onderhoud en de reparatie van de wagens en landbouwwerktuigen die daar werden opgeslagen, voordat hij wegglipte door de *porta dei carri*, maar nu moest hij rennen in plaats van slenteren, en gezien de conditie waarin zijn enkel verkeerde was dat onmogelijk. Kortom, zijn idee was perfect geweest maar zijn uitvoering had hem als zo vaak in de steek gelaten. Echte tai-ji-meesters verstuikten geen enkels.

En er stond veel op het spel. Ondanks de laffe woorden die nog steeds over de binnenplaats beneden weerklonken hadden Alberto's drie schoten bij Gabriele geen enkele twijfel over zijn bedoelingen laten bestaan, en op de grond zou hij in zijn huidige conditie een gemakkelijk doelwit vormen. En de achterzijde van het terrein was in de noordoosthoek helemaal overwoekerd door braamstruiken. Daarmee bleven alleen de daken over.

De licht glooiende plooien en holten van de terracotta tegels waren voor hem als tiener bekend terrein geweest, maar zelfs toen had hij zich daar nooit na zonsondergang op gewaagd, in een mistig laat najaar, met een kloppende enkel en een moordenaar die klaarstaat om hem neer te schieten zodra hij zijn silhouet vertoonde in het wegstervende licht. De tegels waren glad door het mos en dode bladeren; veel ontbraken er en ze lagen allemaal los. Op één gedeelte was het dak van de wagenschuur helemaal ingestort en bleef er een gapend gat over. Het kostte meer tijd dan hij ooit had kunnen denken om kruipend en strompelend zijn weg te vinden naar de hooizolder aan de zuidkant van het complex. Als zijn geheugen hem niet in de steek liet, dan stond daar ergens een iep die boven het dak uitstak. Hij keek er niet naar uit om daarlangs omlaag te klauteren, maar er was geen andere mogelijkheid en hij zou in elk geval de hele tijd volledig gedekt zijn.

Inmiddels was het licht bijna geheel verdwenen en hij zocht nog steeds tevergeefs naar de grote overhangende tak die hij zich herinnerde, toen het dak onder hem het begaf. Het was een geleidelijk proces, dat misschien tien seconden duurde: een lichte krak, een langzaam zakken alsof je wegzonk in een stapels kussen en toen een oorverdovende reeks knallen en een angstwekkend snelle val.

'Gabriele!'

Alberto's dreunende stem bracht hem terug in de realiteit van de situatie. De val was kort geweest en was geëindigd op een berg rottend hooi. Hij lag op de hoge, open zolder, boven op het deel van het ingestorte dak. De enige uitweg was via de zijkant naar de binnenplaats. Toen hoorde hij het geschraap van een ladder die uit zijn metalen haak werd gelicht en tegen de muur werd gezet.

Van zijn grote neiging tot lethargie en wanhoop die hem in het dagelijkse leven kenmerkte was bij Gabriele nu niets meer te bespeuren. Zijn eerste gedachte was om een van de gevallen tegels naar zijn vijand te smijten zodra diens hoofd boven de rand van de zoldervloer verscheen. Toen kreeg hij een nog beter idee.

Alberto's zaklamp en pistool waren eerder dan hijzelf te zien en de koude staaf samengebundeld licht van het eerstgenoemde instrument verkende de ruimte ervoor totdat die tot rust kwam op de pasgevallen tegels en houtbalken die op het hooi lagen. Zijn eigenaar beklom de laatste sporten van de ladder en stapte de stenen zoldervloer op.

'Gabriele?'

Er was geen geluid. Alberto liep naar het puin en inspecteerde het met zijn zaklamp, draaide zich toen om en scheen met de krachtige straal rond over de vloer van de zolder. Daarna draaide hij zich om en begon de ruimte nauwkeuriger af te zoeken, met zijn pistool in de aanslag, duidelijk vermoedend dat zijn prooi zich verschool onder of achter een van de vele resten van landbouwwerktuigen die door de schuur verspreid lagen.

Steunend op de grote dakbalk boven hem wachtte Gabriele zijn moment af en greep het vastgeknoopte klimtouw zoals hij in het verleden zo vaak had gedaan bij het spel dat zijn broer en hij 'kegelvliegen' hadden genoemd. Terwijl Alberto terugliep naar het midden van de vloer nadat hij twee vaten en een houten kruiwagen had omgekeerd, schoot Gabriele zichzelf de ruimte in, omlaagstortend en op het laatste moment opzij zwaaiend om zijn niet-geblesseerde voet in Alberto's rug te planten.

Vanaf dat moment liep alles uit de hand. Het was alleen Gabrieles bedoeling geweest zijn tegenstander te ontwapenen en te bedwingen, maar Alberto rolde opzij en gleed de *bòtola* in, de opening waardoor het hooi omlaag kon worden geduwd voor het vee in de koestal eronder. Heel even haakten zijn vingers wanhopig aan de slijmerige stenen, maar er was niet voldoende houvast en Gabriele kon niet op tijd bij hem komen. Er klonk beneden een doffe klap en daarna een onophoudelijk geschreeuw.

Even later hoorde Gabriele een andere stem op de binnenplaats. Dus Alberto had toch een extra man meegenomen. Hij pakte het pistool en de zaklamp op, maar erkende bij zichzelf de nederlaag. Hij zou vechtend ten onder gaan, maar zijn voorraad schijnbewegingen en foefjes was uitgeput en hij koesterde geen illusies over de uiteindelijke afloop.

XIX

'Gabriele Passarini!'

Er volgde een lange stilte, die slechts verbroken werd door een monotone reeks gedempte loeiende geluiden, als van een dier dat pijn had, die uit de schuur onder de hooizolder kwamen. Maar hoe kon daar een dier zijn? De boerderij was al tientallen jaren verlaten.

Zen zei verder niets en bewoog ook niet. Hij handhaafde gewoon zijn positie in het midden van de vroegere dorsvloer, temidden van het onkruid dat tussen de grote stenen was opgeschoten, even stil en onbeweeglijk als het onschuldige maar wat saaie standbeeld op een stadspiazza.

Na een hele lange tijd klonk er een stem vanuit het binnenste van de hooizolder.

'Wie ben jij?'

'Ben jij Passarini?'

Nog een stilte, afgewisseld door de doffe uithalen van een derde stem.

'Help me, Gabriele! Mijn been is gebroken!'

De straal van een zaklamp schoot uit als een knipmes en omhulde Zen.

'Gooi je wapen op de grond en ga op een afstand staan.'

'Ik ben niet gewapend. We moeten praten. Ik heb niet de bedoeling om je kwaad te doen.'

Een korte, bijtende lach.

'Precies wat Alberto zei! Jullie lui van de servizi zouden nog liegen tegen jullie moeder over je eigen naam en geboortedatum.

'Alsjeblieft, Gabriele!' riep de andere stem. 'Goed dan, jij hebt gewonnen. Ik ben nu een gewonde op het slagveld. Ondanks alles zijn we vroeger wapenbroeders geweest. Denk aan je militaire eer en laat een ambulance komen, in godsnaam!'

Zen verliet zijn denkbeeldige sokkel, deed zijn zaklamp aan en beende naar de schuur waar deze smeekbeden vandaan kwamen. Hij vond uiteindelijk de oeroude houten deur en trok die open. Binnen was de duisternis even absoluut als in de militaire tunnel die hij met Anton Redel had verkend. Ook nu fungeerde de zaklamp weer als de gezaghebbende godheid.

Een doordringende stank van vocht vermengd met de er nog steeds aanwezige geur van runderen en de akoestiek van een crypte waarin het continue gejammer en gekreun weerklonk als een koor van verdoemden. Het gebouw was helemaal van baksteen. De vloer had een strak visgraatpatroon, terwijl het gewelfde plafond de kerkelijke analogie versterkte. Het ontwerp was tegelijk robuust, sierlijk en met volmaakte verhoudingen. Ze deden in die tijd ook vreselijke dingen, dacht Zen, maar ze maakten geen vreselijke dingen. Ze wisten gewoon niet hoe.

'Hier, Gabriele!'

De wervelende echo's deden elke richtinggevende hulp die de stem had willen geven teniet, maar de straal van de zaklamp ontdekte al gauw de verfomfaaide gestalte die op zijn rug op de vloer lag, in het midden van de ruimte, op zo'n vijf meter afstand.

'Bel om een ambulance! Heb je een mobiel? Gebruik anders die van mij. Je wilt toch zeker niet mijn dood op je geweten hebben? We vergeten gewoon wat er hier is gebeurd. Het is genoeg geweest. Geen doden meer.'

Zen liep naar de man toe en daarna om hem heen, en hield de zaklamp op zijn hoofd en gezicht gericht.

'Gabriele?' vroeg de man twijfelend.

'Nee, niet Gabriele.'

De man lag snel en kort te ademen. Zijn rechterbeen was naar voren gebogen bij de knie in een hoek van ongeveer dertig graden. Er was bloed op zijn gezicht en handen en op de stenen vloer.

Zen pakte de lamp met zijn linkerhand over, knielde neer en begon met zijn rechterhand de zakken van de man te doorzoeken. De positie was ongemakkelijk, de lichtbron was te dicht bij de man en hij zag het mes pas toen het omhoogzwaaide naar zijn keel. Maar zijn aanvaller werd in zijn bewegingen belemmerd en Zen kon op tijd wegrollen om het lemmet te ontwijken. Geen van de mannen zei iets. Zen stond op en schopte tegen de hand met het mes, dat wegkletterde in een van de koeboxen. Hij ging het pakken, klapte het lemmet dicht en borg het op in zijn zak. Daarna ging hij verder met fouilleren. Nadat hij de gehele inhoud had verzameld van de zakken in het colbert en de jas van de man, ging hij staan om alles bij het licht van de zaklamp te onderzoeken. Terwijl hij dit deed maakte een andere lichtbron zijn aanwezigheid kenbaar en kwam Gabriele Passarini op hen af, die liep op de wonderlijk agressieve manier van hinkende mensen. Hij had nog steeds de zaklamp in de ene hand en het pistool in de andere.

'Wat moest ik anders doen?' vroeg Passarini, alsof hij tegen zichzelf sprak. 'Het was niet mijn bedoeling hem te verwonden. Ik wilde hem alleen tegen de grond gooien en zijn pistool afpakken. Hij probeerde me te vermoorden! Maar toen ik hem raakte viel hij vanaf de zolder hier naar beneden.'

Zen besteedde geen aandacht aan hem. Hij voltooide zijn inspectie van de spullen die hij uit de zakken van de man had gehaald, borg die weg in de zijne, en pas toen keek hij Passarini aan.

'Dertig jaar geleden was u getuige van de moord op luitenant Leonardo Ferrero in een verlaten militaire tunnel in de Dolomieten. Vertel me precies wat er die dag gebeurd is.'

'Niks zeggen!' riep de man op de grond. 'Hij is een spion van Binnenlandse Zaken. Ze proberen het leger in diskrediet te brengen. Schiet hem dood en bel dan een ambulance voor mij! Ik regel het allemaal wel. Ik zal ze zeggen dat hij verantwoordelijk was voor alles en dat jij mijn leven hebt gered.'

'Kolonel Alberto Guerrazzi was ook aanwezig bij dat voorval,' vervolgde Zen. 'En ook Nestore Soldani, die is omgekomen door een autobom in Campione d'Italia een paar dagen na de ontdekking van Ferrero's lijk en één dag voordat u hiernaar toe bent gevlucht. Jullie drieën en Leonardo Ferrero vormden vroeger een eenheid van een organisatie van samenzweerders met de codenaam operatie Medusa.'

'Schiet hem dood, Gabriele!' riep Guerrazzi met een stem waarin grote angst doorklonk. 'Deze man is een eenling die door de mensen van Binnenlandse Zaken gebruikt wordt om heibel te veroorzaken terwijl zij zich er officieel buiten houden. Wat hij ook heeft gevonden weet op dit moment alleen hij. Het is nog niet aan Rome doorgegeven. Ik zou het weten als dat zo was. Het risico is daarom beheersbaar, net als toen met Ferrero. Net als hij vormt deze persoon een bedreiging in de alfaklasse voor de nationale veiligheid. Ik ben nu hoger in rang dan jij en als de hogere officier in deze noodsituatie beveel ik je om hem onmiddellijk te elimineren. Je hebt de beschikking over de middelen en ik zal de volledige verantwoordelijkheid op me nemen. Het niet-opvolgen van mijn bevel zou neerkomen op verraad.'

Gabriele Passarini zuchtte.

'Krijg de klere, Alberto,' zei hij.

Er kwam een gesmoord geluid vanaf de grond.

'Guerrazzi was de leider van de cel,' vervolgde Zen op uiterst verveelde toon, 'en de enige die toegang had tot hogere commandoniveaus binnen de organisatie. Op een gegeven moment informeerde hij de rest van jullie dat hij opdracht had gekregen jullie allemaal mee te nemen naar een verlaten stelsel van militaire tunnels in de Dolomieten om daar een reeks rituele zware proeven te ondergaan. Ik neem aan dat de reden die werd gegeven was dat het de band van de cel zou versterken – jullie waren allemaal heel nieuwe rekruten voor Medusa – en bovendien die organisatie zou verbinden in een mystieke *Blutbruderschaftsband* met de oorlogshelden van het regiment die daar zijn gesneuveld in de Eerste Wereldoorlog.'

'Alle eer aan hen!' riep de gewonde man.

'Daar ben ik het volkomen mee eens. Alle eer aan hen. En ook alle medelijden, de arme drommels. Hoe dan ook, dat werd jullie verteld; en natuurlijk grepen jullie de kans met beide handen aan om de kazerne uit te kunnen voor een weekendje in de bergen met de mannen, zoals jullie dat trouwens ook hadden gedaan met de uitnodiging om te worden opgenomen in een eliteclub als Medusa. Guerrazzi hier was de enige die het werkelijke doel van de expeditie kende. Kolonel Gaetano Comai, zijn commandant en Medusa-contact, had hem verteld dat Leonardo Ferrero contact had gezocht met een radicale communistische onderzoeksjournalist, Luca Brandelli, met de bedoeling om details over operatie Medusa openbaar te maken. Comai heeft hem ongetwijfeld foto's laten zien die in het geheim zijn genomen tijdens hun ontmoeting in een pizzeria op de Piazza Bra. Guerrazzi's opdracht was nu om uit te zoeken hoeveel keer Ferrero verder nog met Brandelli gesproken had en hoeveel hij precies had onthuld, en om hem dan te elimineren. Ik weet niet hoe hij het tegen u en Soldani precies gezegd heeft, signor Passarini, maar het zou heel goed iets van dezelfde orde kunnen zijn geweest als de woorden die hij gebruikte toen hij u er zojuist van probeerde te overtuigen om mij dood te schieten.'

'Alberto zei tegen ons...' begon Gabriele.

'Hou je bek!' schreeuwde Guerrazzi. 'Als je dan je plicht niet wilt doen, zwijg dan in elk geval.'

Er volgde een korte stilte.

'Hebt u hier misschien papier?' vroeg Zen aan Passarini.

'Papier?'

'Het liefst schrijfmachinepapier, maar iets anders kan ook. Ik weet dat u een boekenman bent, dus ik dacht dat u misschien...'

'Ik heb wel wat in het huis liggen.'

'Zou u zo goed willen zijn om een paar velletjes te gaan halen?'

'Maar waarom?'

'Vijf of zes velletjes zou mooi zijn. O, en haal het maar niet in uw hoofd om er simpel vandoor te gaan en te verdwijnen, hoe verleidelijk dat natuurlijk is. Als u dat doet, zal ik het hoofdbureau moeten bellen en een arrestatiebevel laten uitvaardigen voor de poging tot moord op kolonel Alberto Guerrazzi.'

'Het was een ongeluk!'

'Dat zou de rechtbank moeten bepalen, maar het zou minstens drie jaar duren voordat de zaak zou voorkomen, als u al het geluk had om het al die tijd te overleven. Ik denk vast dat de kolonel en zijn vrienden stappen zouden ondernemen om u een zo onprettig mogelijke, zo niet fatale tijd in de gevangenis te bezorgen.'

Gabrieles angst was zelfs in het flikkerende licht van de zaklamp overduidelijk. Hij knikte één keer en hinkte weg.

'Ik wist dat je problemen zou geven zodra ik van je hoorde, Zen,' zei Guerrazzi. 'Ja, ik heb je identiteit geraden, hoewel ik hoop dat je gemerkt hebt dat ik die niet verraden heb aan onze kleine boekenwurm. Dus we kunnen dit allemaal achter ons laten. Ik weet dat ik op je rekenen kan om je mond te houden. Je bent een patriot, net als Brandelli dat op zijn manier was. Hij was dertig jaar geleden natuurlijk onze gezworen vijand, zoals al dat PCI-volk, maar de tijden zijn veranderd. Als ik tegenwoordig dat oppervlakkige tuig met hun consumptiedrift zie rondrennen, begin ik bijna terug te verlangen naar zulke vijanden.'

'Ik neem aan dat Ferrero is gemarteld voordat u hem in die schacht gooide,' zei Zen.

Guerrazzi zuchtte vermoeid.

We probeerden natuurlijk zoveel mogelijk informatie uit hem te krijgen over wat hij had onthuld. Denk niet dat we ervan genoten. We voerden gewoon een bevel uit. Het was onze plicht om te gehoorzamen, zoals het jouw plicht is om een ambulance te laten komen en me onmiddellijk naar het ziekenhuis te laten brengen.'

'En het gelukkige toeval wilde dat er een paar dagen later een militair toestel boven de Adriatische Zee verdween na een explosie in de lucht, zogenaamd met Leonardo Ferrero aan boord.'

'Veel van je veronderstellingen tot nog toe waren heel slim en juist, Zen, maar je vergist je als denkt dat ik daar iets mee te maken had.'

'Hoeveel man waren er aan boord van dat vliegtuig?'

'In theorie twee.'

'Maar in de praktijk één. Een onschuldige militair.'

'Het was een historisch tijdstip, Zen! Heel Europa verkeerde op de rand van gewapende revolutie. Het lot van de natie was onzeker. Uiteindelijk werden de maoïsten en stalinisten verslagen, maar het was een oorlog, ook al was die dan geheim en niet formeel uitgeroepen, en in elke oorlog vallen er slachtoffers. Alle vrijheden en privileges die we tegenwoordig vanzelfsprekend vinden zijn verkregen door middel van strijd, opoffering en lijden, maar hoe snel vergeten we dat! En nog sneller veroordelen we.'

'En raken we weer in paniek, zoals toen Ferrero's lijk na al die jaren plotseling opdook. Wat is er trouwens mee gebeurd?'

'Het is vorige week gecremeerd onder een valse naam en met een valse overlijdensakte. Ik heb persoonlijk de as uitgestrooid over de Tiber.' Guerrazzi wist een lachje op te brengen. 'Een van de *vigili* zag wat ik deed en dreigde me een boete te geven voor het vervuilen van het milieu. Ik noteerde zijn naam en nummer en zei dat hij als hij niet ophnepelde in de volgende urn terecht zou komen.'

Het licht werd merkbaar sterker toen Gabriele Passarini terugkwam met een bundel papier in zijn hand. Zen trok zorgvuldig een dun stapeltje papier uit het pak.

'Dank u. Welnu, we zullen hier gauw moeten vertrekken en het is van cruciaal belang dat u geen sporen nalaat van uw aanwezigheid hier. Ga terug naar het huis, pak alles in wat u hiernaar toe hebt meegenomen en probeer het huis er net zo te laten uitzien als toen u hier kwam. O, en laat het pistool hier.'

'Niet aan hem geven!' riep Guerrazzi, voor het eerst met

echte paniek in zijn stem. 'Geef het aan mij! Ik hou hem onder schot terwijl jij een ambulance belt!'

Gabriele negeerde hem en stelde Zen een vraag.

'Waarom wilt u het pistool?'

'Het is overheidseigendom. Dat u kolonel Guerrazzi ernstig hebt verwond is één ding...'

'Het was een ongeluk, zeg ik u!'

'Zonder meer. Maar als u het pistool houdt, is dat diefstal. Het is eigendom van de staat en moet worden teruggegeven aan de desbetreffende eigenaar.'

Hij wees naar de lage muur van de dichtstbijzijnde box.

'Leg het daar maar neer en ga pakken. Ik kom bij u zodra ik nog een paar laatste kwesties met de kolonel heb besproken.'

Gabriele deed wat hem werd gezegd en liep weg. De deur aan het eind van de stal knarste in zijn scharnieren toen hij naar buiten ging.

'Nou, die Passarini eet gewoon uit je hand,' merkte Guerrazzi sarcastisch op. 'Wat ik even weten wil: ben je van plan me dood te schieten?'

Zen gaf geen antwoord. Hij pakte een pen en hield die op armlengte voor Guerrazzi, samen met het stapeltje papier.

'Teken deze allemaal onderaan, in volgorde, en schrijf uw volledige naam en functie eronder.'

Guerrazzi keek hem rancuneus aan.

'Waarom?'

'Ik wil uw handtekening. Als souvenir voor mijn kindskinderen.'

'Je hebt geen kinderen, Zen. Ik heb je dossier gezien.'

'Teken toch maar.'

'Denk je dat ik gek ben? Ik ga geen lege vellen papier tekenen die gebruikt kunnen worden om een verklaring of een bekentenis in elkaar te flansen. Nooit!'

Zen richtte zich op en keek op zijn horloge. Toen deed hij een stap naar voren en veranderde zeer doelbewust de positie van Guerrazzi's gebroken been. Hij besteedde geen aandacht aan het geschreeuw dat erop volgde. Hij keek zelfs niet naar Guerrazzi, alleen naar zijn horloge. Toen er een minuut verstreken was, herhaalde hij de procedure.

'Goed dan, goed dan!' brulde Guerrazzi toen hij weer kon spreken. 'Mijn hart is zwak. Straks ga ik dood.'

'Teken dan.'

En dat deed Alberto. Zen hield het proces nauwkeurig in de gaten, pakte toen het papier en de pen, en borg alles op in zijn zak.

'Dank u, colonnello,' zei hij. 'We zijn bijna klaar. Mij rest alleen nog u te vertellen waarom Leonardo Ferrero dood moest.'

'Dat hebben we al besproken.'

'We hebben de redenen besproken die uw commandant u heeft gegeven. Die waren echter niet juist.'

'Godallemachtig Zen, laat een ambulance komen! Deze pijn is ondraaglijk.'

'Ik vrees dat de waarheid nog veel pijnlijker zal zijn. Feitelijk lijkt me dit nog het wreedste aspect van deze treurige affaire.'

'Ga mij niet de les lezen over de waarheid. Ik was er zelf bij. Ik weet wat er gebeurd is.'

'Nee, dat weet u niet. En zelfs de versie waarin u geloofde moet u weinig troost hebben gegeven naarmate de jaren verstreken. U geloofde dat u opdracht had gekregen om een verrader te elimineren, die dreigde een clandestiene organisatie te ontmaskeren die essentieel was voor de toekomstige stabiliteit van het land. Maar naarmate de tijd verstreek werd het vast en zeker duidelijk dat als die stabiliteit al ooit werkelijk bedreigd was geweest, dat gekomen zou zijn door mensen als u. Er heeft nooit ook maar de geringste kans bestaan op die gewapende linkse opstand. U had niet alleen het gezonde verstand en het fatsoen van het Italiaanse volk onderschat, maar beging ook een afschuwelijke misdaad in hun naam en zonder hun toestemming.'

'Achteraf is het makkelijk om de wijsheid in pacht te hebben.'

'Jullie drieën moesten sindsdien altijd met die kennis leven, en ieder ging daar op zijn eigen manier mee om. Nestore Soldani emigreerde naar Venezuela en verdiende een fortuin met allerlei louche zaakjes. Signor Passarini werd een kluizenaar en trok zich terug in de wereld van de handel in antiquarische boeken. U stapte over naar de geheime dienst en gebruikte uw macht om iedereen die u bedreigde angst aan te jagen en zo nodig te elimineren. Soldani is dood en ik zal Passarini sparen, maar bij u is het wat anders. Er waren twee medeplichtigen bij de moord op Ferrero, maar u had de leiding. De leiding over alles – de details, de duur, de *durezza*. U besloot precies hoeveel Ferrero moest lijden voordat u hem in die mijnschacht gooide. Het is niet meer dan terecht dat u minimaal de waarheid te horen krijgt.'

Alberto liet een hatelijk lachje horen.

'Ik heb die altijd geweten en ik voel trots noch schaamte over wat ik gedaan heb.'

Zen negeerde hem.

'In de loop van de ondervraging waaraan u hem onderwierp, moet Leonardo Ferrero hebben gezegd dat hij opdracht had gekregen van uw commandant, kolonel Comai, om contact op te nemen met de journalist Luca Brandelli.'

'Hij heeft zoveel gezegd.'

'Dat doen mensen die gemarteld worden. Ze zullen alles zeggen om de pijn te doen ophouden.'

'Zoals ik die vellen papier getekend heb. Wat ben je daar trouwens mee van plan?'

'Maar in dit geval was wat Ferrero zei waar. Dat lijdt geen twijfel, want hij zei precies hetzelfde tegen die journalist toen ze elkaar troffen. Hij zei tegen Brandelli dat zijn commandant onlangs het bestaan van operatie Medusa had ontdekt en zich grote zorgen maakte over de implicaties voor de democratie. Hij had daarom Ferrero de instructie gegeven ervoor te zorgen dat bepaalde details naar de pers werden gelekt zodat de hele zaak aan het licht zou komen.'

'Dat is absurd! Comai heeft me persoonlijk geworven voor Medusa. Als celleider heb ik de andere drie gerekruteerd. Zij brachten rapport uit aan mij en ik bracht rapport uit aan

Comai. Als hij twijfels over de organisatie had, waarom zou hij dat dan doen?'

Zen knikte. 'Dat is een interessant punt. Net als de celstructuur van Medusa. Het idee is natuurlijk om de organisatie te beschermen tegen onderzoek van buitenaf voor het geval de beveiliging niet meer zou functioneren. Aangezien elke cel op zichzelf staat, kunnen de leden ervan niet meer verraden dan de eigen beperkte kennis die ze hebben. Maar ze kunnen dus net zomin meer weten. Ze kunnen bijvoorbeeld niet weten of de organisatie eigenlijk wel bestaat.'

Hij scheen met de straal van de zaklamp in Guerrazzi's gezicht.

'Uw werving vond plaats in de periode van drie maanden voor de dood van luitenant Ferrero, nietwaar?'

'Hoe kun je dat weten?'

'Omdat het begin van die periode samenvalt met het moment waarop kolonel Comai ontdekte dat Ferrero een verhouding met zijn vrouw Claudia had gehad. Of beter gezegd, dat vertelde zij toen aan hem.'

'Waar heb je het over?'

'Ferrero had de verhouding een paar maanden eerder beëindigd en hij koos de wreedste manier: een muur van stilzwijgen. De manier van de lafaard, noemt ze het in haar dagboek. Het was heel moeilijk en gevaarlijk voor Claudia om contact op te nemen met haar jonge minnaar en de weinige keren dat zij dat probeerde weigerde hij gewoon te reageren. In één woord, hij had genoeg van haar gekregen en maakte zich ongetwijfeld ook zorgen over het effect op zijn carrière in het geval haar man erachter zou komen. Hoe dan ook, hij brak met haar.'

'Dit is allemaal...'

'Kort daarna ontdekte Claudia dat ze zwanger was. Ze vertelde zowel het goede als het slechte nieuws aan haar man. Ze zou dan toch eindelijk moeder worden, en hij vader. Het was een nieuw begin voor hun huwelijk, en om te zorgen dat er voortaan niets in de weg zou staan voor de liefde en het vertrouwen, was er één slippertje uit het verleden dat ze wilde bekennen om met een schone lei te kunnen beginnen. Ze dateerde het einde van de verhouding met Ferrero ongeveer een jaar eerder, zodat haar man niet het vermoeden zou krijgen dat het kind niet van hem was, en het lijkt er inderdaad op dat hij dat nooit heeft vermoed.'

Guerrazzi zag er volkomen versuft uit, en niet alleen door de pijn of het licht.

'Het doel van signora Comai bij dit alles was om zich te beschermen tegen mogelijke toekomstige indiscreties van de kant van haar ex-minnaar en vooral ook om het hem betaald te zetten. Ze wist precies hoe ambitieus Ferrero was en in zijn militaire carrière zou hij spoedig op dezelfde muur van stilzwijgen stuiten waarop hij haar had getrakteerd. Het was een rechtvaardige straf, die hem net zo'n pijn zou doen als hij haar pijn had gedaan. Kolonel Comai had echter andere ideeën. Hij was ongetwijfeld degene die opperde dat Leonardo Ferrero een uitstekende keuze zou zijn als een van de drie andere leden van de nieuw gevormde Medusa-cel.'

'Hij heeft zijn naam genoemd.'

Zen liet een toegeeflijk gebrom horen.

'Het idee was een geniale zet van zijn kant, moet ik toegeven. Een dom iemand zou zich beperkt hebben tot één moordenaar of zou het zelfs zelf hebben gedaan. Maar Comai kon niet weten hoeveel andere mensen wisten van Ferrero's verhouding met zijn vrouw. Als de jonge luitenant ergens in een steegje zou worden aangetroffen, dan waren de geruchten misschien op gang gekomen. Een eenling had hem bovendien kunnen verraden, maar een groep als die van jullie was met elkaar verbonden door een gevoel van gedeelde verantwoordelijkheid en schuld. Door de waarheid openbaar te maken zouden jullie je wapenbroeders hebben verraden, om maar niet te spreken van een uiterst geheime en belangrijke samenzwering.'

'Dit is allemaal bluf, Zen! Je hebt geen bewijs.'

'Er is bewijs, in de vorm van Claudia Comais dagboek. Dat heb ik eerder vandaag gelezen, hoewel het op een paar details na slechts bevestigde wat ik al wist of had geraden.

En ik had het makkelijk mee kunnen nemen, als ik erin geïnteresseerd was geweest om bewijzen te verzamelen. Maar deze zaak zal nooit voor de rechtbank komen.. Nog afgezien van alles zijn alle hoofdrolspelers dood. Kolonel Comai is trouwens vrijwel zeker door zijn vrouw vermoord. Ten tijde van Ferrero's dood ging Claudia er net als iedereen van uit dat hij door dat ongeluk met dat neergestorte vliegtuig was omgekomen. Pas vijftien jaar later onthulde haar man eindelijk de waarheid in de loop van een echtelijke ruzie. Korte tijd later vond hij de dood door een val, of wat waarschijnlijker is, doordat zij hem de trap af duwde. En zijn weduwe Claudia heeft zichzelf van het leven beroofd in een hotel in Lugano.'

Hij zweeg even.

'En daarmee blijft alleen u over, Guerrazzi.'

Hij liep naar de muur waar Passarini het pistool had neergelegd en veegde met zijn sjaal zorgvuldig de vingerafdrukken van het wapen voordat hij het op de grond deponeerde, ongeveer twee meter buiten het bereik van de gewonde man.

'Het moet u wel lukken om daar na enige tijd bij te komen. Het zal hier natuurlijk volkomen donker zijn, en bewegen zal veel pijn doen. Maar onder de omstandigheden zult u vermoedelijk wel besluiten dat de alternatieven nog veel minder aantrekkelijk zijn.'

Zen haalde Guerrazzi's sismi-legitimatie te voorschijn en controleerde of de handtekening op de lege vellen papier correspondeerde met die op zijn kaart. Daarna bekeek hij de overige eigendommen van de man. De sleutels behield hij en het mes gooide hij in een hoek. Tot slot verwijderde hij de batterij uit de mobiele telefoon en gooide beide delen in een andere hoek van de schuur.

'Dus je benoemt jezelf tot rechter, jury en beul,' gaf Guerrazzi met enige bittere genoegdoening als commentaar.

'Alleen de eerste twee, colonnello, en dat alleen na het verrichtten van een volledig onderzoek. In tegenstelling tot u, die alle drie de rollen op u nam, louter op basis van de onbevestigde woorden van een wraakzuchtige echtgenoot.'

'Ik was een militair die de bevelen opvolgde van mijn commandant!'

'U was een dwaas, Guerrazzi. Neem bijvoorbeeld die tatoeages met het gezicht van de Gorgoon. Ferrero en Soldani hadden ze allebei. Ik neem aan dat dat ook voor u en Passarini geldt.'

'Het maakte deel uit van de inwijdingsceremonie.'

'Om het leven voor de oppositie makkelijker te maken, ongetwijfeld. Dat maakte ellenlange ondervragingen of een derdegraads verhoor onnodig. Om jullie als lid te ontmaskeren hoefden ze alleen jullie mouw op te stropen. En het was heus niet zo dat kolonel Comai niet beter wist. Hij smokkelde regelmatig grote sommen geld via Zwitserland het land binnen, waarbij hij het casino in Campione als zijn distributiekantoor gebruikte. Dat kun je niet doen zonder invloedrijke vrienden en Comai was vrijwel zeker betaalmeester bij een van de bijzonder extreem-rechtse complotorganisaties die in die tijd actief waren. Maar hij wist dat de werkelijkheid niet kleurrijk genoeg zou zijn om jonge idioten als jullie aan te trekken en dus verzon hij dat fantasierijke geheime genootschap compleet met tatoeages, wachtwoorden, inwijdingsceremonies en rituelen voor het versterken van de onderlinge band, en wat al niet meer. En u geloofde in dat bedrog, en op grond daarvan hebt u twee moorden gepleegd en wilde u een derde plegen.'

'Het is niet waar! Het kan niet waar zijn!'

'Het is waar, colonnello. Uw hele carrière is gebaseerd op een leugen. U bent duidelijk een groot bewonderaar van militaire discipline en traditties. Net als ik op mijn manier, dus ik zal het nu aan u overlaten om de situatie te overwegen en te doen wat u het meest gepast acht.'

Zen liep door het gangpad en het gebouw uit, sloot de zware deur achter zich en veegde de klink schoon. Na de vochtige, kwalijk riekende atmosfeer in de *stalla* rook de nachtlucht heerlijk.

Gabriele stond met zijn tassen op de binnenplaats te wachten.

'Goed, laten we gaan!' zei Zen kordaat. 'Heb je al je spullen?'

'Alles behalve mijn fiets.'

'Is er iets waardoor die met jou in verband kan worden gebracht?'

'Nee.'

Passarini aarzelde.

'Het is een damesmodel.'

'Vergeet het dan maar. We moeten onmiddellijk vertrekken.'

'Maar hoe moet het dan met hem?'

Hij gebaarde naar de koestal.

'O, dat is allemaal geregeld,' antwoordde Zen terwijl hij een van Passarini's tassen pakte en hem voorging naar het hek. 'Kolonel Guerrazzi en ik zijn tot een overeenkomst gekomen en hij heeft me uitgebreide instructies gegeven. Zodra we het gebied uit zijn zal ik een nummer bellen dat hij me gegeven heeft en een militaire ambulance vragen hem te komen ophalen. We konden natuurlijk niet van de burgerdiensten gebruik maken. Die zouden vragen wat hij daar gedaan had en hoe het was gebeurd enzovoort. Op deze manier wordt het hele incident gewoon vergeten.'

Ze gingen door de kleine deur en Zen deed die achter hen dicht.

'Maar ik dan?' jammerde Passarini. Hij zal weer achter me aan komen of iemand anders sturen.'

'Nee, dat gebeurt niet,' zei Zen tegen hem terwijl hij zijn auto openmaakte. 'Een onderdeel van onze overeenkomst is dat hij een schriftelijke verklaring heeft gegeven op die vellen papier die je me hebt gegeven. Ik zal ervoor zorgen dat die bij de juiste instanties terechtkomen. Binnenkort zal iedereen van het bestaan van operatie Medusa weten, dus jouw kennis is van geen belang meer.'

'Maar dan komt er een onderzoek. Dan zal ik moeten getuigen in de rechtbank.'

'Jouw naam wordt niet genoemd in de verklaring van kolonel Guerrazzi. Hoe dan ook, niemands belang zou ermee gediend zijn als er een openbaar onderzoek gehouden werd. De hele kwestie zal als oud nieuws onder het tapijt worden geveegd. Hij schijnt de bedoeling te hebben desinformatie te verspreiden om zijn verwondingen aannemelijk te maken en hem voldoende tijd voor zijn herstel te geven. Maar het succes van dit plan vereist absoluut dat geen van ons tweeën iets ook maar bekendmaakt over wat er is gebeurd. Goed, waar heeft hij zijn auto staan?'

Passarini keek hem twijfelachtig aan.

'Heeft hij u dat niet verteld?'

'Dat detail hebben we over het hoofd gezien.'

'Hij staat in een bosje even verderop langs de weg. Ik heb hem horen aankomen.'

'Goed. Naar het schijnt liggen er gevoelige documenten in de wagen en hij wil dat die op een veilige manier worden weggewerkt. Hij heeft me uitgebreide instructies gegeven. Kun je autorijden met die enkel?'

'Ik ben niet uitgeschakeld. Het zal wel een beetje pijn doen, maar dat soort pijn kan ik wel hebben.'

Zen startte de motor en keerde.

'Dan neem jij deze auto en ik rijd in die van hem. Rijd de hele tijd achter me aan tot aan de plek waar hij wil dat hij wordt achtergelaten en dan breng ik je terug naar Milaan.'

'Ik begrijp het nog steeds niet,' zei Passarini terwijl ze over de oprijlaan hobbelden die van de cascina naar de verharde weg leidde. 'Ik begrijp niet wie u bent en ik begrijp niet wat u doet.'

'Het gaat niet zozeer om wat ik doe als wel om wat ik ongedaan maak. En jij hoeft het niet te begrijpen. Het enige dat je hoeft te doen is vergeten dat dit ooit is gebeurd. Als je dat doet, garandeer ik dat je met rust gelaten zult worden.'

Het waren deze woorden die Gabriele eindelijk overtuigden. Met rust gelaten worden! Dat was alles wat hij ooit gewild had.

XX

Twee dagen later, even na zeven uur 's ochtends, ging Aurelio Zen de voordeur uit van het appartement dat hij deelde met Gemma Santini, rende lichtvoetig de trap af het nevelige zonlicht in en koerste naar de Piazza del'Anfiteatro. Het was een korte wandeling naar de zuilengalerij in de ovale ruimte, waardoor hij altijd weer getroffen werd, op elk uur van de dag of de nacht, met zijn volmaakte verhoudingen die in balans waren met de kleurrijke gevels van de middeleeuwse huizen die waren gehouwen uit en gebouwd op de oorspronkelijke Romeinse muren.

Het enige café dat open was had *La Nazione, La Stampa* en *La Gazzetta dello Sport* te bieden als landelijke dagbladen. Lucca was het tegenovergestelde van San Giorgio di Valpolicella, een 'witte' stad in het traditioneel communistische Toscane. Zen bestelde een cappuccino en bladerde de eerste twee kranten door, maar daar stond niets in over de zaak waarin hij geïnteresseerd was. Ook was er geen woord aan besteed op het nieuws waarnaar hij geluisterd had voordat hij het appartement verliet. Hij had natuurlijk bedacht dat dit heel goed tot niets zou kunnen leiden. Het was net als patience, het enige spel dat Zen graag speelde, afgezien van de spellen waarmee hij zich beroepshalve bezighield. Soms kwamen de kaarten goed te liggen en soms niet. Het enige dat je kon doen was de kaarten zo goed mogelijk spelen en de rest aan het toeval overlaten.

Hij had in de tussenliggende dagen de kaarten in zijn hand zo goed mogelijk uitgespeeld. Nadat ze Guerrazzi's wagen hadden gevonden, waren Gabriele Passarini en hij achter elkaar over de A21 naar Brescia gereden, waar Zen de auto had geparkeerd in een zijstraat in een van de rauwe *borgate* aan de rand van de stad. Hij had de sleutel in het contact laten zitten en het raampje opengelaten. De wagen zou binnen een paar uur of misschien zelfs minuten gestolen worden. Hij had daarna het stuur van de huurauto overgenomen van Passarini en was naar Milaan gereden, waar hij zijn passagier had afgezet bij een metrostation in een van de voorsteden, om vervolgens naar een van de alomtegenwoordige Jolly Hotels te rijden, waar hij een kamer voor de nacht had gehuurd en meteen was gaan slapen. Maar slechts voor een paar uur. Er moest nog steeds werk gedaan worden en er mocht geen tijd worden verspeeld.

Hij werd rond drie uur wakker en bracht een groot deel van de ochtend door met het opstellen en corrigeren van in totaal zes stukken tekst op zijn notitieblok. Daarna vertrok hij uit het hotel, reed naar de luchthaven Linate en leverde de huurauto in. Daarna was het een taxirit van drie kwartier naar de questura in de stad, waar hij zich bekendmaakte en verzocht om het gebruik van een kopieerapparaat en een kamer met een veilige telefoonlijn en een schrijfmachine. Het laatstgenoemde stuk verouderde technologie bleek aanvankelijk een probleem op te leveren, maar uiteindelijk ontdekte iemand in de kelder een werkend model. Zen stelde daarna het document op en nam contact op met de ontvanger om afspraken te maken over de overdracht ervan. Vroeg in de avond was hij weer terug in Lucca, ruim op tijd voor het avondeten dat Gemma had klaargemaakt, bonensoep en een fikse fiorentina-steak.

Maar nu kwam het moment van de waarheid. Hij zei tegen de barman dat hij zo terug zou zijn en ging naar buiten. Op de hoek van de hoofdstraat aan de andere kant van het plein was een krantenkiosk. Zen kocht *La Repubblica* en *Il Manifesto* en ging terug naar het café zonder zelfs maar naar de krantenkoppen te kijken. Zijn koffie stond nog steeds te dampen op de bar. Zen nam die mee naar een van de wat verder gelegen tafeltjes, samen met de kranten die hij had gekocht.

Hij had zich geen zorgen hoeven te maken. *La Repubblica* had Luca Brandelli's stuk niet alleen geplaatst, maar gaf hem ook alle eer. Er was een omlijste kop en een korte introductie op de voorpagina; het volledige verhaal stond in het katern 'Politica Interna' en er was ook nog een bijtend redactioneel commentaar over het onderwerp van de hand van Eugenio Scalfari.

Het hoofdartikel besloeg twee volledige pagina's en bevatte foto's van de ondertekende verklaring die Zen op de questura in Milaan boven Guerrazzi's handtekening had getypt, en van de fotokopie die hij had gemaakt van de SISMI-legitimatiekaart van de kolonel, alsmede de volledige transcriptie van de tekst die Zen eerder in het Jolly Hotel had samengesteld. Die kwam in feite neer op een aangepaste versie van het relaas van de moord op Leonardo Ferrero dat Alberto in de cascina had gegeven, waarbij elke verwijzing naar Gabriele Passarini was weggelaten maar grote nadruk werd gelegd op de rol van de overleden Nestore Soldani alias Nestor Machado Solorzano, en ook op die van de al veel langer overleden Gaetano Comai, maar vooral op het cruciale belang van de samenzwering met de naam operatie Medusa. Alberto Guerrazzi gaf zijn eigen volledige verantwoordelijkheid voor de dood van Ferrero toe, die hij nu diep betreurde, maar hij stelde dat hij, zoals hij het toen zag, volledig in het belang van het land had gehandeld. Hij stelde verder dat hij na de recente ontdekking van Ferrero's lijk had beseft dat het een kwestie van tijd zou zijn voordat de waarheid bekend zou worden en dat hij de schaamte en het schandaal die onvermijdelijk zouden volgen het liefst wilde vermijden door een tijd het land uit te gaan.

De rest van het artikel bestond uit Brandelli's uitvoerige commentaar, dat bol stond van eigendunk. Het document, beweerde hij, had hij een dag eerder in zijn brievenbus aangetroffen. Hij had geen idee van de herkomst, maar bronnen bij de SISMI hadden kennelijk onder verzekering van anonimiteit verklaard dat de handtekening inderdaad die van kolonel Alberto Guerrazzi was. Wat hij wel wist was dat Leonardo Ferrero hem meer dan dertig jaar eerder had benaderd, rond de tijd van de gebeurtenissen die in het document werden beschreven, en had gewezen op het bestaan van een clandestiene militaire organisatie met de naam Medusa. Zijn informant was daarna verdwenen zonder nog verdere details te kunnen verschaffen.

Brandelli gaf hierna een kleurrijk en gedetailleerd verslag van zijn oorspronkelijke ontmoeting met Ferrero, inclusief veel met terugwerkende kracht opgevoerd ondersteunend materiaal dat hij niet tegen Zen had genoemd en zeer vermoedelijk had verzonnen. Hij merkte ook op dat de samenzwering die beschreven werd in Guerrazzi's verklaring volledig in overeenstemming was met wat nu inmiddels bekend was van andere soortgelijke organisaties uit die tijd, en besteedde verder aandacht aan het feit dat Nestore Soldani vermoord was door een geëxplodeerde autobom bij zijn huis in Campione d'Italia, een paar dagen na de ontdekking van Ferrero's lijk. Hij speculeerde niet direct over de moordenaars van laatstgenoemde, maar de implicaties waren duidelijk. Wat Alberto Guerrazzi betreft, alle pogingen van Brandelli om hem te bereiken hadden niets opgeleverd en zijn verblijfplaats scheen zelfs voor zijn meest directe collega's onbekend te zijn. Het werd aan de lezer overgelaten om zelf zijn conclusies te trekken.

Zen betaalde zijn koffie, liep naar de bakkerij waar hij en Gemma graag kwamen en bestelde een assortiment aan lekkernijen, die ze voor hem inpakten. Geen wonder dat de andere kranten en de radio en tv er niets over hadden gemeld. *La Repubblica* had deze exclusieve scoop begrijpelijkerwijs geheim willen houden totdat hun eigen krant in de kiosken lag. Maar rond lunchtijd zou dit in het hele land een van de grootste nieuwsfeiten zijn.

Toen Zen de vervalste verklaring bij Luca Brandelli afleverde had hij de journalist verzekerd dat Guerrazzi's handtekening authentiek was en dat de tekst een redelijke weergave was van zijn opvattingen, die allemaal in essentie waar waren. Hij had echter geweigerd iets te zeggen over de manier waarop hij aan het document was gekomen en liet doorschemeren dat de belangen die op het spel stonden zo groot waren en dat de situatie zo gevaarlijk was dat dergelijke kennis hen beiden zou compromitteren. Ook dit was in essentie waar. Gezien Brandelli's reputatie als onversaagde onderzoeksjournalist wiens werk afhankelijk was van de bescherming van zijn bronnen, leek het niet meer dan redelijk om aan te nemen dat hij dat in zijn geval ook zou doen. En wat Gabriele Passarini betreft was Zen er vrij zeker van dat hij kon rekenen op zijn discretie en gezond verstand.

Er was weinig gezegd door de twee mannen tijdens de rit van Brescia terug naar Milaan, maar toen ze hun bestemming naderden had Passarini ten slotte toch de stilte verbroken.

'Leonardo zei een keer iets wat ik nooit begrepen heb.'

Zen wist dat zijn metgezel een aansporing nodig had, maar hij was te uitgeput om die moeite te nemen. Uiteindelijk reden ze nog eens twee kilometer voordat Passarini uit eigen beweging doorging.

'Toen we te horen kregen over operatie Medusa...'

Nog een hapering, nog een kilometer.

'Ik vroeg Leonardo waarom ze het die naam hadden gegeven. Hij zei dat kolonel Comai had gezegd dat het gebaseerd was op het bronzen standbeeld van Cellini in Florence, een flatterende rechtvaardiging van de heerschappij van de familie Medici, Cellini's beschermheren. De slangen die Medusa's haar vormden, symboliseerden de ruziënde facties van de Welfen en Ghibellijnen die de Florentijnse democratie op de knieën hadden kregen maar die nu waren weggevaagd door de tirannie van de Medici's, die werd gesymboliseerd door die enc houw van Perseus' scherpe zwaard waarmee het hoofd van de Gorgoon werd afgehakt. Ik zag wel de parallel met de situatie hier in Italië in de jaren zeventig, maar toen...'

Weer een stilte, dit keer twee kilometer lang.

'Toen zei Leonardo iets heel vreemds, iets wat ik nooit ben vergeten maar ook nooit heb begrepen. Hij zei: "Iedere vrouw is Medusa. Als je haar in de ogen kijkt, zie je de hele geschiedenis van de mensheid. Dat is voldoende om iedereen in steen te veranderen."'

Halverwege op de weg naar huis snerpte Zens *telefonino*. Het was waarschijnlijk Gemma, dacht hij, die zich op haar charmante, weerspannige manier afvraagt hoelang ze nog op haar ontbijt moet wachten. Maar hij had het mis.

'Met Brugnoli. Heb je *La Repubblica* gelezen?'

'Ik heb er wel even in gekeken.'

En toen kwam de vraag die Zen gevreesd had.

'Had jij daar toevallig iets mee te maken?'

'Nou, tot op zekere hoogte. De raderen draaiden de hele tijd, maar ik heb ze hier en daar een duwtje gegeven. Laten we zeggen dat ik als "stimulator" heb gefungeerd. Net als u dottore Brugnoli, als u me die vergelijking vergeeft.'

Tot Zens verrassing en opluchting begon zijn superieur zachtjes te lachen.

'Integendeel! Als er ergens een vergelijking moet worden gemaakt, dan ben ik degene die zich hierdoor gevleid moet voelen. Om voor de hand liggende redenen ga ik je niet vragen wat je hebt gedaan of hoe je het hebt gedaan, Zen, maar laat ik je verzekeren dat de hoge bonzen hier op het ministerie zeer verguld zijn met het resultaat. Onze buren hier in de straat zullen de komende tijd tot over hun oren in de stront zitten en met wat voor oogverblindende smoezen, ontkenningen en dekmantels ze ook op de proppen zullen komen, veel ervan zal aan ze blijven kleven. Kortom, je bent een ster. Neem de rest van de maand vrij, hou je een tijdje gedeisd, en ik hoef je niet te zeggen dat je hier natuurlijk met niemand over moet praten. Nu we het daar toch over hebben: een paar van onze technische mensen hebben het appartement dat je deelt met signora Santini schoongeveegd. Ze was op dat moment weg en weet niets van het ongenode bezoek. Het hele huis zat van onder tot boven vol afluisterapparatuur. Maar goed, dat is nu geregeld en je kunt tot nader order je gewone leven weer oppakken. En nogmaals gefeliciteerd.'

Zen liep door de verlaten straat. Bij een overheidsgebouw aan de overkant hing de nationale vlag halfstok ter ere van een vroeger bekende politicus die de dag daarvoor was overleden. Zen keek ernaar met een ironie die deels vermengd was met trots. Ook ik heb mijn plicht gedaan, dacht hij.

Gemma liep bedrijvig heen en weer door de keuken in een zijden ochtendjas die Zen kort nadat hij bij haar was ingetrokken voor haar gekocht had.

'God, wat duurde dat lang, zeg!' zei ze licht geërgerd terwijl ze de doos gebak openmaakte. 'Maakt niet uit. De melk is nog warm en ik zet nog wel een pot koffie. O, dat was ik vergeten te vertellen: die vriend van je is langs geweest.'

'Welke vriend?'

'Een of andere Sardinische naam.'

'Gilberto Nieddu?'

'Dat was hem. Hij stuurde me een e-mail om te zeggen dat hij hier in de buurt moest zijn en vroeg of hij langs kon komen. Ik zei dat je weg was, maar hij zei dat hij mij wilde spreken. Het blijkt dat hij merkloze kopieën van gepatenteerde medicijnen importeert die illegaal in India en het Verre Oosten worden gemaakt, waarna hij ze hier verpakt om ze op het origineel te laten lijken en ze tegen een flinke korting aanbiedt aan apothekers om ze te laten doorgaan voor de merkproducten die voor de volle mep worden verkocht.'

'En wat heb je gezegd?'

'Simpelweg "nee" Het was een beetje gênant, omdat hij je vriend is en zo. Maar de zaken gaan goed genoeg en ik wil me gewoon fatsoenlijk voelen, weet je.'

'En of ik dat weet.'

'Maar goed, nu moet je me alles vertellen over die zaak waar je in het noorden aan hebt gewerkt. Ik heb het gisteren niet gevraagd. Je was gewoon te moe.'

Zen trok een lelijk gezicht.

'Er valt eigenlijk niet veel te vertellen. Gewoon een akelig huiselijk drama van niet al te groot belang. De vrouw had een verhouding, haar man kwam erachter en vermoordde de minnaar; toen kwam de vrouw daarachter en vermoordde haar man.'

'Wat een smerig zaakje.'

'Precies. Maar wat maakt het uit? Het heeft niets met ons te maken.'

Hij kuste haar op de lippen.

'Ik hou waanzinnig veel van je.'

'*Carissimo!* En ik hou verstandig veel van je. Een winnende combinatie, vind je niet?'

Zen kuste haar nogmaals terwijl de koffie omhoog begon te borrelen in de pot. Hij glimlachte, naar zijn gevoel voor het eerst in dagen.

'Het kon slechter,' zei hij. 'Het kon veel slechter.'